FRANÇOISE

DU MÊME AUTEUR

A L'AUBE DU FÉMINISME : LES PREMIÈRES JOURNALISTES, 1830-1850, Payot, 1979.

SECRETS D'ALCÔVE : HISTOIRE DU COUPLE DE 1830 À 1930, Hachette Littératures, 1983, Pluriel, 2006.

L'AMOUR À L'ARSENIC : HISTOIRE DE MARIE LAFARGE, Denoël, 1986.

LES FEMMES POLITIQUES, Seuil, 1993 ; Points, 2007.

L'ANNÉE DES ADIEUX, Flammarion, 1995 ; J'ai Lu, 1996.

MARGUERITE DURAS, Gallimard, 1998.

À CE SOIR, Gallimard, 2001 ; Folio, 1993.

LES MAISONS CLOSES : 1830-1930, Hachette Littératures, Pluriel, 2002 ; rééd. 2008.

LES FEMMES QUI ÉCRIVENT VIVENT DANGEREUSEMENT, Flammarion, 2007.

FEMMES HORS DU VOILE, Chêne, 2008.

L'INSOUMISE, Actes Sud, 2008.

LES FEMMES QUI AIMENT SONT DANGEREUSES, Flammarion, 2009.

LES FEMMES QUI LISENT SONT DANGEREUSES, Flammarion, 2006.

DANS LES PAS DE HANNAH ARENDT, Gallimard, 2005.

LAURE ADLER

FRANÇOISE

BERNARD GRASSET
PARIS

ISBN 978-2-246-75921-8

« On peut dire qu'une vie, c'est ce
chaos d'exister, une existence donc,
dès lors qu'elle achoppe sur le peu
qui la transforme en destin – c'est-
à-dire lui donne sens. Et comme la
rencontre d'un sens et d'une existence – l'incarnation du sens – se
fait à corps défendant, avec perte et
fracas, avec douleur, parfois avec
en plus de la joie, cela plus que tout
mérite d'être raconté... »

Pierre MICHON,
Le roi vient quand il veut

PROLOGUE

Février 2008. Il me fixe rendez-vous un mercredi sur deux à 19 h 30 dans un centre communautaire juif niché dans une rue du Quartier latin. Il vient de Strasbourg donner des cours de Talmud et repart le lendemain. Je sais son temps précieux et m'efforce d'arriver avant lui. J'ai beau faire, même si je ne le vois pas au milieu de ces jeunes qui refont le monde en discutant ferme, tout en ayant le regard fixé sur des ordinateurs, il est déjà là, assis à une table avec son cartable à ses pieds d'où il a extrait des commentaires anciens et contemporains de la Bible.

J'ai toujours la sensation de le déranger, même s'il prétend le contraire. A mon invitation, il se lance dans de longs commentaires de la Genèse, analyse un fragment de l'Ancien Testament traduit récemment par un collectif de poètes, en énonce les contresens, revient à l'origine du texte. Difficile de l'interrompre et d'évoquer la raison de nos rendez-vous. Alors j'attends. Je l'écoute, fascinée par la qualité de ses propos, son exigence, sa rigueur morale. Je sais qu'un jour, de sa sacoche, il sortira les lettres.

« Nicolas chéri, mon petit Nicolas »... Les lettres s'étendent sur plusieurs années, mais s'intensifient puis se dramatisent lors de l'été 1989, juste avant le mariage de leur destinataire. J'ai la sensation, en les lisant, d'un harcèlement, d'un questionnement douloureux, d'une volonté sauvage de ne pas dire, d'un évitement existentiel. Nicolas acquiesce.

Il l'a, en effet, bombardée de lettres, à l'époque, pour qu'elle avoue enfin. Pour lui, c'était d'une importance capitale. Sa vie, son destin, dépendaient de sa réponse. Nicolas avait, en effet, décidé d'étudier dans une yeshiva et la question de savoir s'il était juif ou non lui avait été posée : Françoise ne répondant pas, Nicolas devait se convertir. Elle l'a laissé faire sans rien lui dire. Quatre ans plus tard Nicolas tombe amoureux et redemande à sa grand-mère, dans le cadre de la préparation de son mariage, s'il est juif. Là, les défenses, enfin, tombent : elle avoue.

Nicolas s'est marié à la synagogue, Nicolas a continué ses études rabbiniques.

Sans doute envisage-t-il déjà, lui qui a pressenti à vingt ans son origine, qu'il voudra et saura enseigner la Bible.

Il est aujourd'hui rabbin au rabbinat de Strasbourg et l'auteur d'un livre remarquable, *L'Idolâtrie ou la question de la part.*

Nicolas est l'aîné des quatre petits-fils de Françoise Giroud. Sans lui, je n'aurais pu comprendre le cheminement intérieur, les épreuves, la douleur, quelquefois la honte, les adversités endurées par Françoise, sa fragilité aussi, elle qui savait masquer par son sourire, son attitude, que certains jugeaient altière, voire hautaine, ses zones d'ombre, des pans entiers de sa vie qu'elle avait dissimulés et qu'un petit-fils, au mitan de cette vieillesse qu'elle haïssait tant, venait, au nom de l'amour, lui rappeler, lui réclamer, la suppliant de dire enfin la vérité...

Mai 1999. Françoise m'a appelée il y a quelques jours pour me demander si cela ne m'« ennuierait pas » (*sic*) de venir déjeuner chez elle. Je l'admire depuis longtemps – je fais partie de cette génération de filles qui ont commencé tôt dans le journalisme et qui l'ont toujours tenue pour une figure tutélaire. J'ai eu l'occasion de l'interviewer à de nombreuses reprises lors de la publication de ses livres et elle n'a pas ménagé son temps lorsque je lui ai demandé de participer à une enquête sur les femmes et la politique. Françoise est une femme qui garde ses distances et met à distance : la glace n'avait pas été rompue. Aussi suis-je étonnée, intriguée et intimidée par cette invitation. Je lui demande si je peux apporter quelque chose : je sais qu'elle a des difficultés à se déplacer. Elle me répond : non, Blanche s'occupera de tout, et insiste : nous serons en tête à tête, je déteste les déjeuners mondains, vous n'allez pas vous ennuyer avec une vieille dame comme moi ?

J'arrive avec des fleurs qu'elle pose puis oublie sur la table basse. Je me suis trompée. Françoise n'est pas une femme à fleurs. D'ailleurs, pas besoin de bouquet dans cet appartement inondé de soleil avec le pouce de César dans l'entrée, des toiles de maîtres au mur entre les bibliothèques et des sculptures contemporaines au sol.

Avant le repas, Françoise me montre, avec une gaieté enfantine, son ordinateur, et sa dextérité à l'utiliser, elle qui, pendant plus de cinquante ans, fut la reine du plus rapide cliquetis de machine à écrire et inventa un système de calibrage pour envoyer – sans qu'ils puissent être jamais coupés – ses papiers au *Nouvel Observateur*.

Nous sommes mardi. Elle vient juste de terminer son article. Vous voulez y jeter un œil avant qu'on ne passe à table ?

Au menu, rosbif purée. Françoise agite une cloche pour appeler Blanche. Etrange, cet usage d'un autre temps, qui contraste avec le ton d'égalité qu'utilisent ces deux femmes pour communiquer. Après le café, Blanche se retire.

Nous restons dans la petite salle à manger : « On est bien à table », me dit-elle. Puis elle me confie combien elle a souffert après la disparition de son fils. Et le bouleversement qu'elle a ressenti à la naissance de son premier petit-fils. Elle poursuit : « Je suis bien placée pour savoir que les plaies ne se cicatrisent jamais. Le temps c'est de la foutaise. Mais la naissance de Nicolas a été pour moi comme un nouveau commencement. Je ne me suis pas trompée. Il m'a toujours beaucoup donné, puis, quand il a grandi, il m'a séduite par la forme de son esprit, même s'il avait son côté rebelle, voire sauvage. En ce moment, il m'envoie des lettres très, trop personnelles. Comminatoires, même. Je n'ai pas envie de répondre, mais encore moins de me dérober. »

Elle s'arrête net, me propose un autre café et change de sujet. Je suis loin de m'imaginer que, dix ans plus tard, j'aurai en main cette correspondance et comprendrai ce qui la tourmentait, la harassait, la harcelait à cette époque.

Dire la vérité ou se taire ?

Perpétuer le mensonge pour ne pas trahir ?

Elle sera souvent écartelée entre ces deux attitudes, et ce n'est pas pour rien qu'un de ses ouvrages s'intitule *Si je mens...*

Je n'ai pas la prétention de pouvoir faire toute la lumière sur ce personnage public qu'était Françoise Giroud. Christine Ockrent, on s'en souvient, a publié en 2003, quelques mois après sa mort, *Françoise Giroud, une ambition française.* Ma démarche est autre : grâce à des archives inédites et des entretiens, je tente de restituer le destin d'une femme exceptionnelle qui en des temps tourmentés sut être une actrice de l'histoire contemporaine.

Ce livre est aussi un livre de reconnaissance. Françoise Giroud nous a donné la possibilité de croire que nous pourrions, nous aussi, entrer dans ce sacro-saint métier masculin, et volontiers machiste, du journalisme. Elle a formé toute une génération de journalistes femmes, brillantissimes, qui continuent à exercer leur métier sous la responsabilité d'hommes qui règnent en patrons dans la presse actuellement. Elle, c'était la patronne.

Françoise ne s'est jamais mise sous la protection d'un homme, même si elle a aimé – ô combien ! – les hommes, à la fois charnellement, intellectuellement, professionnellement.

Parmi eux, indiscutablement, l'élu fut Jean-Jacques Servan-Schreiber.

Passion dense, nourrie au feu des événements, profondément égalitaire, longtemps réciproque, nimbée de grâce et de générosité, et qui bascula en drame pour elle et entraîna pour lui la perte de ses idéaux. Françoise faillit en mourir. JJSS s'en trouva transformé. La fin de cette histoire d'amour signe aussi la fin d'une époque.

De cette sinistre période, elle dira qu'elle en est sortie *calcinée*, puis s'est relevée. Fidèle à elle-même.

JJSS continuera son chemin en professionnalisant sa passion pour la politique, mais en perdant ce génie qui lui avait permis de faire du journalisme.

Françoise eut plusieurs vies et sut brouiller les pistes. Elle s'échappait toujours et n'aimait pas parler d'elle. Elle préférait parler des autres, écrire sur les autres, comprendre les autres.

Françoise échappe à toute définition, à toute convenance, à toute étiquette.

Françoise l'indomptable, Françoise la panthère – c'est ainsi qu'elle signe une lettre adressée à Jean-Jacques en Algérie –, Françoise la sarcastique, qui savait, d'un coup de plume, ternir une réputation, Françoise l'inventrice, détectrice de nouveaux talents en politique, littérature, cinéma, Françoise qui savait humer l'air du temps et nommer les courants avant même qu'ils surgissent dans l'opinion publique, Françoise l'engagée des causes humanitaires qui ne ménageait ni son temps ni son énergie, Françoise l'infatigable travailleuse, toujours en train d'écrire, d'imaginer un projet, Françoise qui ne savait pas s'arrêter d'être une roulée-boulée dans la vie, toujours un concert, un article, un voyage, un livre, jusqu'aux derniers jours, Françoise qui ne croyait guère en elle-même et qui, jusqu'à la fin, chercha sa véritable identité, effaçant ses origines et écrivant d'innombrables lettres aux autorités administratives du pays qui l'avait vue naître pour obtenir un acte de naissance officiel...

Françoise, une sans-papiers ?

Oui, et qui en a souffert toute sa vie.

C'était il y a sept ans. Caroline Eliacheff, qui venait de classer les papiers de sa mère et s'apprêtait à faire une seconde donation à l'IMEC (l'Institut de la Mémoire de l'Edition Contemporaine), retrouve dans un vieux carnet de sa mère le nom et le numéro de téléphone d'une dame qui habite près de Versailles et dont Françoise lui avait parlé à plusieurs reprises en lui disant qu'elle avait été « très bonne avec elle à une période difficile ». « Je ne l'ai jamais rencontrée, me dit Caroline, je ne sais pas ce qu'elle représente pour ma mère et ma grand-mère, mais tu devrais essayer de la voir. »

J'ai au téléphone une charmante vieille dame, enthousiasmée à l'idée de parler de Françoise Giroud : « Dépêchez-vous, je vais avoir cent ans dans trois semaines. » Elle m'invite le lendemain, à l'heure du thé.

La cérémonie eut lieu dans sa chambre : elle m'expliqua, sans se plaindre, qu'elle ne pouvait plus bouger de son lit depuis des années. Elle avait conservé une mémoire intacte et l'esprit vif, mais sa voix n'était plus qu'un murmure. Elle attendait la mort calmement et ne comprenait pas pourquoi elle tardait tant. De sa famille et de ses amis, elle était la seule désormais à prier devant son crucifix et, par vagues incontrôlables, à se remémorer son passé.

Elle l'avait vue arriver au domicile familial avec sa sœur Djénane et sa mère : « Deux jeunes femmes brunes, l'aînée ravissante, l'autre plus petite et lourdaude, mais bonne parleuse, et leur mère élégante, imposante, une dame qui avait des manières, quoi, et ça se voyait que la vie l'avait, comme on dit dans nos milieux, déclassée. » Elle cherchait un logement pour elles trois, mais ne disposait pas de beaucoup d'argent. Une de ses amies lui avait dit qu'elle pourrait peut-être échanger de menus services de couture et de gouvernante, moyennant un logement gratuit en haut de l'immeuble, dans cette rue déserte en bas des Champs-Elysées. L'affaire fut vite conclue et toutes trois s'installèrent dans l'immeuble pendant plus d'une année. Elles y vécurent en parfaite harmonie avec cette famille française bien née, qui accueillit à bras ouverts ce trio féminin très soudé. Elle ne se souvenait pas de la date exacte. C'était au tout début des années trente. Françoise sortait souvent et s'habillait d'un rien : « Elle avait du chien, sourit la vieille dame sous ses draps. Djénane était plus réservée, très protectrice avec sa mère, elle portait des bracelets aux deux poignets, avait un ovale ravissant, était plus présente que Françoise et aidait sa mère aux travaux de repassage, de couture et de préparation des réceptions de la maison. La mère, du jour au lendemain, nous quitta en nous disant que désormais tout irait mieux pour elles trois, qu'elles auraient un toit. »

Françoise resta en contact jusque dans les années soixante avec cette dame. Elle l'invitait à déjeuner au Fouquet's. J'eus l'occasion de revenir à trois reprises : à chaque fois mon interlocutrice me parlait avec admiration de l'itinéraire de Françoise, de son ascension sociale : « Mais comment a-t-elle fait, elle, la jeune fille pauvre, pour arriver au sommet ? », ne cessait-elle de répéter.

Jean Daniel a bien vu les choses quand il affirme dans son dernier livre *Les Miens* : « On ne comprend rien à Françoise Giroud, c'est ma conviction, si l'on oublie que le milieu, la famille, le sexe, les origines étaient considérés par elle comme autant de handicaps, d'obstacles et même de prisons. »

De son enfance, de son adolescence, de son apprentissage de l'âge adulte, Françoise ne parlait guère. Quelques bribes dans certains de ses livres. Quand on la sollicitait sur le sujet, elle répondait qu'elle avait exercé de nombreux petits boulots, que la chance l'avait servie lorsqu'elle était entrée dans le milieu du cinéma : on connaît la légende, la petite scripte qui se fait remarquer par ses qualités, son sens de l'organisation, puis pour sa remarquable prolixité d'écriture, l'aide décisive de Marc Allégret, l'amour fou mais sans réciprocité, le chagrin d'amour... mais avant ?

Dans les cartons soigneusement conservés par
sa fille Caroline Eliacheff, il y a des papiers de
famille, des correspondances, des photographies,
des documents, mais aussi un arbre généalogique
de la famille Gourdji, nom véritable de Françoise
dite Giroud, reconstitué par une cousine archéo-
logue, qui fait apparaître l'ancienneté et les origines aristocratiques de cette famille, ainsi que ses
nombreuses ramifications dans l'Europe méditer-
ranéenne. Il y a aussi des articles de journaux et,
notamment, trois articles de la presse new-yorkaise
datant de l'année 1916, qui témoignent de la présence du père, organisateur à New York de mee-
tings et de conférences destinées à soutenir le
mouvement des Jeunes-Turcs, qui s'était opposé à
l'alliance avec l'Allemagne dès 1914.

D'où vient Françoise Giroud ? De quel passé a-
t-elle hérité ? Pourquoi ce sentiment de chute
sociale, certes, mais également de perte des racines, des origines, ce brouillage d'identité, ce sol
qui se dérobe sous le pied, cette absence de repères ?

Vendredi 28 juin 1996 : Françoise entreprend
de mettre en ordre ses affaires en vue, dit-elle, de
sa disparition plus ou moins prochaine. Il y a tant
et tant de papiers, d'articles, de lettres d'amour
et d'amitié, de paperasserie administrative, de
contrats d'édition, que devant tout ce fouillis, ce
misérable petit tas de secrets, elle se sent décou-
ragée et semble renoncer. Mais l'obsession de la
mort – elle a toujours dit qu'elle s'en fichait mais
qu'elle la sentirait venir et qu'elle se battrait

jusqu'au bout – la taraude : elle ne veut pas laisser sa vie en vrac. Françoise est une femme d'ordre, une femme qui se soucie, quelquefois jusqu'à la pose, de la représentation d'elle-même. Elle décide donc de s'y remettre : classer, jeter, trier. Elle jettera beaucoup, peut-être trop, avoue-t-elle. Son attitude est-elle dictée par le fait qu'elle ne souhaite pas qu'après sa mort un biographe fureteur puisse faire son miel de tout cela ? Veut-elle maîtriser ce que ses futurs biographes ne trouveront pas ?

Comment alors expliquer qu'à l'abbaye d'Ardenne, siège de l'IMEC, où j'ai passé des journées entières, séduite par le génie du lieu, vingt-cinq cartons, soigneusement répertoriés, contiennent ses correspondances, ses articles, ses manuscrits, et certains de ses papiers les plus personnels ?

Françoise a beaucoup jeté mais n'a pas tout jeté. Caroline a exécuté les ordres de sa mère en confiant à l'IMEC ce qu'elle avait gardé, photographies comprises. Caroline a laissé aux chercheurs ce que sa mère a bien voulu ne pas détruire : un puzzle d'éléments qui composent l'itinéraire d'une vie difficile, tourmentée, volontaire, romanesque ; le portrait d'une personne qui, au départ, n'avait rien pour elle, si ce n'est sa volonté de se sortir de la pauvreté et du déclassement, une prodigieuse intelligence matérielle, pour utiliser le vocabulaire de Marguerite Duras, qui entendait ainsi une perception immédiate des choses, une compréhension naturelle et rapide des situations, sans oublier ce désir de parvenir au bonheur le plus vite possible, le plus longtemps possible.

On ne retient pas la vie qui s'en va.

Vendredi 28 juin au soir : Françoise a terminé : certains papiers sont partis en fumée, d'autres ont été jetés à la poubelle. Le passé est enfin balayé, se dit-elle, heureuse de se sentir tout d'un coup plus légère.

Et moi qui relis ces phrases de son journal où elle critique violemment les biographes indélicats, je me sens de plus en plus embarrassée... Comment ne pas la trahir tout en essayant d'approcher ses vérités ? Peut-être en tentant d'appliquer sa méthode : composer, par fragments, un portait sans retouches.

CHAPITRE I

La fille de son père

De son enfance, elle ne parlait pas. Disait ne pas s'en souvenir. C'était faux. Elle avait une excellente mémoire. A Claude Glayman, elle confie qu'elle n'en éprouve aucune envie : « L'enfance ça vous remonte si vite à la gorge. Il faut la garder pour soi. C'est comme les larmes. » Elle a alors cinquante-six ans, un âge où l'on peut enfin avoir pactisé avec son propre passé. Elle est, dans ces années, en pleine lumière, reconnue, respectée, admirée, courtisée.

Pourquoi ce trouble avoué d'une enfance dite du genre « bizarre » ? L'absence du père ? Oui, sûrement. Elle a un an et sa sœur cinq quand, de France, la terre d'exil qu'il s'était choisie, il embarque pour les Etats-Unis. Il avait souhaité se faire enrôler dans l'armée américaine pour combattre, mais avait été refusé en raison de son âge. Salih Gourdji, le Turc d'Istanbul, est donc parti dans le dessein de continuer le combat démocratique pour les Balkans avec l'espoir de voir se concrétiser un jour la création d'une supranationalité ottomane. Il va être vite déçu. On le constate en lisant la presse intellectuelle de l'époque : s'il est bien accueilli par des cercles d'étudiants et

d'enseignants et par ses frères exilés, la cause
qu'il plaide, si elle est comprise, n'enthousiasme
pas et ne provoque pas les effets escomptés. Et
pourtant, il reste sur place et continue à faire des
conférences, des débats pour mobiliser l'opinion
et récolter des fonds.

On peut même se demander s'il n'a pas souhaité
rester aux Etats-Unis et y faire venir sa femme et
ses enfants.

Il a sans doute envie de recommencer sa vie sur
de nouvelles bases. Pourtant, il a fait ses études à
Paris et a épousé Elda, vingt ans, lui vingt et un,
à la mairie du VIIIe arrondissement. Mariage
fastueux, mariage d'amour entre deux êtres de
milieux sociaux homogènes, la grande bourgeoisie, elle de Salonique, lui d'Istanbul. Des jeunes
gens cultivés, engagés politiquement et qui ne
pensent qu'à vite revenir à Istanbul pour continuer leur lutte politique et intellectuelle pour la
démocratie. Ce qu'il fait. Il fonde d'abord à
Constantinople, puis à Istanbul, en 1909, l'Agence
télégraphique turque, dont il est le président et le
propriétaire. Djénane naît à Constantinople en
1910. Françoise disait que sa mère aimait raconter ces années heureuses. Luxe, considération et
volupté. Salih a de hautes ambitions. Un document
du Quai d'Orsay l'atteste : il vient à Bagdad poser
sa candidature à la Chambre ottomane comme
militant du comité Union et Progrès, dénomina-
tion des Jeunes-Turcs, parti politique et révolutionnaire qui souhaite restaurer la Constitution
ottomane de 1876. Sans succès. Mais il devient
rapidement un leader progressiste reconnu, non
seulement dans son propre pays, mais aussi à
l'étranger : ainsi est-il invité par l'ambassadeur de

Russie en France à faire des conférences sur son mouvement, dès les débuts de 1911. Le 9 décembre de la même année, il préside la réunion de l'Association des Jeunes-Turcs, rue Monsieur-le-Prince, et crée un journal, *La Turquie nouvelle*, où il dénonce les victimes des massacres d'Asie Mineure. Il est déjà reconnu comme un dirigeant avec un fort charisme. Les ennuis commencent pour Salih dès la fin de 1914 : il est accusé par le gouvernement turc d'être un espion. Quand la Turquie fait alliance avec l'Allemagne, il est « invité » à mettre son agence au service de la propagande allemande, financements à l'appui. Le ministre de l'Intérieur, qui est alors le chef réel du gouvernement, veut l'acheter. Devant son refus, il est expulsé de son établissement et menacé de prison pour avoir publié, en septembre 1914, une brochure intitulée *Pourquoi la Turquie ne doit pas s'allier avec l'Allemagne*. Pendant un court laps de temps, il croit pouvoir désigner son frère comme gérant. Mais les événements se précipitent. Françoise Giroud mènera l'enquête sur son père et laissera dans ses papiers le fruit de sa reconstitution : « Le refus de mon père vis-à-vis des autorités le mettant en danger de mort, il est parvenu à s'enfuir, abandonnant et perdant tous ses biens, évalués alors à deux millions de marks. » J'ai pu retrouver ensuite la trace du père : chassé de son pays dans de très brefs délais (on imagine le désar-roi de la mère, qui a déjà une petite fille et apprend sans doute au même moment qu'elle est de nouveau enceinte), il part pour l'Italie puis rejoint la Suisse en train pour regagner la France. De Suisse, il fait venir sa femme et sa fille Djénane. Un document l'atteste : Elda arrive en Suisse en 1916 et est enregistrée (pourquoi ? mystère...) sous l'étiquette de musulmane...

Françoise naîtra donc en Suisse, et sera persuadée toute sa vie d'être née à Genève, alors qu'elle est née à Lausanne, et consacrera une bonne partie de son énergie pendant toute sa carrière à envoyer des lettres aux différentes administrations pour retrouver son acte de naissance, qui existe bel et bien à Lausanne.

Ce côté réfugiée, errante, sans lieu certain de naissance, cette sensation de tremblé, de flou, marqueront toute sa vie. De nulle part elle serait donc.

Il faudra qu'elle reconstruise l'histoire familiale, qui ne lui a pas été transmise, avant de construire sa propre histoire avec ce rapport si particulier qu'elle entretenait avec le temps.

Fille de son père, donc, et fière de l'être. Le père est la figure masculine centrale, qui s'est imprimée comme la figure tutélaire, le modèle. Quand elle tombera amoureuse de JJSS, elle dira qu'il lui fait penser à son père et qu'elle ne pouvait trouver mieux... Père de légende, donc. Les pères absents s'y prêtent mais, en l'occurrence, Gourdji était une forte personnalité : il avait adhéré au parti sioniste dès l'âge de quinze ans, puis au mouvement des Jeunes-Turcs, qui recrutait dans les lycées et les universités des étudiants brillants intellectuellement et les faisait entrer dans ses sociétés secrètes. Doté d'un sens politique acéré, il devient un militant précurseur de la cause européenne démocratique et se bat pour les Arméniens menacés par le sultanat. Lui-même était issu d'une longue lignée reconnue pour son influence : son propre père avait été le premier député juif du Parlement de Bagdad et portait le nom de Gourki. Françoise est donc issue d'une famille où l'on pensait que la politique pouvait changer le monde et que le fait d'être juif ne constituait pas un obstacle pour accéder à des responsabilités.

On comprend mieux ce don, cette grâce dont toute sa vie témoigna Françoise, qu'elle mit au service de cet exercice du journalisme, art qu'elle avait dans le sang.

Père éblouissant, mais manquant. « Je suis née pendant les quelques mois passés en Suisse par ma mère, dont la santé était fort éprouvée avant qu'elle ne rentre définitivement en France en 1917. Son frère, avocat, était alors sur le front. » Le père espère un fils et ne cache pas sa déception en apprenant le sexe de celle qu'il appelle symboliquement « France » tout en s'exclamant : « Quel malheur ! ». La légende familiale veut qu'en la voyant il l'ait repoussée, et même fait tomber. Françoise avouera ne s'être jamais remise de ne pas être un garçon... et sa nourrice elle-même l'appellera François. Après la Suisse, la famille va s'installer à Nice, d'où Salih commence ses démarches pour se rendre aux Etats-Unis. Il a peut-être travaillé pour les services secrets. Père mystérieux...

C'est sans doute au moment où il apprend qu'il va partir pour les Etats-Unis que la famille s'installe à Paris. Il laisse sa femme et ses deux filles, mais avec le ferme espoir que l'action qu'il a intentée auprès de la Sublime Porte pour récupérer les fonds propres de son agence va pouvoir aboutir.

Il n'empêche : Elda se retrouve seule avec un reste d'héritage de sa propre famille et emménage dans un hôtel particulier de deux étages, achète des bibelots, des tableaux, des livres, un piano Bechstein de concert sur lequel Françoise va, toute petite, commencer ses gammes. « Ma mère, disait Françoise, tout le monde voudrait en avoir une comme elle. » Elle réussit à donner le change. Enfance dorée mais mélancolique. Françoise admire sa mère pour sa beauté – que les photos confirment : grands yeux, ovale parfait –, pour sa gaieté, sa tendresse, son immense culture, son esprit moqueur et cette force intérieure irréductible dont hériteront les deux sœurs. Souveraine, vraiment.

Françoise parlera souvent du rôle considérable de sa mère dans sa vie. Elle vivra avec elle jusqu'à son dernier souffle. Elda jouera un rôle intellectuel et politique en tenant salon, et fera l'admiration aussi bien de Pierre Mendès France, de François Mitterrand, bien sûr, que de JJSS, qui l'adorait et avait avec elle de longues conversations hebdomadaires.

Pour quelles raisons le père est-il rentré des Etats-Unis ?
Politiques, diplomatiques ou médicales ? Le flou subsiste. Les documents familiaux permettent de savoir qu'il a donné à New York des conférences brillantes, qui firent l'objet d'articles laudatifs dans *The New France* et qu'il a débattu du sort de

l'Europe à la Ligue des nations devant une salle comble.

Il rentre au bout de deux ans, sans explications, et est hospitalisé dès son retour en France à Ville-Evrard.

Françoise ne le verra plus. Elle sait qu'il est là, non loin d'elle, mais qu'elle ne peut lui rendre visite. Elle sait qu'il est malade mais ignore et le nom de la maladie et sa gravité.

De son vivant, Françoise n'a jamais voulu dire qu'il s'agissait de la syphilis : « C'était une maladie que l'on ne savait pas soigner à l'époque et dont il est mort. »
Elda n'a jamais dit à ses filles de quoi souffrait leur père et n'a pas voulu qu'elles le voient se dégrader inexorablement.

Françoise se souviendra seulement que la maladie était très longue et qu'elle espérait chaque jour son retour. Alors elle l'idéalisait et éprouvait pour lui un amour fou entretenu par sa mère, qui parlait de lui comme d'un héros ayant tout sacrifié à la France.

Contrairement à la mère d'Hannah Arendt, qui a accepté que sa fille aille voir son père à l'hôpital jusqu'à la fin et assiste à la décomposition physique aussi bien que psychique qu'entraîne cette inguérissable et, à l'époque, honteuse maladie, Elda a voulu épargner ses filles.

Salih est mort à l'hôpital psychiatrique de Ville-Evrard le 9 février 1927 à quinze heures, et a été

enterré le 11 février à l'asile. Sa fiche précise :
culte israélite, cause du décès : paralysie générale.

Djénane a dix-sept ans, Françoise onze. Dans
Arthur ou le bonheur de vivre elle affirme que
son père est mort de tuberculose. Savait-elle la
vérité ?

« C'est un fantôme de père qui disparut. Qui
nous avait abandonnées, comme disait ma mère. »
Elles n'ont pas eu le droit d'assister à l'enterrement. C'est sans doute la raison pour laquelle
Françoise n'a cessé de faire des recherches pour
se procurer le certificat de décès de son père.
« Plutôt qu'un père, j'ai eu une absence de père,
une image de père », dit-elle dans *Si je mens.*

Cette douleur de ne pouvoir se recueillir sur la
tombe de son père, Françoise la vivra de nouveau
en 1964 lors de la disparition de son fils en montagne.

Françoise et la mort : une histoire de compa-
gnonnage, de complicité, de courage, de silence,
d'absence totale de peur aussi. Françoise a vécu
la mort de son père, de sa mère, de son fils,
d'Alex, son compagnon. Elle fera une tentative de
suicide après la rupture avec JJSS. Sauvée *in
extremis* et par hasard, elle dira quand elle se
réveillera dans sa chambre d'hôpital : « C'est le
plus mauvais service que vous m'ayez rendu : me
demander de continuer à vivre. »

CHAPITRE II

Le garçon manqué

Après la mort du père prend fin l'enfance. Fini le train de vie presque luxueux, les jardins exubérants, le piano sous lequel elle s'endormait, les femmes de chambre, l'argenterie, la dame anglaise qu'elle aimait tant. La mère de Françoise n'obtient pas l'argent de l'agence de son mari, se fait flouer d'un héritage par une famille indélicate qui abuse de sa candeur. Elle déménage et dégringole l'échelle sociale. Elle n'a pas de papiers et réclame la nationalité française : ses démarches sont enregistrées le 14 janvier 1929 et n'aboutiront que le 31 mai 1930. Les frais de naturalisation sont de 1 250 francs. Dans le formulaire, elle précise qu'elle ne peut verser qu'un acompte de 500 francs. Elle va de meublé en meublé, se retrouve dans des appartements sinistres où, avant d'ouvrir la porte, il faut éloigner les rats qui ont élu domicile dans la cour. Est-ce à ce moment-là qu'elle demande à se faire loger moyennant un rôle de gouvernante ? Possible, car elle enchaîne une succession de petits métiers : elle se lance dans une maison de couture, mais les ouvrières se gèlent dans les locaux et les demandes n'affluent pas. Dépôt de bilan. Elle ouvre une pension de famille qu'elle ne sait pas tenir : les habitués en profitent en ne la payant pas. Tout fout le camp, tout disparaît, tout périclite. « Ma mère qui savait tout faire, c'est-à-dire rien, a dilapidé les lambeaux d'un héritage dans quelques-unes de ces entreprises extravagantes de "dame qui a eu des malheurs". Là-dessus, j'en connais un bout. »

Françoise voit le déclassement de sa mère dans le regard des autres membres de la famille. Elle était riche et belle. Elle devient la cousine pauvre. Ils la tiennent. Ils ne lui prêtent pas d'argent. Elle emprunte, ne peut payer les commerçants qui font des réflexions à Françoise quand l'ardoise est trop lourde. Les deux filles vont au lycée Molière, puis, au moment où la date de mise en liquidation de la pension de famille se rapproche, elles sont inscrites en pension au collège catholique de Groslay. On sait qu'Elda se voyait comme une juive assimilée ayant eu, vers l'âge de trente ans, une crise mystique qui l'aurait fait se convertir au catholicisme. Pourquoi a-t-elle fait baptiser, en 1916, Françoise par le curé Montcombroux, dans le diocèse de Moulins, lors de son périple de Suisse vers Paris ? Par crainte de l'antisémitisme ? Pourquoi se fait-elle baptiser elle-même « après abjuration » ? Pourquoi Françoise refusera-t-elle de dire pendant plus de trois ans à son petit-fils qu'elle est juive ? Est-ce vrai qu'Elda a demandé à Françoise, sur son lit de mort, de ne jamais dévoiler sa judéité ?

Repensons à ce que dit Edgar Morin dans son livre *Mes démons*, *Vidal et les siens*. Il a la même origine : juifs séfarades ayant quitté l'Espagne pendant l'Inquisition. Dans la famille d'Edgar

Morin, on ne prononce jamais le mot juif, la laï-
cisation est faite depuis trois générations, on ne
fête jamais Kippour et, de la tradition juive, n'ont
été retenus que le culte de la famille et le sens de
la solidarité.

Françoise, en pension, va être fortement attirée
par la religion protestante... Elle va demander à
se convertir à l'âge de treize ans : requête acceptée par sa mère, mais mal tolérée par l'institution.
Elle s'obstine et étudie avec le pasteur d'Epinay,
qui vient lui donner des cours particuliers. Finalement, « on » le lui interdit. Ce « on » désignerait
plutôt l'opposition de la pension que le refus de
sa mère. Toujours est-il qu'à l'âge de cinquante-
six ans, elle le regrettait encore amèrement...

Françoise s'habitue assez vite au régime de la
pension – c'est un de ses traits de caractère : elle
s'habitue à tout et ne se plaint jamais – et devient
la première de l'établissement... en gymnastique.
On l'imagine faisant le triple saut devant les copi-
nes ébahies. Djénane, elle, tombe malade et quitte
la pension pour devenir vendeuse dans un grand
magasin. Pour surmonter l'absence de sa sœur,
Françoise trouve la solution : être première en
tout, sans faire d'ailleurs trop d'efforts, ce qui
n'arrangera pas sa réputation : insolente, effrontée,
garçon manqué. Elle a conscience de la manière
dont les autres élèves la perçoivent : déclassée
socialement, ne cherchant aucunement à se faire
adopter. La directrice de la pension la prend en
grippe, sans doute à cause de son caractère,
mais aussi parce que sa mère ne paie pas régulièrement, loin s'en faut, ses frais de scolarité. Elle
se venge : alors qu'un soir une jeune fille riche, de

bonne famille, découche, et que le scandale peut devenir public, elle demande à Françoise de prendre sa place : pendant trois semaines, celle-ci sera désignée comme la coupable, subira l'opprobre moral et sera enfermée dans un cabanon au bout du jardin. Sa mère n'avait pas payé depuis trois semaines ; le marché de la directrice était clair : c'était ça ou le renvoi immédiat. « Mon cœur est devenu alors comme du vieux cuir », dit-elle dans *Leçons particulières*.

Elle en tirera la leçon :

> A la veille de mes quinze ans, un jour un peu plus sombre que les autres, j'ai compris que ma mère s'enfonçait chaque jour davantage et que je n'avais qu'une chose à faire : travailler. Gagner ma vie. Apporter de l'argent à la maison au lieu d'en coûter : je l'ai fait. Voilà pour l'enfance.

CHAPITRE III

L'usine à rêves

Françoise veut apprendre un métier, un vrai. Les déboires de sa mère l'ont vaccinée : une femme doit être indépendante matériellement et avoir un métier qui porte un nom, peu importe lequel. Elle emprunte 500 francs pour s'inscrire à l'école Remington. Un mois plus tard, elle est titulaire d'un diplôme garantissant qu'elle prend en sténo cent vingt mots à la minute. Une véritable mitraillette et un savoir-faire qui lui sera utile quand elle franchira, par hasard, les portes du cinéma.

A l'époque, elle aime aller au cinéma avec sa sœur et découvre dans un club de cinéphiles Eisenstein, Vidor, Buñuel mais, par-dessus tout, dévore tous les livres qui lui tombent sous la main. En parfaite pragmatique – trait de caractère prégnant –, elle cherche donc un travail dans une librairie. Pari gagné. Elle est engagée dans une boutique peu fréquentée, où elle peut s'adonner à son activité préférée, et rapporte à la maison un salaire qui fait bouillir la marmite. De cette expérience elle tirera les leçons, trente-cinq ans plus tard, dans un article de *L'Express,* où elle révélera qu'elle y fut exploitée, travaillant tous les week-ends, et tyrannisée par un patron peu scrupuleux qui l'employait aussi comme secrétaire.

Au bout de huit mois, c'était un vendredi 13 – Françoise a toujours été superstitieuse, elle se faisait tirer les cartes et allait consulter les cartomanciennes régulièrement –, un jeune homme, Marc Allégret, qui l'avait connue quand il fréquentait la pension de sa mère, entre dans la boutique et lui demande ce qu'elle fait là, à perdre son temps. Il lui propose de partir, séance tenante, avec lui. On se croirait dans un film de Jacques Demy. « Viens travailler avec moi, le cinéma, tu verras, c'est l'avenir. » Françoise, ni une ni deux, accepte.

Elle n'est pas du genre à hésiter. Qu'a-t-elle à perdre ?
Elle n'a pas encore seize ans lorsqu'elle rencontre son idole : André Gide, par son neveu, le vrai, Dominique Drouin, qui travaillait avec son autre neveu, le faux, Marc Allégret, comme directeur de production. Gide est alors à la recherche de quelqu'un pour lui faire son courrier. Rendez-vous est pris un dimanche. Chez... André Gide ou plutôt dans l'appartement contigu, celui des *Faux-Monnayeurs*. Françoise est éberluée, mais pas impressionnée. C'est là une autre des composantes principales de sa personnalité : elle ne se laisse pas démonter. Certes elle connaît par cœur *Les Nourritures terrestres* qu'elle a lu à quatorze ans. Elle se présente donc rue Vaneau. Au moment de poser le doigt sur le bouton du dernier étage, elle avouera, dans *Arthur ou le bonheur de vivre,*

« qu'il s'est passé une seconde pendant laquelle j'ai eu le sentiment de me tenir dans le creux de ma main », comme un brelan de dés qu'elle allait jeter. On appelait « le Vaneau » cet immense paquebot que Gide avait aménagé pour travailler en y faisant aussi construire un atelier pour Marc, son compagnon depuis quinze ans. Françoise ignore tout de cette situation. Au moment où elle entre, Gide est en train de prendre une leçon de yo-yo avec un professeur asiatique ; il s'interrompt pour lui demander de ranger un livre. *Port-Royal* de Sainte-Beuve. Elle flaire le piège sans le comprendre. Elle cherche les S : « C'est bien, lui dit Gide. A B vous n'auriez pas fait mon affaire. »

Françoise a toujours cru à la chance, aux êtres qui savaient la saisir, voire la provoquer. Elle vit pleinement l'instant et est prête à toutes sortes d'aventures. Elle aime le risque, les situations imprévues, les changements de programme. Et il en sera ainsi jusqu'à la fin de sa vie.

Un jour – c'était il y a quinze ans – elle m'a dit : « Je juge les gens sur deux critères : ce qu'ils ont accroché sur leurs murs et leur bibliothèque. »

En fin d'après-midi Gide l'emmène voir un film d'Alexander Korda, *La Dame de chez Maxim's* « Du Feydeau ! c'est le bouquet », écrira-t-elle dans *Leçons particulières* : « J'étais une jeune sotte, trahie par son idole, décontenancée de voir que la notoriété est un manteau de lumière qui se désagrège dès qu'on le touche du doigt, quoi qu'il y ait en dessous ». Gide l'engage comme une sorte de dactylo. Pour lui elle est transparente, fait partie du personnel. Je crois qu'il est charmé, au contraire, par cette toute jeune femme ; il la sort, l'invite, et entre eux naît une relation tendre, gaie, enjouée. Un jour il lui dit : « Venez, je vous emmène. Nous allons déjeuner avec un jeune homme qui est beaucoup plus intéressant que ses livres. » Au Petit Voltaire pas de jeune homme. Gide n'est pas surpris : « Il n'est jamais à l'heure. Vous allez voir, il est épuisant, il parle sans se soucier un instant de savoir si on l'écoute, si on le comprend, si on le suit. C'est un cas. » Le jeune homme s'appelle André Malraux. Gide aime aussi aller prendre un café avec elle en fin d'après-midi. On imagine la scène au café de Flore en 1932 : elle, appétissante, plutôt ronde, tout sourires ; Gide, enveloppé de sa cape, à son côté. Un admirateur s'approche et lui dit : « Ce que ça doit être embêtant, parfois, d'être célèbre... ». « Détrompez-vous, lui répond Gide, ce qui est embêtant quand on est connu, c'est le nombre de gens qui ne vous connaissent pas. » J'entends encore le rire de Françoise, lorsqu'elle parlait des innombrables facéties de Gide.

Allégret lui propose tout de go de venir travailler dans ce nouveau métier qu'est le cinéma. Elle ne sait rien faire. Ce n'est pas un problème. On a besoin dans les studios de gens débrouillards, prêts à se rendre utiles sur un plateau et qui n'ont pas honte de devoir tout faire : préparer les loges, arranger un décor, parler aux acteurs entre les prises, s'entendre avec les techniciens, faire le clap.

Une autre version, moins romanesque, de
l'entrée de Françoise Giroud dans le monde du
cinéma m'a été livrée par Alexandra Grinkurg,
cousine de son futur mari : Anatole Eliacheff.
Françoise aurait été engagée toute jeune par
Onessim, père d'Alexandra, et Ossia Loucache-
vitch qui dirigeaient une société de production, la
SEDIF, siégeant 12 rue de Lübeck, adresse de
l'ancienne cinémathèque. J'ai pu consulter les
carnets d'embauche et les cahiers de commande :
le nom de France Gourdji y apparaît bien au titre
des employés. La SEDIF était dirigée par ces
deux intellectuels juifs originaires de Russie, qui
avaient fui la révolution pour fonder à Berlin une
société de films. Ayant décidé de quitter l'Allemagne en 1929 pour s'établir en France, ils produi-
saient les plus grands metteurs en scène, comme
en attestent les archives ainsi que le catalogue des
films : *Remorques, Hôtel du Nord, Veille d'armes,
L'Aveu, La Citadelle du silence, L'Epervier.*
Anatole Eliacheff, dit Tolia, est le cousin germain
d'Onessim et travaille dans la société en s'occupant des tournages. France, au début, fait tout :
les sandwichs, les comptes, les courses, puis, petit
à petit, arrive à se faufiler jusque sur les plateaux.
Anatole parle six langues, il est beau, cynique, l'ami
de Danielle Darrieux, Mireille Balin, Porfirio Rubi-
rosa. Il est déjà une personnalité dans le monde
du cinéma où France n'est rien. Ils vont travailler
ensemble pendant plusieurs années en toute amitié, puis se perdront de vue au début de la guerre,
avant de se retrouver et de tomber amoureux l'un
de l'autre. Pour le moment, il remarque sa capacité de travail et lui confie de plus en plus de responsabilités, mais c'est Marc Allégret qui va la
sortir de sa condition et voir en elle non une

bonne à tout faire devenue super-assistante, mais une artiste dans l'âme. Reste à savoir pourquoi elle a toujours cherché à se construire une légende sur ce miracle que fut son accession au monde du cinéma. Désir d'effacer sa future belle-famille ou création d'un personnage dont le destin fait rêver ?

Toujours est-il que, sans avoir le minimum de connaissances techniques, elle entre comme scripte dans *Fanny* de Pagnol. De lui elle dira qu'il était un ange, toujours en train de s'excuser de sa notoriété, et semblant la vivre comme une imposture. Avec Raimu et Fresnay les rapports sont plus difficiles. Comment, quand on est une puce de seize ans, avoir de l'autorité sur eux ? « Ils étaient terribles, ces messieurs ; cruels même. » Marc Allégret lui viendra en aide en la confiant à son assistant Pierre Prévert. En deux semaines elle maîtrise la situation tout en se disant terrorisée par certaines vedettes. Peu importe la peur et l'angoisse : l'important est de changer de monde. Et, jusqu'à la fin de sa vie, elle dira sa dette à l'égard du cinéma, « un monde fou, fou, fou », un monde qui lui aura été *donné.*

Elle découvre pourtant un univers dur, des horaires de travail nécessitant une bonne forme physique – de huit heures du matin jusqu'à minuit parfois et sans supplément de salaire –, la précarité – l'embauche est à la semaine –, sans parler d'une misogynie prononcée...

Pas de transition entre l'univers de la pension et celui des studios où sévit encore la génération des Baroncelli, Benoît-Levy, Bernard..., eux tombés aujourd'hui dans l'oubli, mais aussi des Duvivier, L'Herbier, Feyder, Grémillon, Tourneur, Gance... Elle n'hésitera pas à qualifier ces cinéastes de génies et à aller voir leurs films à plusieurs reprises. Mais elle débarque dans les bagages d'Allégret qui incarne alors, avec Christian-Jaque, Henri Decoin, Pierre Chenal, Claude Autant-Lara, Jean Delannoy, la nouvelle génération. A l'époque on ne travaille pas pour un metteur en scène particulier, mais pour l'équipe qui occupe le plateau, en effectuant les prises de vues simultanément avec trois caméras. Tout lui paraît énorme, démesuré : les voitures des producteurs, les exigences des vedettes, l'alcool qui coule à flots, les liasses de billets qu'elle voit échanger.

Difficile de savoir avec précision, même en visionnant les films de l'époque, ce que Françoise a fait exactement, et à combien de films elle a participé, car son nom ne figure pas toujours au générique. Elle-même disait ne pas s'en souvenir. Peu importe. Ce qui compte, c'est l'ambiance, ces fausses grandes familles qui s'agrègent le temps d'un tournage, puis se séparent au bout de quelques mois dans de grandes effusions. Françoise est sociable mais pas serviable. Elle fait le lien entre les techniciens, les décorateurs et le cinéaste. De petite taille, elle a gardé les rondeurs de l'adolescence. On la surnomme vite Bouchon. Elle encaisse. Rétrospectivement, elle se comparera à une jeune vierge égarée dans une animalerie. Une vierge qui ne s'en laisse pas conter. De 1932 à 1936, elle enchaîne les films en tant que script-girl sans discontinuer. Elle devait commencer *Les Aventures du roi Pausole*, dans une adaptation de Paul Morand, quand un producteur, qu'elle qualifie de gros Russe répugnant, la coince à la sortie d'un studio pour lui dire que la condition de l'embauche passe par un week-end à Deauville.

« Je fus longue à comprendre. Manque d'entraînement. Il se fâcha. Je me rebellai. La punition tomba : je fus évincée de *Pausole*... » À Billancourt, on la traitera de prétentieuse, tant ce genre de comportement était habituel...

Entre quinze ans et dix-neuf ans, le temps lui paraîtra démesurément long. Elle éprouve la sensation physique d'être dans un tunnel. Certes, elle gagne sa vie et apporte de l'argent à sa mère, mais elle ne sait pas où elle va ni ce qu'elle souhaite. Toujours amoureuse d'Allégret, elle ne comprend pas les raisons de la non-transformation de leur amitié en passion. Une oie blanche.

L'année 1936 sera décisive à bien des égards : elle manifeste pour la première fois pour soutenir les républicains espagnols en scandant « Des avions pour l'Espagne », elle participe à l'adaptation par Marc Allégret de *Sous les yeux d'Occident* de Conrad, et tape les dialogues que Gide écrit pour Pierre Fresnay et Michel Simon. D'Allégret, elle est folle. Quand la grossièreté des régisseurs ou la violence des mœurs du milieu lui donnent envie de fuir, elle se calme vite : son but est de capturer « le prince charmant dont j'étais amoureuse depuis l'âge de neuf ans. L'amour est violent à cet âge. En vérité je n'ai jamais aimé personne davantage que Marc Allégret et cela pendant des années ». D'abord, il est beau – qualité à laquelle Françoise dira être extrêmement sensible tout au long de sa vie. Ensuite, il se montre cultivé, intelligent, courtois. A l'époque, Françoise n'imagine même pas la relation qui l'unit à « l'oncle André » ; d'autant que Marc, à cette époque, prend goût aux femmes et jette son dévolu sur une jeune comédienne. Françoise devient très vite jalouse, d'une jalousie féroce, elle guette et épie ses moindres coups de téléphone, ses déplacements, l'attend devant sa porte. Un soir où elle est chez lui, il reçoit de Berlin le coup de téléphone d'une comédienne : « conversation entre deux amants qui brûlent d'être ensemble, conversation qui m'est devenue insupportable ». Elle prend un vase et le lui jette à la figure. Lui feint d'ignorer et continue à roucouler. A quatre-vingts ans passés, elle se souviendra encore de l'odeur de son eau de toilette sur sa peau, du numéro de la plaque d'immatriculation de sa Chrysler et du bruit de ses pas en arrivant au studio.

Très jeune, elle connaît donc l'amour sans retour et découvre cette expérience de l'attente, de la jalousie, de l'orgueil blessé qui se transforme en violence explosive, qu'elle aura plus tard l'occasion de revivre.

La même année, elle est engagée par Pierre Billon pour *Courrier Sud,* tiré du roman de Saint-Exupéry, dont il a lui-même écrit le scénario. Entre eux se noue une relation fraternelle. Elle fait son baptême de l'air dans son petit avion rouge, un Caudron, qu'il a cassé en le posant. Il lui apprend des chansons, des poèmes. Au moment où le tournage au Maroc doit commencer, le producteur s'avise que, dans l'équipe qui s'apprête à partir au fin fond du désert, il y a quarante hommes et... une femme, une très jeune femme. Saint-Ex décide de prendre Françoise sous sa protection. C'est cependant seule, et terrorisée, qu'elle prendra, à Toulouse, l'avion pour Casablanca, avec escale à Barcelone, où ça tire de toutes parts. Elle découvre avec lui qu'un homme peut donner sans exiger quelque chose en échange, « que l'éternel, le sale marché n'était pas toujours fatal ». Le film se fera. Il est aujourd'hui introuvable.

Au retour, Françoise découvre une ambiance tendue dans les studios. Elle a suivi avec intérêt les grandes grèves et s'affiche alors communiste. Un matin, elle trouve les grilles fermées. Les techniciens ont décidé de faire grève sur le tas, comme leurs camarades ouvriers. Sur le trottoir les discussions sont vives. Le régisseur lui propose de rentrer à Paris, non sans avoir insulté copieusement « ces imbéciles qui mettent en danger la paie de l'équipe ». Elle comprend alors que deux camps sont en présence : ceux que les élections ont paniqués et qui, en effet, ont peur, et, de l'autre côté, les ouvriers avec qui elle travaille depuis maintenant quatre ans. Ce sont eux ses camarades. Comment les craindrait-elle ? Son choix n'est pas idéologique mais physique, psychique. Jamais Françoise n'obéira à un parti et ne pourra être suspectée d'idéologie. Toute sa vie, elle n'écoutera que son instinct. Elle va là où elle pense qu'elle ne souffrira pas, là où elle devine qu'elle pourra être protégée : « Humiliée parmi les humiliés, je rejoins le camp où je pense avoir trouvé plus de fraternité. » Le lendemain, elle est définitivement adoptée par l'ensemble des techniciens qui la trouvaient encore, quelques jours auparavant, bêcheuse, prétentieuse, cette Bouchon qui exècre les gros mots et se refuse à tutoyer...

Mais le véritable adoubement aura lieu quelques mois plus tard : l'homme qui donnera un sens à son existence, qui reconnaîtra le premier son intelligence et ses dons s'appelle Jean Renoir. Avant cette rencontre elle était, comme elle le dit joliment, « une personne en projet ». Elle ne croyait pas en elle. Elle se sentait salie par ces hommes qui lui réclamaient leur dû sexuel. Lui ne l'a pas jugée physiquement. C'était sa méthode. Des candidates actrices qui se présentaient pomponnées, il faisait dire à son régisseur : « Qu'elles reviennent quand elles auront la vérole. » Il considérait qu'il était inutile de crier sur un plateau et avait le don de trouver le plus profond en chaque être. « Pour lui on se serait fait tuer pour lui donner satisfaction. » A Françoise, il a dit d'aller au plus profond d'elle-même, quitte à se gâcher l'existence : « Ce que j'ai reçu de Renoir, c'est la révélation de mes virtualités. » Elle l'appelait monsieur. « En fait c'est le premier homme que j'aie respecté. »

Renoir l'emmène écouter Maurice Thorez pendant les prises de vues de *La Grande Illusion*. Renoir lui demande son avis, prend en compte ses critiques, accepte qu'elle rédige des fragments de dialogue. Quand elle le rencontre, c'est un homme de quarante-trois ans qui claudique sur sa jambe blessée. Il a du mal à se déplacer, mais il demeure infatigable, généreux, débonnaire. Elle connaît bien son œuvre et aime par-dessus tout *Le Crime de Monsieur Lange*, qu'elle a considéré jusqu'à la fin de sa vie comme l'un des meilleurs

films de l'histoire du cinéma. Sur le tournage il se
révèle tel qu'elle l'imaginait : un artisan qui travaille avec des bouts de ficelle, faisant preuve de
bienveillance et de courtoisie envers l'ensemble de
ses collaborateurs, et aimant l'idée du travail bien
fait. Au milieu d'une répétition, n'importe lequel
de ses collaborateurs peut venir l'interrompre :
« Je crois que si... », « il vaudrait mieux... ». Il
écoute, réfléchit, absorbé, « l'oreille et le cœur
toujours en éveil », note Françoise, qui s'enhar-
dit. L'arrivée d'Erich von Stroheim dans le *Haut
Konigsbourg* l'encourage. Françoise, malgré son
jeune âge, est déjà une fervente cinéphile. Stroheim, le cinéaste génial du jeune Hollywood,
l'auteur de *Folies de femmes*, elle l'idolâtre. Quand
il arrive sur le plateau, sanglé dans son uniforme
militaire, le cou enserré dans un appareil ortho-
pédique, suivi d'une infirmière drapée dans des
voiles blancs, elle croit voir une apparition. Stroheim, sans en avoir parlé à Renoir, avait ainsi
imaginé son personnage. Renoir s'incline. Françoise est aux anges et vient le féliciter. Entre eux
naîtra une amitié favorisée par l'isolement des
lieux et par la sincérité de cette jeune femme qui
l'amuse beaucoup. Stroheim vient faire l'acteur
dans ce qui s'annonce déjà comme un grand film.
Le courant passe avec Pierre Fresnay quand
Yvonne Printemps lui laisse le temps de discuter
avec l'équipe. Elle nouera aussi une relation profonde avec Jacques Becker, alors assistant. Ils se
trouvent très vite des points communs : leur intérêt pour le protestantisme et leur goût pour les
conversations philosophiques. Comme elle, il a le
sentiment d'être un déclassé, un bourgeois désar-
genté ; comme elle aussi, il joue du piano. Alors
le soir, après le tournage, ils se mettent à tour de

rôle au clavier dans cet hôtel du bout du monde devant un Stroheim ravi qui en redemande... Difficile d'imaginer, quand on revoit aujourd'hui ce chef-d'œuvre, que la première projection de travail suscita au sein de l'équipe le sentiment d'un naufrage : le scénariste voulut enlever son nom de l'affiche, Gabin dit haut et fort sa consternation, le seul à rester impavide et à ne pas s'inquiéter fut... Jean Renoir : « C'est le seul homme que je connaisse, dit Françoise, qui regarde les humains sans lunettes, lunettes vertes de l'envie, lunettes noires de la peur, lunettes roses de la sottise, lunettes opaques des préjugés, lunettes grises de la timidité. »

Renoir lui donne des ailes. Elle est « lancée », fréquente le monde, côtoie Gide, Valéry, Malraux. Elle déjeune régulièrement avec Gide au Petit Voltaire, dîne chez Marie-Laure de Noailles, rencontre Jouvet, Pagnol... Elle sait qu'elle n'est personne dans ce cirque des vanités. Elle se méfie de la célébrité mais écoute, absorbe, est de plain-pied avec chacun. Cette faculté de ne jamais être impressionnée lui sera utile plus tard. Elle commence à être courtisée. Un important producteur de cinéma, dont elle ne donne que les initiales dans *Leçons particulières* – il semble que ce soit Simon Schifrin –, lui offre, le jour de ses vingt ans, son premier volume de la Pléiade – Baudelaire – et lui propose de l'épouser. La scène se passe dans un cabaret russe. Elle le prie de l'excuser, ne dit mot, part aux toilettes et tire à pile ou face : face c'est non, décide-t-elle. Ce sera face : « C'est non », annonce-t-elle en revenant à table, sans autre explication. Le monsieur restera longtemps amoureux et admiratif devant tant d'audace. Et si ç'avait été pile ? Françoise s'intéresse aux êtres, pas à ce qu'ils veulent paraître. Elle n'ignore pas qu'elle est, au mieux, tolérée. Lucide, elle sait qu'elle fait de la figuration parmi tous ces gens qui lui restent étrangers. On ne l'invite pas vraiment pour elle-même, mais elle fait partie du lot. Ce n'est pas pour autant qu'elle va se vendre pour accéder à leur monde. Tous ces gens qu'elle côtoie l'ont adoptée comme un petit chat.

Elle se comporte d'ailleurs comme tel. Silencieuse, discrète. Elle n'a pas encore trouvé son style. Elle n'a pas encore rencontré l'amour. Elle se sent dégoûtée par tous ces trafics de séduction sur les plateaux de tournage, ces hypothétiques futures vedettes réduites à faire des fellations aux producteurs avant leur audition si elles veulent être engagées. Sexe et dégoût : quand sa mère lui présente un tycoon magnat de l'uranium, elle le laisse espérer, part un week-end avec lui à Monaco, se fait offrir robe du soir, rubis, casino. « C'était délicieux, confie-t-elle dans *Leçons particulières.* » Mais elle parle de son compagnon occasionnel comme d'un grand singe qu'elle a tenu à distance pendant trois jours. Le quatrième, il veut la « croquer ». Elle repart par le premier train, non sans lui avoir rendu le rubis. Naïve ou allumeuse ?

Côté professionnel, elle acquiert de l'expérience, de l'autorité, et son esprit de synthèse lui permettra de devenir la première femme assistante de l'histoire du cinéma français : un métier d'homme qu'elle va assumer en revendiquant ses qualités de femme. Tâche difficile dans un milieu dominé par des hommes qui abusent de leur pouvoir : un jour, devant une loge mal fermée, elle voit une ancienne Miss Paris, mère d'une enfant naturelle, contrainte de se mettre à genoux devant un Julien Duvivier rougeaud ouvrant son pantalon. Françoise, sidérée, reste en arrêt. La voyant il lui hurle : « Mais foutez le camp, foutez le camp, vous m'entendez ! ». Elle aura beau la consoler, Miss Paris sera chassée et il faudra l'intervention de Marc Allégret pour que Françoise ne soit pas sanctionnée. Elle se lie avec Fernandel avec qui elle tournera dix films. Elle l'admire pour son naturel et cette simplicité dont il ne se départira jamais. Rappelons qu'en 1937, il touche 450 000 francs par film... Elle enchaîne l'année suivante avec un film interprété par Louis Jouvet. Lors d'une scène tournée un week-end au bord de la Manche, l'équipe voit débarquer un jeune couple allemand qui vient s'exiler en France. Il leur parle d'Hitler et de l'imminence de la guerre. Jouvet rit et les invite à boire du champagne...

Marcel Carné la réclame. Elle saura calmer ses célèbres colères et apaiser ses angoisses. Méchant, Carné ? Oui, et craint, mais elle le supporte, car il a inventé à ses yeux un style et une syntaxe cinématographiques. Elle a su percer dans *Portraits sans retouches* ce personnage tant redouté qui, malgré ses succès, demeure insatisfait, rongé par l'inquiétude. Toujours, chez elle, cette faculté d'interpréter la faille : « Si Carné était grand, peut-être ne serait-il pas méchant comme il lui arrive de l'être parfois. Mais il est semblable à ces enfants intelligents et fragiles, trop faibles pour se battre pendant les récréations avec le grand imbécile de la classe. Alors, ils dissimulent des pierres dans les boules de neige, et le grand imbécile qui

les reçoit en pleine poitrine murmure, surpris :
"Mais qu'est qu'il a ?". Il a qu'il souffre. On le
sent conscient à chaque minute d'un sentiment
d'infériorité qu'il s'est inventé lui-même... C'est
un si grand bonhomme, ce petit monsieur ! »

La même année, elle rencontre Maurice Diamant-
Berger avec qui elle se lie d'amitié. Celui-ci lui propose de changer de nom : c'est chose courante
dans ce milieu que de prendre un pseudonyme : il
lui propose Giroud. Elle l'accepte immédiatement. De ce pseudo elle fera son nom, sa signature et, progressivement, y reconnaîtra sa véritable
identité.

CHAPITRE IV

Les années de guerre

La déclaration de guerre n'effraie pas Françoise. Elle l'avoue dans *Si je mens* : « La vérité c'est que je me suis dit en 1939 : la guerre, cette chose énorme dont on m'a rebattu les oreilles, c'est tout de même intéressant de voir ce que c'est. » A son intervieweur, Claude Glayman, elle ne cache pas que ce qu'elle dit est choquant, mais elle confirme que c'est ce qu'elle a pourtant ressenti. Elle ajoute que, le jour de la signature du pacte germano-soviétique, elle est rentrée chez sa mère et lui a dit en souriant : « Cette fois c'est la guerre. » Sa mère l'a giflée. La seule gifle qu'elle lui aura jamais donnée. Françoise, avec le recul du temps, reconnaîtra qu'elle ne l'avait pas volée...

L'Occupation divise le monde du cinéma : ceux qui demeurent en France sont des assistants promus au grade de metteurs en scène grâce au départ de leurs aînés. A partir de mars 1941, comme l'explique Jean-Pierre Berthin-Maghit dans son livre *Le Cinéma sous l'Occupation,* la quasi-totalité de la profession accepte le joug de l'occupant pour continuer à travailler, même si, à la Libération, certains comme Dacquin, Carné... diront

qu'ils s'étaient sentis investis d'une mission nationale pour faire oublier la dureté des années
d'Occupation grâce à leurs films. Morgan, Gabin,
Aumont, Renoir, Clair, Duvivier sont partis pour
Hollywood. Françoise n'a guère le choix. Comme
l'écrasante majorité des personnels des studios,
elle se trouve en butte à la pression des Allemands pour continuer à travailler... quand il y a
du travail. Elle traverse des phases difficiles,
comme cette période où l'on embauche de moins
en moins à Billancourt et où, désespérée, elle va
trouver refuge et réconfort chez Louis Jouvet, qui
non seulement lui offre le gîte et le couvert, passe
la soirée à lui remonter le moral, mais encore lui
rédige un chèque : « Je ne mange pas de ce pain-
là », rétorque Françoise. « Apprenez donc à prendre les choses avec simplicité », lui répond Jouvet
en la raccompagnant à la porte.

En 1942, Françoise décroche l'adaptation de
L'Honorable Catherine de Marcel L'Herbier avec
Edwige Feuillère, Raymond Rouleau et André
Luguet. On se tord de rire lorsqu'on regarde
aujourd'hui ce film féministe avant l'heure, tant
les reparties, la qualité des dialogues, le sens du
suspense et de la comédie font mouche. Edwige
Feuillère y est étourdissante de drôlerie et de beauté.
Elle incarne une demi-mondaine trop vieille pour
vendre ses charmes, reconvertie en maîtresse
chanteuse, experte en couples adultérins, qu'elle
repère dans les cocktails mondains pour ensuite
les rançonner, au prétexte de leur vendre une
horloge magique...

Françoise Giroud entretiendra des liens d'amitié
profonds avec Edwige Feuillère à qui elle consa-

crera un beau portrait. Elle tourne de nouveau avec elle *La Duchesse de Langeais* de Jacques de Baroncelli. Le 18 mars, des cinéastes et acteurs comme Viviane Romance, Danielle Darrieux, Albert Préjean, Suzy Delair et quelques autres font le triste voyage à Berlin, invités par Hitler. Le 22 mars, Françoise entreprend des démarches administratives auprès du Comité d'organisation de l'industrie cinématographique, dirigé par les autorités d'occupation allemande, situé au 92 avenue des Champs-Elysées. Le 25 mars, le Commissariat aux affaires juives de Vichy publie son bilan : trois cent soixante mille juifs ont été recensés. Françoise n'est pas allée se déclarer et n'a jamais porté l'étoile jaune, sa mère et sa sœur non plus.

Quelques jours plus tard, Françoise recevra du Comité le papier suivant :
« La demandeuse Françoise Giroud, demeurant au 27 rue Dumont-d'Urville, scénariste d'origine catholique, déclare sous la foi du serment être de race aryenne. »

Djénane habite Clermont-Ferrand depuis son mariage avec un jeune homme de bonne famille, ingénieur chez Michelin. Elle s'apercevra dès les débuts de la guerre que son époux appartient à la Cagoule, organisation d'extrême droite, qui commet des assassinats (pendant la guerre, il s'engagera dans la Milice et sera fusillé après la Libération) Djénane le quittera très vite pour rejoindre les premiers réseaux, alors embryonnaires, de celles et ceux qui combattent l'occupant.
En septembre 1942 Djénane entre dans la Résistance. J'ai retrouvé le magasin où elle était

censée vendre des antiquités. Au fond, elle avait installé une estrade avec un bureau : en fait c'était la cache par laquelle on accédait à la cave, transformée en appartement clandestin, actuellement le sous-sol d'une pharmacie en plein cœur du centre-ville. Grâce à Marcel Rispal, spécialiste de la Résistance en Auvergne et auteur d'un remarquable document, *Auvergne 45*, j'ai pu visiter le local en face, où Djénane dormait, rédigeait les tracts et coordonnait les activités du groupe chargé des quatre premiers numéros du journal *Libération*, composés grâce à la complicité des typographes de *La Montagne* et d'un imprimeur de La Bourboule. Comme l'explique Laurent Douzou dans *La Désobéissance*, Clermont-Ferrand devint vite le cœur de l'insoumission, avec des ouvriers typographes et de très jeunes gens issus de la khâgne du lycée Blaise-Pascal. Claude Lanzmann, dans son livre magistral *Le Lièvre de Patagonie*, raconte comment, avec ses camarades lycéens, il distribuait des tracts, mais aussi des armes qu'il allait chercher à la gare. Presque en face de chez Djénane, au 20 rue Blatin, Jean Chappat, son nouveau compagnon, s'empare des locaux de Mazda où travaille son père et organise des réunions avec Nestor Pernety, Guy Fric et Pierre Marie Dejussieu, qui prend pour pseudonyme Pontcarral, titre d'un film de Jean Delannoy, *Pontcarral, général d'Empire*. Le magasin de Djénane se transforme vite en boîte aux lettres du mouvement Combat et sa cave, dont les aménagements subsistent encore aujourd'hui, en lieu de réunion et de planque.

Djénane avait pris soin de faire venir sa mère en Auvergne dès octobre 1941 et l'avait installée à Royat, à l'hôtel Bon Accueil. A Paris, Françoise continue à travailler dans un climat de plus en plus délétère. La propagande s'intensifie dans les milieux du cinéma, et une liste d'actrices et d'acteurs autorisés à jouer car étant d'origine aryenne est placardée dans Paris. Françoise Giroud obtient le 15 juin 1942 un document de l'Institut des hautes études cinématographiques qui précise sur papier à en-tête : « Autorités d'occupation : accord pour validation de votre autorisation de travailler sous l'occupation. » Dans *Arthur ou le bonheur de vivre* elle affirme avoir rejoint sa mère et sa sœur dès les débuts de l'exode. Pourquoi cache-t-elle la vérité ? A-t-elle, *a posteriori*, reconstruit son histoire ? Dans le texte elle reste floue sur ses opinions et ses véritables activités : « Elle n'était pas belle à voir, la France de la défaite ! Après la débâcle militaire, c'était la débâcle des esprits : gens hagards ne sachant que faire d'eux-mêmes, où aller, quel avenir envisager. Fallait-il rentrer à Paris, en zone occupée par les Allemands ? On vit des associés décider que l'un rentrerait, l'autre resterait. » Contrairement à ce qu'elle dit, elle est donc d'abord restée à Paris pour travailler avec les papiers nécessaires sous les autorités de tutelle de l'Occupation avant de rejoindre à Clermont-Ferrand sa sœur et sa mère. Là-bas, elle commence à aider Djénane dans ses activités en s'occupant de l'aide aux réfugiés. Puis, ne trouvant pas à s'employer, elle part pour Lyon où s'est repliée la rédaction de *Paris-Soir*, et où elle connaît deux personnes susceptibles de l'aider.

CHAPITRE V

Vocation journaliste

Elle avait rêvé d'être médecin comme son grand-père et son oncle. L'obligation de travailler jeune l'en a empêchée.

Elle aurait aussi rêvé d'être réalisatrice, confie-t-elle à Martine de Rabaudy en 2001 dans *Profession journaliste,* où elle fait part de ses rêves brisés et de ses espoirs inassouvis ; mais, à l'époque, les femmes n'accédaient pas encore à la mise en scène. Elles demeurent encore aujourd'hui minoritaires...

Françoise ne croit pas en ses talents de créatrice. Elle ne se sent pas artiste. Son amitié avec Renoir l'a confortée dans cette vision du monde : d'un côté les artistes, de l'autre les artisans.

Artisane oui, bricoleuse, rapide, organisatrice, abeille butineuse, à l'affût, toujours en mouvement. Elle apprend vite et possède déjà un savoir-faire.

De la même manière qu'elle a été initiée au cinéma par Marc Allégret, elle apprendra comment se fabrique un journal grâce à Hervé Mille, grand patron de presse.

Françoise a toujours su trouver ses mentors : de fortes personnalités qui aiment transmettre l'amour de leur savoir. Elle a le talent de s'effacer pour écouter et comprendre. Elle le dit elle-même : « Je suis un papier buvard. » De plus, elle possède la passion du travail. A la fin de sa vie, elle avouera qu'elle ne connaît personne dans son entourage qui ait autant travaillé qu'elle. Elle ne s'en vante pas. Elle s'en excuserait presque, car, dit-elle, elle ne sait rien faire d'autre. Elle fait penser à Marguerite Duras qui s'excusait presque, elle aussi, d'avoir passé sa vie enfermée dans une chambre devant des pages blanches, sans avoir su s'allonger sur une plage quelques minutes.

Histoire de génération ?
Histoire de femmes d'exception ?
Histoire de femmes qui n'aiment rien d'autre que le travail ?

Toutes deux sont des pionnières.

Pendant l'Occupation, à Lyon, où la plupart des rédactions se sont réfugiées, elle frappe à la porte du hangar où s'est repliée l'équipe de *Paris-Soir* dirigée par Hervé Mille, qui a succédé à Pierre Lazareff, exilé en Amérique. Elle est introduite par George Sinclair, journaliste brillante, homosexuelle et fière de l'être, qui sait choisir ses proies : George, qui ne porte pas par hasard le même prénom masculinisé que Sand, était la première fille à être devenue normalienne. Les deux femmes se plaisent. George encourage Françoise à prendre les devants, lui suggère de montrer ce

qu'elle sait faire. Le jour du rendez-vous, Françoise arrive avec une boîte en carton contenant
trois histoires sentimentales de sa composition
qu'elle lit devant Mille à toute vitesse. Il en prend
deux pour publication : « Babette avait sauvé un
garçon qui mourait », l'histoire fleur bleue d'une
jeune fille de quinze ans qui sauve un homme en
train de se noyer dans un lac puis le cache
jusqu'à sa guérison. La seconde est intitulée « Le
billet de cent francs » : un joueur de cartes invétéré
cherche à sauver de la mort une jeune fille qui
veut se jeter dans la Seine et le supplie de n'en
rien faire tant sa détresse est forte et le suicide
une solution. Il réussit – temporairement. Le lendemain matin, en lisant le journal, il apprend que
le corps d'une jeune femme blonde a été repêché.
Ce n'est pas tant le style qui frappe que le sujet :
le suicide comme choix philosophique, que Françoise assumera vingt ans plus tard.

Hervé Mille lui propose de s'asseoir en face de
lui devant la même planche à tréteaux couverte de
papiers. Elle n'en bougera pas pendant six mois.

Face à cette figure tutélaire du journalisme, elle
apprend à titrer, à corriger une copie, à comprendre ce qu'est l'équilibre d'un journal. Elle écrit
aussi des brèves sur la vie mondaine (que l'on
nommait à l'époque « la vie parisienne », même à
Lyon...), dont elle deviendra plus tard l'une des
spécialistes, puis la reine, par son sens du portrait, à la fois incisif et drôle, et auquel auront
droit les plus grandes personnalités du monde des
arts et des lettres. Elle signe alors sous le pseudo
d'Halband et se fait relire par George. Sa jeunesse,
son sens du concret, sa célérité, cette conviction
qu'elle a déjà et qu'elle conservera toujours, même

quand elle exercera de hautes responsabilités,
qu'il n'y a pas de sotte occupation et qu'il faut
savoir tout faire : rédiger un papier mais aussi
ranger une pièce, repasser le velours, faire des
sandwichs... toutes ces qualités la feront adopter par l'ensemble de cette tribu disparate des
journalistes, eux-mêmes libérés, en raison des circonstances politiques, de tout carcan hiérarchique. Tout le monde pouvait tout faire. Françoise,
déjà, commençait à montrer qu'elle pouvait savoir
tout faire... De plus, ce qui ne gâche rien, elle
était alors l'incarnation de la beauté. Hervé Mille,
dans son livre de souvenirs, lui rendra un hommage appuyé sur le plan intellectuel, mais aussi
physique : « Elle avait une peau veloutée et écla-
tante comme les primeurs des vergers »...

Entrée comme « mouche du coche » dans ce
hangar lyonnais, elle en partira avec un métier
qui deviendra une vocation.
En 1942, elle quitte Lyon pour Paris où elle
reprend ses activités cinématographiques. En apparence, elle est intacte, belle, lumineuse, un papillon
en train d'éclore. En fait, elle vient d'apprendre
qu'elle attend un enfant « d'un homme dont elle
avait été séparée par la débâcle ». C'est tout ce
qu'elle en dit dans ses livres de souvenirs. Cet
homme s'appelle Nahmias. Il est riche. Elle l'a rencontré vraisemblablement par l'intermédiaire de sa
mère et, dans l'arbre généalogique de la famille
Gourdji, on trouve des Nahmias. Il dirigeait à l'époque une société pétrolière, Petrofrance, et sa famille
possédait des puits de pétrole à Bakou. Il est d'origine turque, juif pratiquant. J'ai vu des photos de
lui, un homme brun très séduisant, très élégant,
mais qui, d'après ses amis, se juge lui-même petit et

laid. Françoise est-elle amoureuse de lui ? D'après le témoignage d'Alexandra Grinkurg qui possède de nombreux documents sur la famille et qui a connu Nahmias, il semble que oui. Un contrat de mariage aurait même été rédigé. Françoise voulait se marier. Il aurait accepté. Si l'union ne s'est pas réalisée, c'est parce que Françoise a affirmé qu'elle n'était pas juive. Pour Nahmias et l'ensemble de sa famille, il était hors de question d'épouser une goy... Une soi-disant goy...

Françoise, encore une fois, nie la réalité. Veut-elle faire plaisir à sa mère qui a effacé volontairement de sa mémoire ses origines ? Se sent-elle véritablement chrétienne ? Eprouve-t-elle le désir de conserver son indépendance, de ne se lier ni à une famille ni à une religion et d'assumer seule sa vie ? Toujours est-il qu'elle préfère mentir à Nahmias et décide d'avorter.

Elle tentera de trouver des faiseuses d'anges. L'avortement était alors un crime et les femmes qui y recouraient, quand elles étaient prises, étaient traînées devant les tribunaux. Françoise, depuis l'aube de son adolescence, s'est toujours mise du côté des garçons. La voilà tout d'un coup assignée à son sexe, alourdie physiquement et intellectuellement, dégoûtée psychiquement.

Françoise se prend en horreur. Elle ne réussira pas à avorter et vivra à Lyon une grossesse avec un ventre quasi plat. La honte « à avouer "ma faute" me fut épargnée. Il ne me restait plus qu'à mettre mon bébé au monde, à le confier à ma mère. Je n'étonnerai personne en disant que ce ne furent pas les jours les plus gais de ma vie. »

Françoise accouche d'un fils, Alain.

Cette maternité non désirée va la culpabiliser, et elle sera persuadée jusqu'à la fin de sa vie que le sort tragique de ce fils, disparu en montagne, en est une conséquence directe. Mais, à l'époque, les enfants non désirés étaient nombreux. Ce n'est pas pour autant qu'ils n'étaient pas aimés...

La tristesse de Françoise s'explique plus par un trait de caractère hélas ! fortement commun aux femmes : toujours coupable de se sentir plus femme que mère, sans oublier l'opprobre, alors courant, de devoir subir le sort des filles-mères.

Françoise n'est pas du genre à se plaindre. Elle encaisse et repart travailler dans les studios.

Elle est engagée pour écrire un scénario, puis un autre. Matériellement elle est sortie d'affaire. C'est sans doute durant cette période qu'elle retrouve Anatole Eliacheff, pour qui elle a travaillé quand elle était encore Bouchon. Celui-ci la regarde avec d'autres yeux et ils tombent amoureux. Dans *Arthur ou le bonheur de vivre*, elle dira de lui qu'il est séduisant physiquement, avec un tempérament désespéré qu'il compense par un humour sarcastique. Il peut être cruel – « le genre d'hommes à faire asseoir un aveugle sur un banc fraîchement peint » – mais il possède un sens russe de la fête et lui offre des cadeaux tous les dimanches. Françoise n'avouera jamais avoir vécu de belles années sous l'Occupation et avoir fait bombance chez Maxim's avec des officiers allemands. Là aussi, l'album de photographies d'Alexandra témoigne de la confiance dont bénéficie Anatole alias Tolia auprès des Allemands et des belles soirées que les tourtereaux passent dans les plus chics restaurants.

Anatole a émigré dès les débuts de la révolution russe pour Berlin où il a été élevé dans les meilleures écoles. Ses anciens camarades de classe sont devenus officiers à la Kommandantur.

Fin 1942, Djénane, alias Douce, fait venir à Paris un émissaire d'Auvergne pour rencontrer Françoise. Elle demande à sa sœur de l'aider. Françoise n'hésite pas. L'agent secret lui précise ses tâches : « entreposer un poste émetteur, des armes. Héberger Pierre Marie Dejussieu ». « ... Rien d'héroïque ni de spectaculaire, écrira-t-elle dans *Arthur ou le bonheur de vivre*. Mais quelque chose se dénoua dans ma poitrine. Enfin j'allais faire quelque chose. Pour la première fois depuis le début de la guerre, je retrouvais une raison d'être. » Douce, d'abord simple boîte aux lettres, a pris, en effet, des fonctions importantes dans la Résistance : elle est devenue agent de liaison des formations paramilitaires du groupe Libération Sud, puis secrétaire générale à l'état-major national de l'Armée secrète. Son compagnon, Jean Chappat, exerce, lui aussi, de hautes responsabilités. Après l'arrestation du général Delestraint, chef national de l'Armée secrète en 1943, Pierre Marie Dejussieu le remplace et Jean Chappat devient alors le chef départemental de la Résistance, avant d'en être le chef régional.

Les Allemands opèrent de vastes rafles dans la région Auvergne. Djénane est arrêtée par la Gestapo le 22 novembre 1943 et incarcérée à la caserne du 93e régiment d'infanterie de Clermont-Ferrand. J'ai visité cette prison, au 10 rue Pélissier, où étaient incarcérés tous les résistants de la région. Le bâtiment des femmes était situé à l'arrière. Djénane fera acte de courage dès son arrivée en traçant une croix de Lorraine sur le mur de sa cellule. Jean Chappat choisit la clandestinité. Françoise continue ses activités dans son réseau tout en tentant de faire libérer sa sœur avec la complicité active des plus grands chefs de la Résistance.

En effet, dès l'arrestation de Djénane, le chef de l'Armée secrète autorise Françoise à entreprendre toutes les démarches, y compris auprès de personnes qui pourraient avoir la confiance des Allemands. Anatole Eliacheff l'aide activement à nouer des contacts, et Françoise se lance dans des aventures rocambolesques pour monnayer la sortie de sa sœur. Elle évoquera cette période dans un roman, *Deux et deux font trois,* ainsi que dans les souvenirs intitulés *On ne peut pas être heureux tout le temps.* Etrangement, dans ce dernier livre, elle commet des erreurs dans les dates et traite de certains faits avec approximation, alors qu'elle se montre d'une rigueur et d'une exactitude impressionnantes dans le roman... Toutefois ses souvenirs sont concordants, dans les deux livres, lorsqu'elle évoque cette période où elle cachait des postes émetteurs et des armes dans l'inconscience du danger :

> Bien sûr il y a eu des imprudences, des légèretés, des bavardages, des antagonismes. La Résistance ce n'était pas un système clos, une organisation : plutôt des gens qui s'agglutinaient de bric et de broc parce qu'ils avaient mal à la France. C'était un état d'esprit : on ne se couchait pas devant les

Allemands. Douce et moi avions une sérieuse héré-
dité de ce côté-là.

Pour sauver sa sœur de l'envoi en camp, soutenue par sa mère qui fait des interventions auprès
des Allemands, et avec la complicité d'Anatole,
elle prend tous les risques, couverte, je le souli·
gne, par le chef de Libération Sud. Elle court les
bistrots du marché noir, s'aventure dans l'appartement d'un ferrailleur où elle se retrouve encerclée par des hommes armés. « J'aurais baisé le cul
du diable. » Elle entre en contact avec un certain Monsieur Joseph, qu'elle nommera dans son
roman Monsieur Arthur, de son vrai nom Joanovici, trafiquant notoire, juif, collabo, habitué du
restaurant Les Deux Carottes. Elle lui propose
de l'argent, mais Joanovici ne peut plus rien faire :
il sait que Djénane est en route pour l'Allemagne.

Pourquoi tant d'opacité, de double jeu apparent
dans l'attitude de Françoise ? Pourquoi ce déni de
son identité ? De plus en plus d'historiens consi-
dèrent que ne pas se déclarer juif pendant la
guerre peut être considéré comme un acte de
résistance, l'interdiction de travail équivalant à
une mort civique. Pour sauver sa sœur, Françoise
Giroud noue des liens avec des collabos. On
pense à l'attitude de Marguerite Duras, qui joue
un double jeu amoureux, elle aussi sous la tutelle
de son chef en Résistance, un certain Morland,
alias Mitterrand, avec Delval, pour tenter de faire
évader son mari Robert Antelme, encore incar-
céré sur le sol français. Françoise, qui héberge sa
mère revenue d'Auvergne le 23 novembre 1943,
continue à prendre de plus en plus de risques, à
fréquenter des gens qui lui font des promesses tout

en sachant qu'autour d'elle et dans son groupe les arrestations se multiplient. Une enquête, diligentée par la préfecture de Clermont-Ferrand, est conduite sur Elda Gourdji pour savoir si « son attitude ne s'oppose pas à son maintien dans la communauté française ». Dénonciation ? La préfecture découvre qu'elle réside à Paris et fait suivre à la capitale le dossier à la Gestapo. Là-bas, une nouvelle enquête commencera sur sa moralité.

Françoise est arrêtée début mars 1944 et emmenée au siège de la Gestapo, rue des Saussaies, où elle restera presque un mois. Dans *Leçons particulières*, elle racontera comment un instructeur lui demande où est Bourguignon, avant-dernier pseudonyme de Dejussieu. Après avoir redouté pendant des jours de nouveaux interrogatoires, elle est transférée à Fresnes le 29 mars. Dans *Deux et deux font trois*, elle évoquera la salle commune remplie de paille où sont entassés des prisonniers torturés, l'arrivée d'un jeune homme au corps disloqué dont les policiers prétendent qu'il a voulu se suicider. Puis elle est mise dans une cellule avec trois autres femmes qui passent leurs journées à nettoyer le sol avec une petite cuillère tout en tremblant d'être emmenées rue des Saussaies. Le soir, elles se mettent toutes quatre à la fenêtre et crient « Vive de Gaulle ». Un jour, un aumônier allemand débarque à la prison pour donner une messe. Françoise décide d'y assister. Elle en sortira impressionnée, pleine de ferveur. Toujours en elle cette attirance pour la religion chrétienne, ce désir de spiritualité.

Dans le roman son héroïne sera torturée. Elle, non, mais elle en sortira humiliée, affaiblie, pleine d'écorchures. On connaît les raisons de sa libération : Elda prit contact avec Joanovici qui se montra efficace et rapide. Christine Ockrent a retrouvé la lettre qu'elle adressa à la cour de justice :

> Je suis retournée voir Monsieur Joseph et je l'ai supplié d'intervenir en faveur de Françoise. Je perdais tout espoir car l'avocat accrédité par les Allemands... m'avait fait savoir qu'elle devait être déportée dans le courant de juillet lorsque, grâce à Monsieur Joseph, elle a été libérée quelques jours avant sa déportation.

Les Allemands gardaient Françoise pour remonter la piste de Dejussieu, alias Bourguignon, alias Paul Carré. Or, celui-ci venait d'être arrêté en mai.

Elda et Françoise restent sans nouvelles de Douce. Impossible même de savoir si elle est encore en vie. A la fin de la guerre, Françoise se rend tous les jours au Lutetia pour voir les déportés arriver, consulte les listes, pose des questions à celles et ceux qui sont revenus. Dans son roman *Lutetia*, Pierre Assouline raconte comment Françoise allait vers les rescapés en décrivant physiquement sa sœur. En fait ce n'est pas dans le hall du Lutetia, mais à l'arrêt d'un bus qu'elle croit reconnaître sa silhouette, une femme tondue, en robe rayée, pesant à peine quarante kilos, tenant le bras d'une camarade, compagne des camps, Madeleine. Françoise s'approche : « Douce, c'est toi ? ». Djénane tend alors à sa sœur un cendrier en cristal de Bohême qu'elle rapporte de Tchécoslovaquie et lui dit : « On ne revient pas de voyage sans cadeau, n'est-ce pas ? ».

Françoise lui rendra un vibrant hommage : « J'ai su plus tard combien sa gaieté, son courage, son ingéniosité, sa foi dans la victoire avaient été précieux à ses amies de détention. Mais de tout cela, elle n'a jamais voulu parler. »

Les deux sœurs demeureront désormais inséparables.

CHAPITRE VI

Les années *Elle*

La « petite brune au sale caractère », comme l'appelait Jean Prouvost, fut présentée par Hervé Mille à Hélène Gordon-Lazareff, dès son retour des Etats-Unis, qui savait détecter les talents avant tout le monde et pressentait aussi le devenir de la presse. Ainsi a-t-il vu, au lendemain de la guerre, que le sort de la femme était en train de changer. Il fallait créer un nouveau magazine féminin plus audacieux que *Marie France*, propriété du groupe Amaury, et moins conventionnel que *Claudine*, lancé par *L'Aurore*. Les femmes n'étaient plus seulement des mères au foyer, elles étaient appelées à devenir des citoyennes actives et des épouses indépendantes matériellement de leurs maris. Hervé Mille réunit donc des fonds et, grâce à l'argent d'un armateur marseillais, du fils de Paul Valéry et d'un antiquaire parisien, trouve la somme nécessaire pour lancer un nouvel hebdomadaire féminin. Hélène rentre des Etats-Unis avec des idées de modernité plein la tête et des désirs de mettre en valeur la beauté, l'intelligence et l'indépendance des femmes. Mille sait qu'elle ne peut diriger un journal toute seule et, sur sa liste, il n'a mis qu'un nom : Françoise Giroud.

Hélène Gordon-Lazareff décide donc de rencontrer la jeune femme.

Le déjeuner a lieu avenue Kléber en tête à tête. Coup de foudre réciproque. Hélène devine tout de suite chez Françoise le caractère trempé et l'humeur égale, l'esprit de sérieux, le savoir-faire, l'intuition de la jeunesse. Hélène fascine Françoise par son empathie, ses effusions, sa générosité, sa manière de ne se poser aucune question sur la vie en essayant de la vivre le mieux possible.

Entre elles naît un amour, pas une amitié.

Comme l'écrit Françoise dans *Si je mens* : « Elle apportait la vie, la gaieté, l'optimisme. » Elle aime son opiniâtreté et la surnomme « le petit oiseau d'acier ». Hélène n'a pas subi la guerre et ne souffre pas du pessimisme qui ronge Françoise. Elle n'a pas d'angoisse métaphysique et cherche, avec son nouveau journal, à rendre les femmes le plus attractives possible. Toutes deux vont mettre en commun leurs qualités intellectuelles, mais aussi leur faculté de séduction et leur féminité, afin d'inventer un nouvel espace de liberté pour les femmes, où il sera fait appel autant à leur intelligence qu'à leur cœur, autant à leur apparence physique et au désir qu'elles suscitent, qu'à leur esprit d'indépendance.

Quelle émotion d'ouvrir, au siège actuel de *Elle*, à Levallois, les premiers numéros soigneusement archivés de ce journal qui porte haut et fort son passé et a su conserver encore aujourd'hui la continuité de son identité. Car, dès ses débuts, *Elle* est un journal féministe avant la lettre, qui veut donner élan et confiance aux femmes de toutes classes sociales.

A l'époque, il n'y avait aucune femme à la rédaction du *Figaro,* à *France-Soir* quelques reporters, mais aucune chef de service, tandis que *Le Monde* ne comptait qu'une seule femme à la rubrique « Spectacles ». Les femmes journalistes n'avaient donc la possibilité d'exercer que dans la presse féminine.

Le premier numéro de *Elle* est en kiosque le 21 novembre 1945.

Le siège du journal est au 100 rue Réaumur. Ce sont trois pièces un peu minables où, le matin, Pierre Gaxotte rédige les premières pages du journal et, chaque jour à midi tapant, met son chapeau, enfile son manteau et part vers son autre vie d'historien. Dans l'escalier, il croise Hélène – midi c'est son heure –, qui retrouve une toute petite équipe qu'elle ne sait pas diriger. Françoise continue à travailler dans le monde du cinéma pour assurer ses arrières, car elle n'est pas engagée. Hélène lui demande des articles au coup par coup. Le premier est intitulé : « Aujourd'hui ce sont les garçons qui veulent se marier et les jeunes filles qui hésitent. » Tout Giroud est déjà là, dans l'écriture incisive, le style au vitriol, l'ironie mordante, le sens de l'histoire en train de se faire, ce qu'on nommerait aujourd'hui la sociologie des mœurs. Constatant en effet qu'après la guerre les loyers ont considérablement augmenté, que les restaurants sont devenus inabordables, les femmes de ménage de plus en plus rares sur le marché du travail, de nombreux hommes cherchent, pour des raisons pratiques, à se marier. Sans pour autant trouver leurs dulcinées. Car, ajoute Françoise, « le métier de femme, monsieur, n'est plus un métier et ne vous étonnez pas si la jeune fille de vos rêves ne s'est pas présentée. C'est qu'elle préfère probablement faire un métier d'homme ». Le ton est trouvé : Françoise n'en démordra pas, elle ne cessera de donner confiance aux femmes, stigmatisera les clichés : « Il n'y a pas de femmes fortes. Il n'y a que des hommes faibles », et lancera, dès les débuts du journal, des thèmes récurrents : la nécessité de l'indépendance matérielle des femmes, le plaisir qu'il y a à ne pas se marier... Le statut de la vieille fille était encore synonyme de déclassement social et d'absence de séduction. Elle n'aura de cesse de défendre l'autonomie intellectuelle des femmes en politique, ainsi que leur droit d'avoir des enfants sans passer automatiquement par la case mariage. Hélène l'encourage malgré les réactions de son mari, qui lui répète que la lectrice type est une habitante d'Angoulême – pourquoi Angoulême ? Est-ce Rastignac qui a frappé ? –, âgée de trente à trente-cinq ans, mariée et mère d'un à trois enfants... Hélène Lazareff suivra Françoise Giroud et non son mari, qui changera d'avis et sera vite convaincu par ce nouveau ton journalistique engagé qui plaît à la jeune génération des femmes de l'après-guerre, soucieuses de liberté et d'indépendance.

Françoise va profiter des élections pour inciter les lectrices à devenir des citoyennes actives et indépendantes des opinions politiques de leur mari, de leur frère ou de leur père... Rappelons que les Françaises ont obtenu leurs droits politiques par ordonnance, le 21 avril 1944, et qu'en mars 45 elles ont pu voter pour la première fois. En octobre 45 seules trente-trois femmes ont été élues députées. Françoise aura à cœur de démontrer aux hommes politiques de droite comme de gauche, à chaque élection, que le vote des femmes fait la différence et peut faire basculer une élection. C'est aux femmes de prendre leur destin en main et d'imposer la force de leur électorat aux dirigeants (tous masculins) des partis.

Dans un article pleine page intitulé : « Madame, ne restez pas chez vous », Françoise Giroud les apostrophe :
« Vous ne faites pas de politique ? Nous non plus. Et pourtant si. Nous en faisons depuis qu'on nous a remis une petite carte bleue que nous avons glissée dans notre portefeuille entre les tickets d'alimentation et la carte de textile. »

Stigmatisant l'absence massive des femmes dans les bureaux de vote lors des élections, Françoise Giroud en tire les conséquences : cela représente quatre millions de voix dans une élection où les partis les plus favorisés n'ont pas obtenu le tiers des suffrages. En ne votant pas, les femmes font donc de la politique sans le savoir. Les abstentionnistes constituent une majorité. Or, deux tiers d'entre eux sont des femmes... Françoise va donc s'ingénier à les rassurer : « Etes-vous perdues entre les partis et leurs programmes ? Demandez des explications à vos maris qui s'en trouveront flattés, mais faites votre choix qui ne sera pas forcément le leur. Vous ne risquez pas grand-chose puisqu'ils n'en sauront rien. Pensez-vous qu'être mères ne vous autorise pas à intervenir dans les affaires de l'Etat ? C'est bien parce que vous êtes responsables de l'avenir de vos enfants que vous devez participer activement à la construction de la France de demain. » Un tableau récapitulatif indiquant les orientations économiques et diplomatiques a été imaginé par Françoise qui insiste : « Tous les sondages effectués prouvent que les femmes sont plus mesurées que les hommes. »

Françoise ne sera guère écoutée : les résultats du 3 mai et du 2 juin 1946 montreront que les femmes, une fois encore, se sont plus abstenues que les hommes...

Françoise Giroud innove également par sa volonté constante de faire appel au désir des femmes en mettant en avant leur pouvoir de séduction. Dans le rapport hommes-femmes, pas de doute, c'est la femme qui choisit : son mari, son amant, son flirt de vacances. A l'époque, cette manière d'envisager la femme comme une personne désirante, une maîtresse femme, est unique dans la presse féminine, qui met en avant, au contraire, l'image de l'épouse sous la coupe intellectuelle et matérielle de son mari. Françoise n'hésite pas à mettre en une des mâles bodybuildés courant sur la plage et publie des questionnaires censés permettre de débusquer l'homme idéal, tout en conseillant à celles qui ne sont pas mariées de ne pas se laisser emporter par la douceur de l'été et d'attendre la rentrée pour vérifier si, en complet gris, l'amoureux est aussi sexy que dans une boîte de nuit. Elle incite ses lectrices à croire en elles et n'hésite pas à donner des conseils : consigner ses états d'âme dans un carnet au lieu de se lamenter, croire en soi sans le dire. Françoise Giroud croit à la force des femmes et les incite à acquérir leur indépendance matérielle en travaillant, tout en leur expliquant qu'il leur est possible de concilier les statuts de mère, d'épouse et de salariée, à condition de garder « un moment pour soi, rien que pour soi, et de préserver un jardin secret pour lire, écouter de la musique, se cultiver », ainsi que la force de leur beauté.

Car si l'on peut plaire sans réussir, on ne réussit pas sans plaire. Pour Giroud, la femme qui plaît c'est celle qui sait. Elle connaît la dernière anecdote de Cocteau, les répliques du docteur Petiot, mais n'en est pas moins capable de réparer ses bas de soie.

Ne jamais dire : Je n'ai pas le temps. Se répéter : Je suis vivante. Et, pour le rester, rien de mieux que de travailler. Françoise explique comment se comporter au bureau : s'oublier soi-même, parler le moins possible, ne jamais admirer ses supérieurs hiérarchiques... Elle donne même des astuces pour ne pas tomber dans le panneau : il suffit de les imaginer chez le dentiste ou, dans leur lit, en train de ronfler...

> Travailler ce n'est pas seulement gagner sa vie, c'est aussi une porte ouverte sur le monde, un monde multiple qui vous appartiendra si vous lui tendez la main.

Françoise passe alors ses journées à *Elle* – douze heures par jour, dimanche compris – tout en écrivant pour *Carrefour* et *L'Intransigeant,* à raison d'un article par semaine, et fréquente de moins en moins les milieux du cinéma tout en ne coupant pas complètement avec certains metteurs en scène. Elle est invitée à tous les cocktails, fréquente les allées du pouvoir. Toutes deux aiment innover : utilisation pour la première fois dans la presse française de la photographie en couleurs, ton décalé, accrocheur, sexy. Françoise s'amuse à titrer, équilibre le journal, invente des rubriques. Bref, elle préinvente *L'Express* sans le savoir, évidemment, en lançant ses questionnaires, ses grandes enquêtes de société : à quoi rêvent les jeunes filles ? Sous votre robe, que portez-vous ? Le porte-jarretelles ne se lave pas que tous les deux ans, lit-on sous sa plume au détour de l'enquête, et c'est pourtant la moyenne nationale, « alors n'allez pas faire des scènes à votre enfant parce qu'il ne se lave pas les mains avant de se mettre à table : c'est vous qui êtes sale. Renouvelez votre brosse à dents trois fois par an et lavez aussi les parties du corps qui ne se voient pas ». Le propos fait scandale. Lazareff s'étrangle. Ce n'est pas ainsi que vous vous ferez de nouvelles lectrices. Hélène approuve l'audace de Françoise et l'encourage. Elles partagent tout : leur fauteuil, faute de place dans les bureaux, mais surtout, signe de leur amitié, leur temps et leur passion pour la mode. Elles sont de tous les défilés : Fath, Schiaparelli, Paquin, mais aussi et d'abord Christian Dior, pour qui Françoise éprouvera un véritable engouement et sur qui elle écrira toute sa vie. Elle assiste, le 12 février 1947, à la présentation de sa première collection et fait part à ses lectrices de son émotion. Pas de doute, pour elle, un génie est né.

Hélène s'habille de rouge, Françoise de noir. Elles raffolent des belles robes, savent apprécier la beauté d'un tissu, l'élégance d'une coupe, aiment aussi porter les vêtements des grands couturiers. Bien avant Roland Barthes, Françoise décrypte le vêtement comme signe d'appartenance sociale et manière d'exister. « Le jour où les robes, ou ce qui en tiendra lieu, ne m'intéresseront plus, j'aurai un pied dans la tombe », écrit-elle dans *Si je mens*.

On a du mal à imaginer aujourd'hui la liberté d'expression de *Elle*, fortement concurrencée par *Marie France* et *Claudine*. Dans de nombreuses régions, des diffuseurs refusent de mettre la revue en vente, car ils la trouvent trop émancipée. Pierre Lazareff continue à inciter Hélène et Françoise à plus de prudence. Il n'est guère entendu. Mais, devant les difficultés économiques, Françoise invente ce qu'elle réitérera plus tard à *L'Express* : la pré-publication d'ouvrages importants, qu'elle découpe en feuilletons, et quand elle n'obtient pas les droits, elle rédige elle-même sous pseudonyme en quelques heures un texte qui correspond à l'illustration déjà prête... Ainsi de *Draga la reine tragique*, qui, si elle n'est pas restée dans les annales de la littérature, aura, pendant six numéros, tenu ses lectrices en haleine par son suspense, ses rebondissements et son côté mélo flirtant avec le roman rose.

Hélène est fantasque, capricieuse, dépensière, séductrice. Françoise est réaliste, mélancolique, économe, pragmatique, et ne croit guère en elle-même. Leurs tempéraments opposés vont se compléter. Hélène vit dans la haute société. Pierre Lazareff roule en Bentley, possède des propriétés, dont celle de Louveciennes, qu'évoque Sophie Delassein dans *Les Dimanches à Louveciennes*, où il invite en fin de semaine le Tout-Paris politique, intellectuel et littéraire. Hélène est servie, s'achète plusieurs robes par semaine, a horreur de faire la cuisine et aime les premiers surgelés. Françoise galère. Elle a des charges terribles, vit avec sa mère, son fils et sa nurse, aime faire la cuisine dès qu'elle en a le temps, sait même coudre ses robes, jongle avec les petits boulots, les articles toujours pour *L'Intransigeant,* ainsi que la composition de chansons. Djénane travaille pour un salaire de misère dans un grand magasin. Françoise réussit grâce à Hélène à la faire entrer à la rédaction, où elle invente une rubrique de décoration et de savoir-vivre qui va séduire très vite les lectrices.

Après la Libération, les hommes séduisants sont les résistants. Anatole n'est pas de ce bord-là. Il n'a pas hésité à s'afficher avec des officiers de la Wehrmacht pendant la guerre et a fréquenté des femmes à la réputation vénéneuse. Françoise ne sort guère avec lui dans les cocktails mondains mais en demeure très entichée. Ils prennent la décision de se marier.

Dans *Si je mens,* Françoise avoue : « Je me suis mariée avec un personnage qui sortait tout droit d'un roman de Dostoïevski. Plus russe qu'il n'est permis. Beau. Avec un sentiment aigu de l'absurde qui rencontrait celui que j'éprouvais alors et l'a aiguisé. »

Le certificat précise que le mariage a eu lieu à la mairie du XVIᵉ arrondissement, à Paris, le 25 juin 1946, sous le régime de la séparation de biens. Les mauvaises langues de la famille Elia-

cheff persiflent : Françoise est une femme intéressée ; elle a épousé le cousin de son ancien
patron.

Le 17 décembre 1946, Tolia obtient de la
direction des services de guerre, pour une période
renouvelable de six mois, un appartement sur
deux étages, 2 avenue Raphaël. Françoise y emménage avec sa mère et son fils.

Jacques Becker lui propose d'écrire le scénario
d'*Antoine et Antoinette*. Elle accepte et prend
pour thème la révolte d'une fille que sa mère
cherche à caser et qui trouve le prétendant idéal à
un seul détail près : sa fille ne veut pas se
marier...

Françoise se sentirait-elle enfin heureuse, en
accord avec elle-même ? Elle est amoureuse et a
beaucoup de propositions de travail. Pourtant,
elle a envie de dételer, de rêvasser, de prendre
justement enfin le temps de vivre. Elle désire un
autre enfant et s'en explique sans détour dans *Si
je mens* : « J'avais envie d'avoir un enfant et,
celui-là, je n'avais pas envie de le saboter. » Elle
tombe enceinte et décide, pour la première fois de
sa vie, de débrayer un peu, d'être en harmonie
avec elle-même, de profiter de cette pause et de
vivre dans le bonheur sa grossesse. Cet état d'alti-
tude et de béatitude psychique et physique est
important à souligner pour comprendre la psychologie de Françoise et ses manières de raison-
ner : elle est amoureuse, heureuse ; elle est sûre
qu'elle attend une fille, s'invente de jolies tenues
de femme enceinte.

A peine Françoise a-t-elle opté pour le bonheur qu'Hélène tombe malade. Et c'est à elle que Pierre Lazareff confie aussitôt les rênes du journal alors qu'elle ne rêve que du contraire. Elle n'est pas du genre à refuser et assume la direction de *Elle*. Elle fait ce qu'elle peut, c'est-à-dire qu'elle travaille comme une folle. Pas d'horaires, pas de vacances. C'est un trait de caractère profond, et qui s'accentuera en vieillissant : Françoise ne sait pas faire autre chose que travailler. Elle n'est jamais fatiguée. Elle n'imagine même pas pouvoir être « fatigable ».

« Mon bébé est né bien fini, bien ourlé. Hélène est revenue réparée. »
Cette fille tant désirée se prénommera Caroline. Elle sera la seule et la dernière. Elle naîtra en juin 1947.

Françoise Giroud reprend le travail quelques jours après la naissance de Caroline.
Elle sait tout faire et à toute vitesse. Elle sait pallier toutes les difficultés et entretient un rapport passionnel avec ses lectrices, dont elle publie le courrier ; apostrophée sur le thème : vous ne parlez que de princesses dans votre journal, elle publie la réponse suivante : « Je peux aussi vous raconter l'histoire d'une jeune fille ordinaire, une sténodactylo, par exemple, de seize ans, très pauvre, qui est devenue la scénariste d'*Antoine et Antoinette* et la journaliste à qui vous faites l'honneur d'écrire. » Elle n'hésite pas non plus à parler de son fils dans les colonnes du journal pour évoquer la manière dont elle tente de l'éduquer.

Le 30 juillet 1947, Tolia est arrêté, jugé par la cour de justice de Douai et condamné à cinq ans de réclusion, dégradation à vie, interdiction de séjour pendant vingt ans pour faits de collaboration. Il semblerait, d'après la famille de Tolia, qu'une de ses anciennes maîtresses, Irène de Poligny, l'ait dénoncé après la guerre pour se venger amoureusement. Sa peine sera commuée en dix-huit mois d'emprisonnement et il sera amnistié le 17 janvier 1952.

Jamais Françoise ne l'évoquera publiquement. Elle se confiera à une jeune journaliste qu'elle vient d'engager au journal : Edmonde Charles-Roux, et lui demandera de l'accompagner quelquefois à la prison de Loos. Edmonde se souvient : « Je ne sais pour quelles raisons elle m'a accordé sa confiance. C'est elle qui m'avait choisie, peut-être parce que je parlais plusieurs langues et que j'avais l'air d'une jeune femme bien élevée. Elle a toujours été protectrice avec moi. Le début du week-end nous partions en voiture. Elle emportait des provisions et du linge pour son mari. Je l'attendais devant la prison puis nous repartions sur Paris. Jamais je ne l'ai entendue se plaindre. Je ne crois pas que les autres collègues étaient au courant. » Le lundi matin, elle est au travail. « Et en plus je lui restais fidèle », précisera-t-elle à Christine Ockrent.

En octobre 1947, elle descend à Cannes pour couvrir la deuxième édition du festival. Modeste, elle ne mentionne pas qu'elle a écrit le scénario et les dialogues d'*Antoine et Antoinette* qui obtient le Grand Prix « catégorie films psychologiques et d'amour ».

Les archives de l'INA nous l'apprennent : Fred Astaire et Gene Kelly, cette année-là, ont ouvert le festival dans un palais à peine terminé et le public – bien moins trié sur le volet qu'aujourd'hui – a fait une ovation, à la fin de la projection, au film de Becker, une comédie tournée aux studios de Saint-Maurice.

Dans la tradition de la comédie populaire, y est racontée l'histoire d'un couple de condition modeste qui, grâce à un billet de loterie, voit sa vie basculer. Mais une succession de péripéties provoque la perte du billet... Le couple survivra à cette épreuve et renoncera à ses rêves jusqu'au jour où, dénouement oblige, le billet sera retrouvé. Le film ne fera pas date dans l'histoire du cinéma. Il ne s'impose ni par l'originalité de son scénario, ni par ses qualités artistiques. Aujourd'hui il a bien vieilli, même s'il se laisse voir comme objet patrimonial d'une veine populaire de la comédie à la française.

A Cannes, lors d'une soirée mondaine, Françoise fait la connaissance de Sartre. Rencontre décisive. Elle danse même avec lui un tango inoubliable. J'aime son humour et sa manière décalée d'évoquer les vanités de Cannes : elle met à égalité la vie de Martine Carol et celle de la téléphoniste du Carlton, donne le prix par personne du gala le plus cher pour manger deux pattes de homard et décerne sa palme d'or à *Dumbo*, le bébé éléphant de Disney.

A son retour, Hélène la prévient : face aux attaques de *Marie France,* qui lance une nouvelle formule, il faut trouver des astuces pour conquérir de nouvelles lectrices. Pierre Lazareff s'en mêle et invente le « bon magique » qui permet aux lectrices d'avoir des casseroles gratuites – sans prévoir le succès de cette opération : la rédaction est envahie et Hélène et Françoise sont obligées d'aller acheter en hâte des batteries de cuisine pour satisfaire les nouvelles lectrices.

Françoise adore le rapport direct avec son public. De plus en plus, dans le journal, elle prend l'initiative de couvrir les grands événements, telle cette nuit de fête à Paris, le 20 juillet 1948, où tout au long de la Seine, du cirque Bouglione jusqu'au palais de Chaillot, Ingrid Bergman, Charles Boyer et Madeleine Robinson vont conduire les festivités : « Jusqu'à l'aube on dansera en marchant sur le voile de tulle blanc de Madame Auriol, en bousculant Pierre de Gaulle, en arrachant les renards d'Ingrid Bergman. Madame Auriol et son mari sont rentrés à l'Elysée dans un car de la radio. »

Françoise donne à chaque lectrice la sensation d'avoir participé, d'en avoir été. Elle met en avant aussi son statut de mère indépendante pour se permettre de donner des conseils : comment se sentir moins angoissée, plus désirable, plus assurée. Elle tient sa force de sa timidité, de son absence de confiance en soi, qui la fait travailler comme une forcenée, de ce sentiment qui l'habite en permanence de son illégitimité, pour, au bout du compte, réussir à provoquer l'empathie avec son public. Elle excelle dans le registre de l'ironie cinglante et n'hésite pas à critiquer sévèrement l'espèce masculine de manière savoureuse, comme dans cet article intitulé « Il y a aussi des hommes casse-pieds », où elle livre un véritable traité de zoologie des principaux travers de la gent masculine : muflerie, radinerie, égoïsme et hypocondrie. Elle dresse des célibataires un portrait peu flatteur : sous prétexte de tomber amoureux ils sont, en fait, à la recherche d'une femme de ménage impeccable et d'une future mère irréprochable. Les hommes mariés, eux aussi, en prennent pour leur grade : ils rentrent tard le soir, se mettent les pieds sous la table et ne font jamais de compliments à leurs épouses qu'ils ne regardent plus. Françoise conseille donc aux jeunes femmes et aux nouvelles épouses de revendiquer leur identité en douceur sans que ces messieurs s'en aperçoivent. La ruse plus que l'affrontement.

Ainsi, le journal est féministe avant l'heure, tant dans sa tonalité générale, par le modèle prôné d'une femme qui travaille tout en restant bonne mère et séduisante, que par son soutien affirmé aux thèses du *Deuxième Sexe* qui font alors scandale, même si Françoise est heurtée par la violence de Simone de Beauvoir envers la maternité. L'important n'est pas là. « On ne naît pas femme, on le devient » : cette phrase, Françoise Giroud se l'approprie, avec le sentiment qu'elle définit son être au monde. Françoise enfonce le clou et brise des tabous, comme celui du droit à la jouissance féminine, dès juin 1949. Sous le titre « Etes-vous pour ou contre l'éducation sexuelle en France ? », elle saisit l'occasion de la publication du rapport Kinsey pour affirmer haut et fort la nécessité de l'accord physique dans la construction d'un couple et la reconnaissance vitale du plaisir : « La femme qui subit sans joie l'étreinte de son mari n'est pas une bonne compagne pour lui, d'abord parce qu'elle arrivera lentement à le haïr, consciemment ou pas, ensuite parce que la frustration d'un plaisir et d'un apaisement auxquels elle a physiologiquement droit exacerbera ses sentiments maternels et fera d'elle une mère abusive, portée à dresser ses enfants contre leur père. »

Françoise stigmatise les puritains, les pseudo-sentimentaux qui ont enfermé les jeunes filles, depuis des siècles, dans l'idée qu'un prince charmant viendrait les enlever et les délivrer. Elle plaide pour la maîtrise par chacune de sa propre fécondité grâce à la méthode Ogino – ô combien inefficace mais on ne le savait pas encore –, pour la revendication de sa propre sexualité, pour la reconnaissance de son propre désir « dans cette machine compliquée et fragile où il est impossible de séparer tout à fait le cœur des sens ».

Françoise écrit ce qu'elle a envie de vivre et prend l'écriture comme exutoire. Car, après sa vie d'épouse d'un prisonnier déshonoré, elle va devoir affronter la déconvenue de la fin d'un amour.

Anatole sort de prison. Françoise l'a attendu. Elle s'est trompée. Elle s'aperçoit très vite qu'il ne souhaite pas mener une vie conjugale, qu'il déserte la maison en la laissant avec sa mère, sa fille et son fils. Elle prend très vite la décision d'intenter une action en divorce au motif d'abandon du domicile conjugal – il fallait, en ce temps-là, justifier d'un motif de divorce –, et elle prend comme avocat le jeune Robert Badinter. Elle n'ira pas au bout de la procédure : le divorce officiel ne sera prononcé qu'en 1964 mais ils se sépareront par consentement mutuel sans drame. La famille matriarcale reste avenue Raphaël, et Tolia passe souvent voir sa fille, quand il n'est pas invité aux dîners qu'organise son ex-épouse.

Françoise sort beaucoup. Elle fréquente assidûment les milieux du cinéma, écrit le scénario d'un film avec Henri Vidal, *La Belle que voilà,* d'après un roman de Vicki Baum publié sous forme de feuilleton dans *Elle.* Le scénario est fleur bleue et on sent que Françoise fait de la copie, sans doute pour des raisons alimentaires. Malgré l'interprétation de Michèle Morgan, le film ne restera pas dans les annales du cinéma.

Françoise mène grand train : sont engagées une femme de chambre, une cuisinière et une gouvernante. Caroline se souvient de cet appartement de l'avenue Raphaël divisé en trois parties : les pièces occupées par sa grand-mère, qui reste toujours à la maison à la suite d'une tumeur de la peau, et où elle reçoit, celles des enfants et la partie réservée à Françoise. Celle-ci admire sa mère qui élève ses enfants et s'intéresse à tout, particulièrement à la politique, mais chacune respecte l'intimité de l'autre et ne se permettrait pas d'aller chez celle-ci quand elle reçoit.

Il faut un budget conséquent pour subvenir aux besoins de tout ce monde et entretenir la maison. Françoise cherche donc des revenus complémentaires. Elle accepte immédiatement la proposition du directeur de *France-Soir* qui lui demande de faire un papier chaque semaine. Elle prend pour modèle Janet Flaner du *New Yorker* qui excelle dans l'art du portrait. A l'époque, dans la presse française, ce genre n'existe pas. Elle le rendra souverain à la fois par la qualité de son écriture, sa concision, son style acéré et son esprit de synthèse.

Parmi ses portraits, qui sont toujours des modèles du genre, figurent nombre de cinéastes. A l'époque, elle croque René Clair, inventeur à ses yeux d'un style, d'une syntaxe, d'une poésie du comique, Roberto Rossellini, qu'elle considère comme un maître, et qui l'invita à assister au tournage de *Rome ville ouverte*, ou encore Marcel Carné et son obsession du détail pour ses décors : « On marche sur la pointe des pieds, on essaye de ne pas se faire remarquer. Inutile : il remarque tout. Il a vingt paires d'yeux, quarante paires d'oreilles et il a raison par-dessus le marché. Il pourrait, bien sûr, avoir raison sans crier. D'ailleurs, s'il grandissait tout d'un coup de vingt centimètres, il n'aurait plus recours aux éclats de voix pour affirmer son autorité.

Au journal, Françoise se spécialise de plus en plus dans les sujets de psychologie et aborde des sujets sensibles comme les relations parents-enfants, qui se compliquent à la fin de l'enfance (elle commence elle-même à en faire l'expérience avec son fils), le désir de divorcer des femmes méprisées par leurs époux, les mille et une manières de paraître belle même si la nature ne vous a pas dotée d'un physique irréprochable. Pour Françoise, tout relève de la volonté, y compris l'apparence qu'on se donne. Etre belle, c'est le vouloir : « A vous de vous éclairer par l'intérieur, de vous classer "jolie femme", et cette étiquette sera bientôt comme un verre optique à travers lequel on vous regardera. »

Françoise s'applique la recette et se métamorphose : elle mincit, s'habille sobrement de tailleurs
de grands couturiers, noirs le plus souvent, met
en valeur sa superbe poitrine, ses mains sont toujours soignées et ornées de bagues, et ses jambes,
qu'elle sait croiser nonchalamment avec grâce,
toujours gainées de soie. Les photos l'attestent :
elle devient une des reines du Tout-Paris qu'elle
a su si bien cartographier. On l'aime pour son
intelligence, son éclat, son humour, son sens de la
réplique, sa simplicité, aussi, qui lui permet d'entrer
dans l'intimité des plus grands artistes en obte-
nant leur confiance.

Pour doper le journal, elle lance une série de
grandes enquêtes assorties de tests psychologiques : comme, par exemple, celle consacrée aux
sept péchés capitaux. Autre trouvaille : faire vivre
à ses lectrices la vie de femmes exceptionnelles, telle
l'aviatrice Jacqueline Auriol, qu'elle va accueillir sur
le tarmac après son premier vol.

Volontariste donc, jamais moraliste ni morali-
satrice, telle est Françoise Giroud.

Le 12 novembre 1951, elle revient sur le tabou
de la propreté en titrant une enquête « Les Françaises sont-elles sales ? » Sa réponse est oui. Selon
son article, quinze femmes sur cent ne se servent
jamais d'une brosse à dents, cinquante femmes sur
cent ne se servent jamais d'une brosse à ongles,
vingt-cinq pour cent d'entre elles gardent la
même culotte pendant une semaine et n'utilisent
jamais ni savon ni dentifrice. Ce papier fait scandale, mais l'audace paie : le courrier afflue, félici-

tant Françoise de faire de son journal un organe d'utilité et d'hygiène publiques...

Les élections de juin 1951 lui permettent d'entrer de nouveau dans le combat pour une pleine et active citoyenneté des femmes. Rappelons que la domination masculine au Parlement fait alors prévaloir une sorte d'androcentrisme de l'agenda législatif. Maurice Duverger qualifie la IVe République de « démocratie sans le peuple ». Mariette Sineau, sociologue et historienne spécialisée dans l'histoire politique des femmes, souligne que c'est aussi une démocratie sans femmes, les citoyennes ne bénéficiant que de peu de droits et étant considérées par les politiques comme inférieures. Le journal s'engage à faire connaître aux femmes les enjeux de ces élections et Françoise exhorte ses lectrices à aller voter : « M'abstenir, cela signifie attendre que ceux qui gagneront choisissent pour moi les livres que je lirai, les films que je verrai, l'école où j'enverrai mes enfants, le salaire que je gagnerai, les ordres que je recevrai, les hommes qu'il faudra haïr et ceux qu'il faudra vénérer. »

La rencontre avec Jean-Jacques Servan-Schreiber, on le verra, sera déterminante pour consolider chez Françoise Giroud la passion de la politique. Elle ne se contentera plus désormais d'exhorter les femmes à aller voter, elle leur demandera de s'engager.

CHAPITRE VII

La Panthère

La Panthère, c'est le surnom qu'il lui donnera très vite, après leur première rencontre. Coup de foudre. Amour fou. A la vie, à la mort. Il lui promet tout mais ne tiendra pas toutes ses promesses. Flambeur. Beau gosse idolâtré par sa mère, il se permet tout avec tout le monde, y compris avec ses propres frères et sœurs. Le monde lui appartient. Mais avec Françoise, délaissant la cuirasse du bel aviateur américain courageux et brillant, féru d'économie, et qui veut transformer la face du monde, Jean-Jacques Servan-Schreiber, pour la première fois de son existence, va pouvoir avouer ses doutes, ses incertitudes, ses fêlures. L'amour qui les attache lui permettra-t-il, enfin, de se réaliser ?

C'est un soir comme un autre. Françoise est invitée à un cocktail chez René Julliard. Elle a décidé d'y passer après son travail, mais n'a pas l'intention de s'attarder. Elle est la seule femme non accompagnée. Celle qui était alors l'épouse de JJSS, Madeleine Chapsal – qui n'a pas ménagé son temps pour m'offrir son aide tout au long de ces années d'enquête –, se souvient très bien de la scène : « Il y avait dans cet hôtel particulier des hommes politiques mêlés à des écrivains, et beaucoup de belles femmes. A un moment, je l'ai vu discuter avec une femme brune. Puis Jean-Jacques, vers minuit, me demande de rentrer. Quand nous avons commencé à rouler, nous étions suivis. Françoise était au volant. Contrairement aux autres fois, où il devisait allégrement et férocement sur les gens rencontrés dans la soirée, il roule à toute vitesse et reste silencieux. Quand la 15 CV Citroën s'engage sur les quais de la Seine, la voiture se fait frôler, puis dépasser. Il double à son tour, prend des risques. Tous deux jouent ainsi comme des gamins à la course-poursuite. J'ai peur. » Elle a raison. La course-poursuite s'arrête devant le domicile conjugal. Jean-Jacques dit à Madeleine : « Elle conduit bien. »

Oui, Françoise conduit bien et s'en vante. Quant à Madeleine, elle n'a jamais reparlé de cette fin de soirée avec Jean-Jacques. Pour elle, ce n'était qu'un enfantillage.

Le lendemain, Jean-Jacques envoie des fleurs à Françoise. C'est une habitude chez lui après ce genre de dîners mondains. Il envoie des fleurs aux femmes qu'il a remarquées la veille.

Françoise accuse réception et remercie. Il lui propose, le lendemain, de venir écouter Pierre Mendès France dans l'hémicycle, à l'Assemblée nationale. Françoise est surprise mais intéressée. Elle accepte. Belle déclaration d'amour que de lui faire partager ces moments inoubliables de l'histoire contemporaine.

Françoise est subjuguée. Comme bon nombre d'observateurs politiques, elle fait de cette grande intervention parlementaire du 30 décembre 1951 un moment de basculement de la IVᵉ République. Pierre Mendès France parle vrai : il dénonce les stratégies d'alliances qui deviennent des compromissions. Françoise le comprend immédiatement. Le lendemain, elle écrit : « Il semble que chez Pierre Mendès France la conscience soit une sorte de troisième poumon à son existence... La concession, la poignée de main, l'accommodement à celui qu'on méprise, le compliment que l'on ne pense pas, on dirait qu'il ne peut s'y résoudre. Il vit moralement comme un homme qui refuserait d'installer le chauffage chez lui, en pensant : "Si j'admets cette chaleur artificielle, j'oublierai qu'il fait froid dehors". D'où il résulte qu'en dépit d'une extrême courtoisie, Pierre Mendès France est un homme gênant, celui qui vous montrera toujours le chemin de la porte étroite. Pis, qui l'emprunte. »

Le lendemain de la parution de cet article, qu'elle eut bien du mal à publier dans *France-Dimanche*, Jean-Jacques est emballé par ce qu'il découvre de l'acuité politique de Françoise et de son approche phénoménologique de l'événement. Il est même ébloui et le lui dit. Dans sa correspondance personnelle figure ce petit mot :

Vous devenez ma reine. Une reine moderne. Je suis très fier de vous. Bonne nuit.

Jean-Jacques, pour la première fois, admire une autre femme que sa mère. Françoise lui en impose par son intelligence, son indépendance, son courage. Elle n'est pas, contrairement à ce que certains affirment, juste une journaliste de presse féminine, spécialisée dans les frivolités et les commérages.

Elle est en train de basculer intellectuellement en affirmant enfin, elle, l'autodidacte qui pendant longtemps ne l'a pas osé, un pan de ses aspirations les plus conformes à sa vraie personnalité : devenir une intellectuelle, penser l'événement.

Elle se sent belle et souhaite, après ces longues années de fidélité bien inutiles, avoir des aventures. Comme elle l'affirme si souvent dans *Elle,* la jouissance féminine est indispensable à l'équilibre général. Jean-Jacques a toujours eu le chic pour allumer le désir et la beauté intérieure des femmes. Il les chasse comme un fauve, comme il le fait si souvent à cette époque où, chaque soir, il traque son gibier de gens influents qui peuvent l'aider à concrétiser ses rêves. Il séduit les femmes en leur faisant la cour. Madeleine en a pris l'habitude et ferme les yeux.

Mais Françoise n'est pas une femme qu'on séduit. Ils se sont approchés, ils se sont évalués. Ils vont maintenant, sans perdre de temps, se confronter.

Jean-Jacques a vingt-six ans, Françoise trente-cinq.

Jean-Jacques ne se satisfait guère de ses éditoriaux que publient *Le Monde* et *Paris-Presse.* Il estime la presse tenue par des mondains et veut la révolutionner. Madeleine Chapsal confirme : « Je crois entendre un gamin me dire : je veux un avion, une patinette, un camion. » Elle essaie d'entrer dans son rêve. Il imagine un journal court avec beaucoup de photographies, des titres, des encadrés, des légendes explicatives. Il faudrait qu'on puisse le lire d'un coup d'œil, comme on lit une bande dessinée. Concept révolutionnaire, en effet. Madeleine sait dessiner et connaît le graphisme. Elle l'approuve et lui propose de l'aider.

Où Françoise et Jean-Jacques vivent-ils leur idylle ? Chaque soir Jean-Jacques rentre dormir au domicile conjugal, Françoise rejoint sa mère et ses enfants. Une chambre d'hôtel a dû accueillir leur amour soudain. Sur un papier à en-tête de *l'Intransigeant* elle lui écrit, au tout début de leur relation :

> Bonjour mon amour. Quelle belle gueule de brute vous avez. Juste le genre de gueule que j'aime. En plus je sais ce qu'il y a derrière.

Amour et travail vont tout de suite s'entremêler.

Certes Jean-Jacques rêvait d'un journal. Mais c'est Françoise qui va mettre en forme ses idées, comme l'atteste une lettre conservée dans les documents personnels de Jean-Jacques, et que Sabine – qui sera sa seconde épouse – m'a autorisée à consulter. On constate, en effet, qu'au départ il veut créer une société anonyme, au chiffre d'affaires annuel d'un million de francs, qui distribuerait ses articles ainsi que ceux de Françoise à différents journaux nationaux, comme *Paris-Presse-l'Intransigeant*, certains quotidiens régionaux, *Les Echos*, ainsi, précise-t-il, qu'à des organes à créer dans les réseaux politiques de Pierre Mendès France. Françoise Giroud recentre le projet sur la création d'un journal quotidien, tout en intégrant ses idées : éditorialiser et non couvrir l'événement, porter une plus grande attention à l'étranger, créer un nouveau style.

Madeleine se souvient : « Plusieurs semaines après cette course-poursuite en rentrant de chez Julliard, j'ai vu débarquer Françoise chez nous. Il me l'a présentée comme la personne avec qui il allait fonder un nouveau journal. » Tous deux vont, en effet, travailler à des maquettes qu'ils vont soumettre au père de Jean-Jacques, Emile, lequel, au début, se montre réticent. La mère intervient pour persuader son mari qu'il faut soutenir l'initiative de son fils chéri. Il y a de nombreuses discussions, plusieurs maquettes, et c'est à l'arraché qu'Emile accepte la création d'un nouveau journal, qui n'est pour lui qu'une déclinaison hebdomadaire de son propre quotidien, *Les Echos.*

Au début seulement. Inventer un journal, Françoise l'a répété, est l'une des aventures psychiques et intellectuelles les plus excitantes.

Le piment supplémentaire est que l'invention de celui-là coïncide avec la naissance d'un amour.

Jean-Jacques à Françoise : « Je me chargerai avec vous de diriger la page éditoriale, la seule existante à Paris. Cette nouvelle formule pourrait avoir beaucoup de succès et d'influence.

« Mon amour, je suis désireux de partager l'essentiel de ma vie, de mes passions, de mon énergie avec vous. Cette union me donne le calme et la résolution dont j'ai toujours manqué ».

En consultant la correspondance privée des débuts de leur relation, favorisée par un long séjour de Jean-Jacques à la montagne, on est frappé par le contraste qui apparaît entre le personnage public, séduisant, sûr de lui, entrepreneur, et les tourments existentiels, les angoisses et les doutes permanents qui hantent l'homme privé. Jean-Jacques est un homme fragile, qui ne croit pas en lui, qui ne se sent pas la force d'envisager l'avenir ; un être mélancolique, miné d'incertitudes. Et dès les débuts de leur relation, il demande à Françoise de l'aider, de lui donner la force et le courage de continuer à exister.

Elle ne déteste pas ce rôle, favorisé par la différence d'âge, et trouve – elle qui en a vu d'autres – ses états d'âme bien bourgeois ; mais elle lui avoue son amour et accepte d'être son amoureuse maternante.

Madeleine n'a pas oublié : « Une douce vie conjugale fut transformée, du jour au lendemain, par la présence constante de Françoise dans l'appartement. » Le journal ne dispose pas encore de bureau. Très vite, deux secrétaires puis un chauffeur sont engagés. Et quand Françoise arrive le matin pour travailler, Jean-Jacques demande à Madeleine d'aller faire ses courses... Le mufle... Il est vrai que Jean-Jacques ne s'est jamais distingué par son sens de la psychologie, sa finesse d'appréciation, son tact. Il le sait et ne s'en soucie guère.

Madeleine a épousé Jean-Jacques en 1947. Dans son livre *L'Homme de ma vie*, elle raconte, non sans humour, l'allure de ce jeune pilote de chasse qui a fait la guerre dans l'armée américaine et qui ressemble à Paul Newman. Il connaît son pouvoir de séduction et Madeleine se méfie. Après une cour assidue, ils se marient religieusement. Le voyage de noces est un désastre. A peine arrivés dans la chambre de l'hôtel de Noailles à Cannes,

alors que Madeleine s'apprête à se glisser dans le
lit après avoir tiré les rideaux, Jean-Jacques sonne
le maître d'hôtel pour savoir où se procurer du
matériel de plongée. Les voilà tout de suite sous
l'eau : « Ce que je ne saisis pas encore, c'est que
ce choix qu'il vient de m'imposer – le sport et
l'exploration plutôt que l'amour physique – est
fondamentalement sa façon d'être. En toute occasion, il préfère l'effort à ce qu'il considère dans
son for intérieur, et sans que nous en parlions,
comme du laisser-aller, un abandon facile à la
jouissance. Jean-Jacques refuse la facilité dans
tous les domaines, et, à la jouissance charnelle, il
préfère cette joie pure que donne le dépassement
de soi.» Certes. Mais avec Françoise, il connaîtra
les deux.

Le 1er septembre 1952, inquiet de ses tourments, Jean-Jacques fait faire son esquisse psychologique par le docteur Nahon, qui conclut
ainsi :
« Intelligence très raffinée, analytique, pas
assez psychologique. L'excès de confiance en ses
jugements peut le conduire à l'ostracisme, à des
raisonnements et à des attitudes spéciaux. La distinction chez lui ne va pas sans quelque suffisance.
La sensibilité n'est pas spontanée, il la comprime
afin de souffrir le moins possible, pour ne pas
paraître souffrir et paraître toujours le plus fort.
Fier et timoré, énergique et inconstant, il possède
une sagesse amidonnée bourgeoise. »

Jean-Jacques décide de se jeter à corps perdu
dans son projet de journal, qui va peut-être calmer ses angoisses. Françoise le rejoint chaque
jour. Les maquettes se multiplient. Elle le convainc

de soumettre la dernière mouture à Pierre Lazareff, dont elle pense qu'il possède le savoir-faire
et le flair indispensables. Rendez-vous est pris
au domicile de Lazareff pour ne pas ébruiter le
projet. Madeleine et Françoise l'accompagnent.
Au moment de sortir, Jean-Jacques demande à
Madeleine de rester dans la voiture... Madeleine
essaie de faire contre mauvaise fortune bon cœur
et regarde les cavaliers sur l'allée sablée de l'avenue Foch. Françoise et Jean-Jacques ressortent
abattus. Lazareff n'y croit pas. Il en faut plus pour
les dissuader. Le père de Jean-Jacques est tout aussi
sceptique. Ils n'en ont cure et continuent de travailler à une nouvelle maquette.

La raison de la naissance de *L'Express* serait-
elle l'amour ?

Parallèlement, Françoise continue son travail à
la rédaction de *Elle*. Elle lance une grande enquête
sur la compatibilité de l'amour et du mariage, la
première du genre, dite psychosociologique : « Des
générations et des générations de femmes ont
accepté d'être le chien qui fait le beau devant les
invités, qui garde la maison quand le maître est
absent, qui accepte avec reconnaissance les caresses. » Les femmes ont changé. Elles ne se rédui-
sent plus à leur rôle de mères. Comme elle l'écrit,
elles ne sont pas toutes « des maternelles pures »
et ne veulent pas sacrifier leur travail. Celles qui se
sacrifient s'exposent à perdre leur éclat, leur culture
et leur séduction : « Les enfants joueront dans le
mariage le rôle que jouent les journaux illustrés
dans le salon d'un dentiste. » (*Sic.*)

Françoise lutte pour la cause des femmes mariées
qui travaillent. Les maris qui savent additionner

les heures de garde des enfants, celles du ménage, de la cuisine et de la blanchisserie s'y opposent pour des raisons économiques. Mais elles travaillent pour elles-mêmes, dit Françoise : entre une femme qui gagne son salaire, si petit soit-il, et celle qui reçoit de l'argent de son mari, il y a le fossé qui existe entre un adulte et un enfant. Françoise croit au modèle d'une femme émancipée que les appareils ménagers libéreront des tâches domestiques, et qui sait assumer ses multiples identités. Dans son article intitulé « Les liaisons dangereuses », elle défend les femmes qui trompent leurs maris et réciproquement, « les ménages modernes », tout en reconnaissant que ces couples font partie d'une élite de privilégiés.

Pour être heureuse en amour, mieux vaut avoir de l'argent... Ce qu'elle décrit dans son journal, c'est exactement ce qu'elle vit : même si elle travaille sans ménager sa peine – avec deux enfants, une mère, du personnel à sa charge –, elle appartient au cercle fermé de la haute bourgeoisie et aime les privilèges que sa récente notoriété lui apporte.

Le soir, Jean-Jacques dort au domicile conjugal, Françoise rentre chez elle. Mais les week-ends dits de travail se multiplient en dehors de Paris.

Le journal porte comme titre de travail *Bref.* Jean-Jacques fait appel à un financier français qui vit en Grande-Bretagne, Jean Lambert, mais le banquier les lâche. Il demande aussi à Raymond Aron d'entrer dans le capital, mais celui-ci ne se décide pas. A la rédaction de *Elle,* les rapports se tendent entre les deux femmes. Hélène Gordon-Lazareff est d'un caractère ombrageux et n'apprécie pas que Françoise s'éloigne pour un projet auquel elle ne croit guère. Françoise n'est pas une femme qui rompt. Elle préfère attendre et prendre ses distances.

A l'occasion de l'élection présidentielle qui en 1952 oppose le candidat républicain Eisenhower à Stevenson, elle se fait envoyer en Amérique par *Elle* comme grand reporter jusqu'à l'issue de la consultation. C'est-à-dire cinq semaines. Jean-Jacques la rejoindra plus tard comme envoyé spécial de *Paris-Presse*. Elle arrive à New York fin octobre et loge au Barbizon for Women, un hôtel réservé aux femmes. Une photographie la montre, trois jours après son arrivée, dans Harlem, écoutant Truman faire un discours au beau milieu d'un carrefour où se presse la foule. Il est seul, sans service de sécurité. Françoise est ahurie et admirative. En Amérique, un président est un homme comme un autre. Françoise arpente New York des journées entières et, le soir, écoute à la télévision les débats politiques. Elle noue une relation avec une serveuse de drugstore et entreprend de lui faire raconter sa vie, récit qu'elle publiera dans *Elle*. En novembre, elle entre en contact avec Dorothy, mariée, trois enfants, et lui demande d'habiter chez elle pour vivre et raconter son quotidien. Ainsi commence-t-elle à parler anglais quasi couramment. Elle titre son article « Cette semaine, je vis avec trente-deux millions de ménagères » et l'illustre de photographies. L'*american way of life* ne l'enthousiasme guère ; la nourriture est insipide, l'éducation des enfants trop libertaire, la télévision trop commerciale, les conversations pas assez intellectuelles et le désir de paraître heureux superficiel : « La passivité douloureuse ne se porte pas plus que le linge de soie. La souffrance consentie est suspecte. L'angoisse, l'anxiété, les questions que l'Européenne la moins subtile pose parfois sur le sens de la vie, les "états d'âme", tout ce qu'on pourrait appeler en bref l'inquiétude métaphysique, est honni par l'Américaine moyenne. »

Françoise s'ennuie-t-elle de Paris ? Son amoureux lui manque-t-il ? Elle sait qu'il viendra la rejoindre pour les élections fin novembre, mais le temps lui semble long. Aucune correspondance n'en atteste, mais elle confie sa déprime à son journal, à l'approche de Noël. Elle change d'hôtel et décide de se faire engager comme vendeuse dans un grand magasin, Lord and Taylor, sur la Cinquième Avenue : arrivée à 9 h 25, elle en ressort à 17 h 30. Pas de surveillance, pas de sonnerie, pas de pointage pour les deux mille employées. Très vite, elle se lie avec une certaine Terry, qui l'emmène chez elle : elle cohabite avec quatre autres filles à l'étage d'une vieille maison. Déjà la coloc. Chacune sa chambre, téléphone et frigo en commun. Françoise est stupéfiée et émerveillée par la liberté sexuelle de ces jeunes femmes qui ont plusieurs *boyfriends* en même temps et qui ne sont guère pressées de se marier. Elles ont vingt ans, c'est l'âge glorieux en Amérique : « Elles ont encore de la lumière dans les yeux. Plus tard elles auront de l'acier. Elles sont avisées. Plus tard elles seront froides. Elles sont fermes dans leur propos, dans leur conduite, dans leurs espoirs. Plus tard elles seront dures. »

Françoise a du flair. Françoise est toujours en avance. Très vite, elle comprend le rôle abrutissant que joue la télévision et se montre ahurie devant le nombre d'heures qu'enfants et adultes passent à la regarder. Comment cela se fait-il ? Pour tenter de le comprendre, elle parvient, grâce à une de ses amies qui y travaille, à entrer dans une grande chaîne, CBS, et vit aux côtés de Dorothy MacDonald, collaboratrice d'Ed Murrow, le plus grand commentateur politique du moment. Elle voit comment la télévision se fabrique et se finance, comprend que les annonceurs publicitaires font la loi et constate que les émissions de qualité peuvent disparaître du jour au lendemain faute d'écoute.

Françoise se met en relation avec des *career women*, Eleonor Lambert et Kay Brower, les reines de la mode, de l'opinion et de la politique à New York. Elle constate leur indépendance vis-à-vis de leur mari, leur réussite, qu'elles exposent avec glamour, et leur simplicité : « Les Françaises ont l'influence, les Américaines la puissance. Celles qui la détiennent ont doublé victorieusement les deux caps dangereux : vingt ans ou le cap des illusions... trente ans ou le cap des désillusions, l'âge où elles n'attendent plus rien du mariage et où elles méprisent les hommes de ne pas savoir les dominer. » Elle, elle a trente-six ans mais se sent plus jeune. Ce séjour lui donne des ailes ; elle y puise des idées pour ce futur journal auquel elle croit. Elle tirera ainsi, de Paris, le 12 janvier 1953, les leçons de son séjour de cinq semaines à New York : « En vérité j'ai eu parfois le sentiment que les femmes américaines étaient en train de constituer une sorte de troisième sexe asexué. »

A Paris, le projet du journal la requiert de plus en plus. Mais comment le faire exister ? Tous les jeudis les cinq enfants Servan-Schreiber ont l'habitude de déjeuner chez Denise et Emile, leurs parents. Brigitte a vingt-huit ans et fait du courtage en publicité, Christiane a vingt-trois ans et s'ennuie à la rédaction des *Echos*, comme son jeune mari Jean-François Coblence qui travaille, lui, au service juridique ; Bernadette est la seule de la famille à ne s'intéresser ni à la politique ni à la presse, et le jeune Jean-Louis, seize ans, est encore au lycée. C'est Jean-François Coblence qui va trouver la solution financière et juridique en proposant à Emile de faire une sixième édition des *Echos*, le samedi. Le soir même Jean-Jacques et Jean-François imagineront la viabilité du projet. En rentrant chez lui, Jean-Jacques dit à son épouse : « Dans mon journal, je veux Mauriac, Sartre, Camus et Malraux. » Denise pèse de tout son poids pour aider son fils adoré à concrétiser ses espérances : *Les Echos*, dirigés par Emile et Robert, marchent bien et disposent de plus de trente mille abonnés. La nouvelle aventure ne peut être financée que si l'abonnement des *Echos* augmente de mille francs. Tous deux prendront le risque en demandant à Jean-Jacques de rembourser trente millions lorsque le supplément fera des bénéfices. Jean-François Coblence s'occupe de l'administration et des finances, Jean-Claude Servan-Schreiber, le cousin, et sa sœur, Marie-Claire de Fleurieu, de prospecter les annonceurs, et les deux sœurs de Jean-Jacques, Brigitte et Christiane, entrent à la rédaction. On le voit, le futur *Express* est un véritable clan familial. Comment en faire un journal ? Ce sera le rôle de Françoise, qui va savoir s'entendre avec les Servan-Schreiber tout en introduisant son savoir-faire journalistique. Tous deux sont sur la même longueur d'onde innovatrice en termes de presse et de politique : leur but est de faire accéder au pouvoir Pierre Mendès France. La première personne engagée par Jean-Jacques sera Simon Nora, son ami, son inséparable, celui avec qui il refait le monde. Il est alors rapporteur de la commission des Comptes de la nation présidée par Pierre Mendès France, organisme chargé de faire la synthèse économique de la France. Simon lui a été présenté par Pierre Mendès France, il est déjà reconnu comme un brillant économiste, penseur du politique de surcroît. Pour assumer le rôle de rédacteur en chef, Françoise et Jean-Jacques hésitent entre Philippe Grumbach, qui dirige le service de politique étrangère de *Paris-Presse,* et Pierre Viansson, trente-trois ans, rédacteur en chef de la Société générale de Presse, ex-chef adjoint du service politique de l'AFP. Françoise et Jean-Jacques veulent des articles courts non signés comme dans *Time* et une charte graphique qui frappe : Françoise aura l'idée de proposer la maquette à René Jauzan, avec qui elle travaille à *Elle.*

Françoise fréquente depuis peu François Mitterrand, qu'elle a rencontré dans le cercle d'Hélène et Pierre Lazareff, et noue avec lui une amitié. Elle l'inscrira dans sa galerie de portraits : ses qualités d'orateur, son amour pour l'histoire, sa structure d'esprit analytique et synthétique lui assurent, à ses yeux, un grand avenir : « Son ambition est immense et ne se nourrira pas de merles là où il y a des grives. » Elle se montre fascinée par son érudition, son argumentation sur la décolonisation, et l'invite souvent à dîner chez elle. Insensiblement, elle se rapproche de la gauche politique et intellectuelle et s'éloigne du monde de la mode et des romans-feuilletons. Elle se sent de plus en plus mal à *Elle* et explique à Martine de Rabaudy que l'introduction de l'horoscope dans le journal l'a fait bondir. Difficile de la croire, tant elle aime les voyantes et autres tireuses de cartes, demandant régulièrement ses thèmes astrologiques.

En fait, elle met toute son énergie à imaginer ce journal qui lui prend la plus grande partie de son temps, comme le confirme Madeleine Chapsal.

La rupture avec Hélène fut orageuse : non seulement Françoise la quittait, mais c'était pour un autre journal. Hélène se précipita chez la mère de Françoise pour l'informer de la bévue qu'elle commettait. Malgré les risques de l'entreprise, celle-ci a fortement soutenu sa fille, qui venait de lui présenter Jean-Jacques. Elle était – ainsi que Caroline – tombée sous le charme de ce beau jeune homme aux idées généreuses qui voulait refaire le monde.

Je crois qu'on ne peut comprendre les circonstances de la naissance de *L'Express,* cette vague d'espoir, cette croyance en un avenir meilleur, si l'on ne se remémore pas à quel point, pour les intellectuels de gauche à cette époque, la promesse d'une autre France s'était soldée, après la Libération, par une cascade de désillusions politiques, les ambitions politiciennes à la petite semaine ayant supplanté les convictions et les aspirations portées par un idéal. Il fallait faire vite pour que se construise une nouvelle démocratie ; à cette époque, le pays aspire à des modifications institutionnelles, des changements dans la psychologie, les mœurs. Il

ne croit plus aux vertus du parlementarisme et en
a assez de ces changements de gouvernement sans
véritable émergence de véritables figures d'hommes politiques. Les hommes au pouvoir donnent
l'impression d'abandonner l'Etat à un désordre
généralisé et l'opinion publique est en quête de
quelqu'un qui réunisse stature, personnalité, sens
de l'initiative, et qui incarne l'exemple. Le devoir
de vérité – notamment vis-à-vis de la guerre
d'Indochine –, l'égalité entre les citoyens et une
réforme économique deviennent une nécessité. Et
cette nouvelle manière de faire du politique et
non de la politique s'incarne alors dans la figure
de Pierre Mendès France.

Françoise Giroud et Jean-Jacques Servan-
Schreiber reconnaissent en lui la force de la rigueur,
le courage, la détermination, l'indépendance intellectuelle et morale. Comme l'expliquera Jean
Lacouture dans sa biographie en 1983, le discours que Jean-Jacques a convié Françoise à
écouter dans l'hémicycle de l'Assemblée nationale
« inverse alors radicalement la vapeur, inflige un
démenti radical à ceux qui dirigent ». Ce discours, vivement applaudi, remet Mendès en selle
à l'Elysée. Le chef de l'Etat songe à lui confier de
plus hautes responsabilités, pour finalement lui
préférer Edgar Faure, lui-même vite remercié au
profit d'Antoine Pinay... Vénéneuse République
qui s'enfonce dans les sophismes et arguments
spécieux pour ne pas affronter la réalité, et qui
préfère perdre des hommes en Indochine plutôt
que de perdre la face.

L'Express aura pour ambition et pour unique
objectif, à sa naissance, de soutenir Pierre Mendès

France et d'élargir le cercle de ses fidèles. Pour Françoise, le retentissement du fameux discours de l'Assemblée (qui sera suivi d'une rencontre avec Mendès) marque la fin de l'après-guerre : moins de dandysme, moins de cynisme, moins d'égoïsme, plus d'ouverture au monde, plus de citoyenneté active aussi.

Françoise a déjà travaillé pour des hommes, jamais dans une relation d'égalité avec un homme. Elle qui met si haut la figure tutélaire du père, comment va-t-elle faire pour travailler avec son amant ? Cela ne posera pas le moindre problème, tant elle pense que le lien avec Jean-Jacques est indestructible. Tous ceux qui les ont connus durant cette période le confirment : Françoise est follement amoureuse de ce bel homme aimant séduire, encore auréolé de sa formation d'aviateur dans l'armée américaine – et qui a toujours regretté d'être rentré trop tard pour participer au combat –, le préféré de sa mère, l'homme qui a osé quitter *Le Monde* parce qu'il trouvait ses positions trop neutralistes, l'héritier d'une grande famille intellectuelle, l'admirateur de PMF, l'amoureux de l'ambition. Idéologiquement, il était un ovni sur l'échiquier des intellectuels de gauche : réformateur mais pas révolutionnaire, il n'avait jamais adhéré au communisme ni cru aux lendemains qui chantent. Cela convient très bien à Françoise : elle pense politiquement comme lui et en a assez de ces germanopratins qui bêlent d'admiration pour Staline et lui font la leçon parce qu'elle n'a pas encore pris sa carte du parti.

On découvre dans leur correspondance que, sans elle, Jean-Jacques ne se serait pas lancé dans l'aventure du journal. L'angoisse, l'inquiétude, l'instabilité, la mélancolie l'empêchent d'avancer et de croire en lui. Très vite Françoise va savoir l'apaiser, le rassurer, lui donner l'élan.

« Rien n'était facile, observera-t-elle dans *Si je mens,* mais ce que l'on fait à deux n'est jamais héroïque. » Elle sent qu'elle peut compter sur JJSS amoureusement et professionnellement dans une relation d'indépendance matérielle (cela compte énormément dans leur relation, n'oublions pas que chacun vit chez soi). Elle n'aurait jamais eu l'argent nécessaire pour fonder un journal, il n'aurait pas eu l'énergie nécessaire pour porter jusqu'au bout ce projet : *L'Express* est leur enfant. *L'Express* est, avant tout, une histoire d'amour. C'est aussi l'incarnation de la reconnaissance égalitaire entre un homme et une femme. Car désormais Françoise change de catégorie : elle ira chasser sur le territoire des hommes, la politique, sans pour autant abdiquer sa féminité.

Madeleine Chapsal voit tout, comprend tout, mais, au lieu de s'offusquer et de faire des crises de jalousie, elle décide de les accompagner. La petite équipe qui se constitue est soudée dans l'idée de créer un journal allant à l'essentiel, fondé sur de grands entretiens avec des personnalités, en introduisant l'économie (discipline qui n'est pas encore journalistique), de longs reportages, de la mode et de la vie pratique. Bref, toute la vie. La vie comme elle va. *L'Express* (c'est Emile qui trouve le titre) sera un journal de gens vivants qui veulent secouer les habitudes, s'adresser aux trentenaires, et transmettre, à travers des valeurs et des conseils, un nouveau mode de vie.

CHAPITRE VIII

La naissance de *L'Express*

Françoise et Jean-Jacques sont installés dans les locaux des *Echos*. Leur a été affectée une petite pièce sans fenêtre prêtée par l'oncle et le père de Jean-Jacques. Ils sont assis face à face. La porte est toujours ouverte. Ce n'est pas un hasard, mais une manière d'envisager les relations dans l'équipe qui se constitue peu à peu. N'importe qui peut, à tout moment, venir apporter une idée, modifier le sommaire, discuter de l'air du temps. A côté, une grande pièce avec une table où sont étalés les documents, les photos, les morasses. A l'heure du déjeuner, on range et on déjeune ensemble sur place : plateaux-repas qui permettent à l'équipe de se jauger, de se souder. Pas de méfiance dans ce premier petit groupe constitué par Jean-Jacques, où règne une grande solidarité fondée sur l'amitié et les opinions politiques : Léone Georges-Picot, que Pierre Viansson a débauchée de la Société générale de Presse où elle s'occupait des contacts politiques, les a rejoints. Elle se souvient avec émotion de cette période : « On partageait tout : nos idées, nos convictions. On ne se quittait pas. Je garde en mémoire la sensation d'une petite communauté d'une grande chaleur humaine. Nous avions la sensation de vivre une grande aventure et Françoise n'était pas pour rien dans cette atmosphère lumineuse qui régnait. Elle n'introduisait pas d'esprit de compétition entre nous, était très attentive à mettre en valeur la capacité des femmes à qui, en réunion de rédaction, elle donnait systématiquement la parole. Chaque matin j'étais heureuse de me rendre au bureau. Je savais que j'allais y vivre des choses intenses. » Même tonalité de la part de Florence Malraux, qui deviendra plus tard la collaboratrice de Françoise : « J'étais toute jeunette. Je ne savais rien faire. Elle m'a poussée, m'a donné des ailes et m'a lancée sur différents terrains en m'encourageant. Avec elle, on se sentait forte, presque à égalité, car elle nous donnait tout. Je partageais le même espace et je vivais en symbiose avec elle, sans que jamais elle m'ait donné le sentiment que j'étais sous ses ordres. »

Le premier numéro de *L'Express,* sous-titré « Les Echos du samedi », date du 16 mai 1953. Il est vendu 30 francs et diffusé à 35 000 exemplaires. Ses directeurs sont Françoise Giroud et Jean-Jacques Servan-Schreiber, son rédacteur en chef Pierre Viansson (qui ne signe pas encore Viansson-Ponté). Par son format, son titrage, son austérité, son contenu, le journal innove :
A la une : Mécanique de la diplomatie russe
Le sens des grèves
L'article 13 contre René Mayer
Interview : Pierre Mendès France
Document : l'Afrique, Far West de l'Europe
En bas, en encadré, une synthèse de l'actualité politique : une idée qu'eut Françoise un soir où elle était allée chercher au Bourget Mendès qui

revenait de l'étranger et qui lui avait demandé dans sa voiture ce qui s'était passé durant la semaine écoulée.

L'idée est d'attirer l'attention d'un public cultivé, engagé, concerné par la politique, et de lui proposer deux modes de lecture : l'une synthétique et rapide, l'autre plus longue et nourrie par les analyses et documents. La couverture des événements est résolument internationale. Pour l'équipe il est impossible de comprendre ce qui se passe dans notre propre pays si nous ne sommes pas informés de ce qui se passe ailleurs. La culture est aussi importante que la politique. Le ton n'est pas neutre. Chacun assume ses positions. Les articles ne sont pas signés pour indiquer aux lecteurs l'esprit d'un collectif, et cet anonymat donnera, indéniablement, une liberté de ton.

Le journal est indépendant financièrement. Il s'appuie sur le vaste réseau d'abonnés des *Echos*, mais les rédactions sont séparées. Il lui faudra trouver son envol économique pour continuer à exister. Son but est de donner aux lecteurs les moyens de comprendre leur époque et de se forger leur propre opinion. Il se distingue par sa combativité. A l'époque la presse se divise en deux catégories : soit elle veut divertir, soit elle est engagée : « La presse française, par quelques aspects, est l'une des moins conformistes du monde. Grâce à elle, les complicités, les impuissances grandiloquentes, les mensonges sont souvent dénoncés, et les décisions politiques passées au crible. » *L'Express* veut aller encore plus loin : aucun journaliste n'étant omniscient, le journal s'est adjoint des hommes compétents dans les domaines économique, diplomatique, militaire. La situation est difficile, opaque même. Il faudra donc dire la vérité. *L'Express* se veut l'organe de la démystification : « Il faut déchirer l'écrasant filet de complicités, de solidarités, de fausse euphorie qui enserre la nation et l'amène à l'immobilisme en attendant un irrémédiable pourrissement. »

Dès le premier numéro, le journal définit son lectorat : des citoyens qui ne supportent plus le parlementarisme et ses petites combines. Il s'agit de comprendre et de faire comprendre les bruits du monde pour pouvoir agir, au lieu d'assister passivement à la détérioration de son propre pays.

Le premier entretien, annoncé à coup d'affichettes dans tout Paris ainsi que par une publicité dans *Le Monde* (publiée en page 6), est celui avec Pierre Mendès France. Sous le titre « La France peut-elle supporter la vérité ? » il développe l'idée qu'un redressement économique constitue un préalable à une véritable politique étrangère. Questionné sur l'Indochine, Mendès répond : « Les faits nous ont conduits à admettre depuis longtemps qu'une victoire militaire n'était pas possible. La seule issue est donc dans une négociation. » Il ajoute que le temps presse.

Ce premier numéro n'est pas un succès : des lecteurs des *Echos* se désabonnent, des annonceurs de publicité se désengagent. Les raisons invoquées : « Vous faites le jeu des communistes », « Vos critiques sont excessives ».

L'éditorial du deuxième numéro, intitulé « La grande peur », est signé de JJSS. Mais les ennuis commencent déjà. Le journal est accusé de mensonges sur l'Indochine et la Tunisie par les tutelles politiques, et d'être le relais actif de la politique du pire. Il n'en a cure : « Si nous laissons cet ordre moral se consolider et le conformisme moral devenir la loi, si nous laissons nos dirigeants imposer cette conception du civisme, alors le sort de la France sera celui des républiques sud-américaines où la déchéance a commencé de la même manière, conduisant, grâce aux silences et aux complicités, jusqu'à l'explosion. »

L'Express tape vite et fort. Impossible de distinguer Françoise de Jean-Jacques tant ils sont soudés et vivent tout ensemble : les décisions, les rédactions, la couverture des événements.

Le gouvernement dirigé par René Mayer ayant été renversé le 21 mai 1953 par l'Assemblée nationale, Vincent Auriol, président de la République, appelle Paul Reynaud comme président du Conseil désigné, mais l'Assemblée nationale lui refuse l'investiture par 314 voix contre 276. C'est alors que Vincent Auriol convoque Pierre Mendès France à l'Elysée. Après s'être fait prier, le 29 mai, à 16 h 30, il accepte de se présenter aux suffrages des députés pour obtenir l'investiture comme chef du gouvernement. Il a quatre jours pour préparer son discours : il se fera aider par Georges Boris, grand commis de l'Etat, homme exceptionnel (à qui Jean-Louis Crémieux-Brilhac vient de consacrer un ouvrage magnifique réhabilitant son importance dans la vie politique), et par JJSS. Le 3 juin à dix heures, à côté de son verre de lait, Mendès France pose ses quarante-trois feuillets qui ont aussi été relus et annotés par Françoise Giroud. Elle a écrit de lui : « Il a la terrible voix de ceux qui sont certains d'avoir raison. » Le discours touchera et s'imposera par son fond comme par sa

forme. La scansion du texte, haché d'applaudisse-
ments, sa force de conviction – on croit à ce qu'il
dit –, feront dire au *Time* que cette intervention
avait des accents de génie. Cela ne sera pas
suffisant : Mendès n'obtiendra pas les voix nécessaires : 301 voix pour, 119 contre, et 205 absen-
tions. La majorité requise était de 314 voix. C'est
un succès d'estime mais un échec politique. Auriol
lui dit : « Restez dans l'antichambre. » *L'Express*,
lui, le met au premier plan. Le mendésisme naît
à ce moment-là. Le journal deviendra son porte-
parole, ainsi que son justicier. Car les insultes
abondent : les antisémites tirent les premiers, suivis par une cohorte qui traite Mendès France de
« munichois » ou de « cryptocommuniste ». Emile
Servan-Schreiber, dans *Les Echos*, défend son honneur, François Mauriac, dans *Le Figaro*, le couvre
d'éloges.

Mendès va alors intégrer une sorte de « club de
pensée » que crée *L'Express*, une rédaction bis
dont il est le centre, avec Francis Perrin, Alfred
Sauvy, Robert Schumann, François Mitterrand.
Chacun est mis à contribution pour répondre aux
questions des lecteurs et participer aux forums que
le journal organise pour mieux se faire connaître.

L'Express devient l'organe de défense du mendésisme. Il a en son sein, comme ange gardien,
François Mauriac. C'est une idée de Françoise
Giroud : en bonne professionnelle, elle lit la
concurrence et a appris que le directeur du *Figaro*,
Pierre Brisson, avait demandé à Mauriac de tempérer ses propos après la publication d'un article sur
le Maroc mettant en cause le gouvernement. Mauriac a refusé. Deux, puis trois semaines se passent

sans articles de Mauriac. Françoise en parle à Jean-Jacques qui décroche son téléphone : « Voulez-vous une page dans notre journal ? ». On connaît la suite. Le premier article, en novembre 1953, « Les Prétendants », est un joyau de dézingage du politiquement correct, méchant à souhait, mais citoyen à mort. Mauriac a toujours cru que la morale avait sa place en politique. C'est pour cette raison qu'il aime Mendès et qu'il apprécie de travailler dans l'équipe de *L'Express*.

A l'époque, il a soixante-huit ans, tous les honneurs et rien à perdre. Quittant les somptueux bureaux du *Figaro,* il s'amuse à participer aux comités de rédaction du jeune journal, qu'il nomme « ma jeune maîtresse ». Belle définition de ce groupe soudé, ô combien intelligent, ouvert sur le monde et prêt à dire et à écrire toutes les vérités. « Je suis une vieille locomotive mais qui marche encore, qui traîne des wagons, qui peut siffler, et il m'arrive de temps en temps d'écraser quelqu'un. L'honneur de la vieillesse, c'est de ne plus servir à rien. Le journalisme me donne le sentiment de pouvoir servir les idées qui me sont chères, de servir la foi, et de défendre mes amis. »

A partir du 10 avril 1954, il donnera son « Bloc-notes », qui n'a pas pris une ride et se lit avec délectation comme une chronique du temps, une méditation philosophique et politique, un exercice de spiritualité. Angelo Rinaldi le compare à Saint-Simon. L'arrivée de Mauriac renforce la légitimité du titre et lui assure une excellente publicité tout en enchantant l'équipe. Françoise lui donne deux pages et annonce en ces termes son arrivée : « Après une longue et brillante carrière littéraire couronnée par le prix Nobel, François Mauriac est devenu le journaliste français le plus suivi et le plus controversé. *L'Express* est fier d'avoir pu s'assurer la publication régulière d'un « Bloc-notes » où le grand écrivain catholique commente librement et avec le courage que l'on sait l'actualité littéraire et politique ». Entre eux, les relations seront compliquées. Personne n'ignore au journal que Mauriac éprouve une passion pour Jean-Jacques et qu'il a tendance à ignorer Françoise. Mais c'est elle qui fait tourner la machine et exister *L'Express*. Il doit donc lui remettre ses papiers, souvent dépité de ne pas avoir à en discuter avec Servan-Schreiber.

Françoise travaille tout le temps. Caroline Eliacheff se souvient : elle voyait sa mère le dimanche matin pour aller avec elle acheter des glaïeuls chez le fleuriste du coin. La petite fille ne se plaint pas. Elle a toujours été élevée par sa grand-mère et a toujours vu sa mère travailler. Elle dit ne pas avoir souffert de l'absence de sa mère, n'ayant pas eu à connaître d'autre mode de vie. Caroline n'a pas oublié la première fois où elle a vu Jean-Jacques. Il a sonné à la porte pour l'emmener retrouver sa mère. Sa grand-mère n'étant pas là, on ne l'a pas laissée partir. Très vite, Jean-Jacques va se faire aimer et accepter par la mère et la fille de Françoise. Elles sont subjuguées par sa beauté, sa séduction, sa douceur, ses attentions. La mère le retient pour des discussions politiques, la fille va régulièrement passer ses étés à Veulettes dans la propriété familiale des Servan-Schreiber.

Le soir, Jean-Jacques continue à rentrer chez sa femme et Françoise retrouve sa mère et ses deux

enfants... De temps à autre, ils passent le week-
end à l'hôtel Trianon de Versailles, ou partent en
voyage pour des raisons dites journalistiques.

L'Express fonctionne aux coups de cœur et on
imagine les discussions qui ne devaient pas manquer entre Mauriac et Mitterrand, Mendès et
Sauvy, Sartre et Merleau-Ponty. Car le journal est
devenu, très rapidement, un cénacle multidiscipli-
naire où les plus grands intellectuels viennent discuter et publier. *L'Express* est une famille, une
tribu. Une manière de vivre aussi. On aime la
vitesse, l'amour fou, les nouveaux talents. On les
intègre très rapidement : ainsi Françoise Sagan à
ses débuts ou Jean-Luc Godard. Qui m'aime me
suive, dit Françoise Giroud, et ça marche. De son
côté, elle continue son combat pour l'égalité des
femmes et leur indépendance matérielle, tout en
n'oubliant pas de donner, comme elle le faisait
dans *Elle*, des conseils de beauté, de style de vie,
n'hésitant pas à être prescriptrice et pratique.
Ainsi, le 25 septembre 1954, elle explique à ses
lectrices comment on peut donner l'impression de
changer de tenue en changeant de collier. Françoise a fait entrer Djénane dans l'équipe : elle va
s'y occuper de décoration comme elle le faisait à
Elle. Djénane va travailler avec Christiane, sœur
de Jean-Jacques, pendant que Brigitte Gros s'occupera de politique. Toute cette tribu de femmes
semble s'entendre à merveille. Leur problème ? La
mauvaise qualité des plateaux-repas voulus par
Jean-Jacques – et les cours de gymnastique qu'il
tente d'imposer à l'équipe. Comment y échapper ?
Plus tard, Jean-Louis, son frère, viendra aussi y
travailler. Certains jours, on verra même la mère
de Jean-Jacques apporter les paniers-repas... Et

Françoise réussit à être le chef d'orchestre de cette tribu bigarrée : dix personnes dans deux bureaux, plus une trentaine d'amis fidèles rassemblés dans le cercle qui vient nourrir intellectuellement le journal de ses idées et de ses articles.

Françoise possède le talent d'avoir toujours une longueur d'avance sur ses concurrents, de flairer l'atmosphère, de pressentir l'avenir. Elle n'hésite pas à prendre parti et à assumer des positions politiquement incorrectes. C'est ainsi qu'elle critique Simone de Beauvoir, qui se prend trop en exemple de femme libre, alors qu'elle sait qu'elle peut compter sur l'appui indéfectible de Jean-Paul Sartre. Elle va jusqu'à l'accuser d'« imposture involontaire », puisque, « en fait d'exemple, elle est l'exemple même de la femme vivant pour et par un homme et n'ayant jamais eu à sacrifier rien de sa relation avec cet homme ». Elle entretient, en revanche, des relations d'amitié avec Sartre et le défend lorsque Jean Kanapa le vilipende comme philosophe de Saint-Germain-des-Prés et le traite de lâche, de fossoyeur, et même de pourriture pour vouloir discuter avec les communistes sur des sujets précis à partir de ses principes et non des leurs. Françoise Giroud, dans un article intitulé « Jean-Paul Sartre, un homme libre », va relire son œuvre pour en tirer des extraits prouvant sa lucidité, son souci de la vérité. Plus tard, elle lui demandera de venir collaborer régulièrement à *L'Express,* ce qu'il acceptera immédiatement. Elle fera la même proposition à André Malraux, qu'elle a connu dans l'entourage d'André Gide.

Eclectisme des itinéraires, variété des points de vue, Françoise Giroud sait détecter les meilleures plumes, faire appel aux plus grandes intelligences dans les domaines scientifique, économique, philosophique... Elle se fait la muse et l'alchimiste de cette arche de Noé qu'est alors *L'Express* naissant, et dont la mascotte est... un léopard rugissant portant le journal entre ses crocs.

Jean-Jacques Servan-Schreiber et Françoise Giroud voient Pierre Mendès France chaque jour : soit il vient à leur bureau, soit ils dînent ensemble. Elle, l'autodidacte, se nourrit de la parole des grandes figures de la politique et des argumentations des intellectuels. Sa force ? Justement de ne pas en être. Cela va lui permettre d'acquérir le savoir pour le transmettre et le traduire pour le grand public. Elle possède non seulement le talent de trouver un titre, d'équilibrer graphiquement les pages, de savoir où doit se mettre une caricature – Eiffel et Faizant font partie de l'aventure –, de couper un papier ou de le réécrire, mais aussi celui de trouver le *la*, le ton, les liens, l'homogénéité.

A l'exception de François Mauriac, Pierre Viansson, Jean Daniel et Alfred Sauvy, peu de collaborateurs ont échappé à son rewriting. Elle ne s'en cache pas. Comprendre d'abord, puis faire comprendre. Décrypteuse : c'est sa tâche. « Ce n'est un secret pour personne que Mendès France, orateur magnifique, écrit terne. Que Simon Nora dont la pensée est d'une exceptionnelle richesse a le talent de compliquer les choses par accumulation plutôt que de simplifier », confie-t-elle dans *Si je mens*. Chacun écrit pour les gens qu'il rencontre à dîner. Elle, elle va écrire pour tout le monde : elle appelle cela sa gymnastique, une gymnastique qui permet de délier tous les muscles du cerveau.

L'année 1954 voit la naissance de *L'Express* au féminin, une page entière dirigée par Christiane Collange, qui témoigne : « Si nos relations n'ont pas toujours été faciles, je dois à la vérité de dire qu'elles ont toujours été excellentes sur le plan professionnel. Françoise était une immense directrice de journal. Elle sentait tout et dirigeait tout. De plus, elle possédait un sens de l'intuition et une capacité de travail remarquables. *L'Express,* c'est elle. Elle le portait sur ses épaules. Elle me laissait une paix royale. Elle me faisait confiance. » Sur le plan politique, l'année est consacrée à rendre crédible la candidature de Mendès France. Il est *papabile* comme il le dit lui-même, mais dans les partis, les chefs ne veulent pas de lui, même si la base, ceux qu'on nomme dans les états-majors « les peigne-culs », lui sont favorables et entendent le faire savoir.

L'Express va donner un grand retentissement à son discours du 9 mars 1954, qui prône la négociation directe en Indochine. Le 14 mai, Françoise organise un dîner-débat dans un restaurant à l'occasion du premier anniversaire du journal. Toute la rédaction est là, ainsi que le premier cercle. Trois cents étudiants ont été conviés. Les questions fusent. PMF est à son meilleur. Mauriac, qui craint d'être apostrophé sur son christianisme, répond à un jeune homme par un « mon frère » retentissant qui fait s'écrouler la salle de rire. A un moment, un jeune homme se lève et annonce : « Je suis un clandestin. » Il parlera, de façon émouvante, de sa lutte pour l'indépendance de la Tunisie. Des photographies l'attestent : la soirée est un succès, l'incarnation même de l'esprit du journal, gaieté, intelligence du cœur, confrontation des idées, renouvellement des générations, humour.

Le journal publie, à son retour d'un voyage en Indochine, les analyses du ministre chargé des Relations avec les Etats associés, Marc Jacquet, qui pense qu'il faut négocier au plus vite. Jean-Jacques reprend les analyses du ministre pour montrer que *L'Express* est bien informé. Pierre Viansson s'oppose à cette manière de mettre en danger le ministre et introduit l'article de Jean-Jacques ainsi : « Nous croyons savoir que l'exposé des informations et des conclusions du ministre ne devrait pas être très différent du texte que *L'Express* est en mesure de publier ici, sous sa propre responsabilité. » Scandale au gouvernement, où Jacquet est sommé de présenter un démenti officiel demandé par Joseph Laniel. *L'Express* commence à acquérir l'image d'un journal sulfureux, bien informé, qui n'hésite pas à prendre des risques. Si Marc Jacquet continue à être un « informateur » du journal, Raoul Salan, qui n'est plus responsable du corps expéditionnaire en Indochine, est devenu, lui aussi, très proche des idées du journal et vient, chaque semaine, dire ce qu'il sait à Pierre Viansson. Dès l'annonce de la reddition de Diên Biên Phu, le gouvernement charge les généraux Ely et Salan d'une mission en Indochine. A leur retour, Salan expose à Viansson son analyse très pessimiste de la situation et la nécessité de l'envoi d'un contingent. Il lui demande de gommer les renseignements militaires pour ne pas être identifié. Viansson montre l'article à Jean-Jacques qui rajoute une phrase permettant d'identifier sa source. Les 80 000 exemplaires de *L'Express* sont composés le jeudi. Dans la nuit du jeudi à vendredi, Françoise et Jean-Jacques sont prévenus par la police que le numéro 54 est saisi et qu'une perquisition aura lieu dans les bureaux dans la matinée. C'est la première saisie d'un journal non communiste depuis la Libération. Françoise et Jean-Jacques décident alors de changer la page ayant motivé la saisie en reprenant des articles sur le même sujet ayant été publiés dans d'autres journaux et de faire paraître un 54 bis. Le journal bondit. Ses ventes augmentent. La police, ayant découvert dans les bureaux de Jean-Jacques une lettre de Marc Jacquet, convoque Françoise, Jean-Jacques et Pierre Viansson à la justice militaire où ils sont interrogés par le colonel Flicoteau et le commandant Resseguier, juge d'instruction. Tous trois refusent de donner leurs sources et sont libérés par maître Izard, avocat de *L'Express*. François Mauriac, la semaine suivante, tire les conclusions : « La chance d'un journal bien dirigé c'est la bêtise de ses adversaires. *L'Express* doit aux siens ce bond inespéré. »

L'Express dérange. *L'Express* provoque. *L'Express* dit la vérité.

Mendès France prend cette censure comme un geste hostile aussi envers lui, monte au perchoir de l'Assemblée, pour la dénoncer, se montre offensif, agressif, maladroit, selon certains de ses amis. Maladroit ou pas, observe Jean Lacouture, ce discours fut décisif. Dans la nuit du 9 au 10 juin, le cabinet Laniel est mis en minorité. Le dimanche 13 juin, Pierre Mendès France est appelé à l'Elysée. Après trois heures de refus – « Je me suis battu comme la chèvre de Monsieur Seguin », confiera-t-il à Jean Lacouture, il cède et sort de l'Elysée président du Conseil, investi « d'une mission de sacrifice ». Le lendemain, il consulte les militaires. La situation se révèle encore plus grave qu'il ne le pensait.

Les directeurs de *L'Express* deviennent les conseillers du président du Conseil.

L'Express devient-il le journal du pouvoir ? Françoise prétendra plus tard, dans *Si je mens,* que c'est au cours d'un dîner chez elle que fut inventée, par elle et Mendès, l'idée d'un délai d'un mois pour faire la paix. Jean-Jacques Servan-Schreiber, fidèle à sa nature impatiente, aurait, lui, avancé une semaine. Mendès France démentira. Questionné par Jean Lacouture sur l'auteur de cette idée géniale en politique : fixer un cap en prenant date, tout en sachant que chaque jour compte et que des actions ne peuvent se faire qu'en début de mandature, il répondra ironiquement. Faisant allusion au titre du livre de Françoise Giroud, *Si je mens,* il déclarera : Si elle dit cela, elle prend des risques... Françoise Giroud et son rapport avec la vérité, vaste sujet, qui constitue sans doute l'un des fils rouges de la présente biographie...

Françoise, de temps en temps, exagère, prend ses aises avec la vérité, se met en avant, oublie des épisodes, construit sa propre vérité et la sculpte avec tant de passion qu'elle finit par y croire elle-même. Ce n'est pas pour autant qu'elle ira en enfer, mais à lire les souvenirs de Georges Boris, proche collaborateur de PMF, les analyses de

Jean Daniel et les travaux de Jean Lacouture, qui font date, on ne trouve nulle trace de la « maternité » de cette idée. Mendès France avait-il besoin, en cette période cruciale, de Françoise Giroud pour décider de sa conduite ? Non, évidemment. Mais ils étaient très proches et cette porosité entre la bande de *L'Express* et le président du Conseil l'autorise à se faire croire à elle-même qu'elle est l'ordonnatrice d'événements et de décisions qui, par définition, lui échappent.

Grâce aux archives conservées à l'Institut Pierre-Mendès-France à Paris, il se confirme qu'au moment de la publication de *Si je mens,* en 1972, Mendès France n'accepta pas sa version des faits et que leurs relations s'en trouvèrent gravement affectées. En tout cas, dans cette phénoménologie du pouvoir, Françoise se construit, *a posteriori,* un personnage de décideuse. De fait, elle croit connaître si bien les qualités et les défauts de Mendès – son côté velléitaire, sa difficulté à prendre des décisions –, qu'elle pense lui avoir forcé la main.

Durant cette période qui va s'étendre jusqu'en 1958, Françoise intervient, ou tente d'intervenir, dans le monde politique, pas seulement par son journal, mais aussi par des initiatives purement politiques pour celui-ci. Ainsi, en 1953, au cours d'un déjeuner qu'elle organise chez elle avec Antoine Pinay et Pierre Mendès France, elle leur demande de signer une déclaration sur l'Europe qu'elle a rédigée avec Hervé Alphand et avec l'approbation de Robert Schumann. Tous deux la signent au dessert et Françoise Giroud s'apprête à la publier trois jours plus tard. Mais le texte se retrouve entre les mains de Jacques Duclos, qui le fait circuler à l'Assemblée. Pinay prend peur. L'opération échoue.

Françoise Giroud a-t-elle alors espéré entrer au cabinet de Mendès ? La question est d'autant plus légitime que son amie Léone Georges-Picot, future Léone Nora, collaboratrice de la première heure de *L'Express,* va jouer un rôle décisif dans l'état-major du président. On sait également que Jean-Jacques Servan-Schreiber tente d'intervenir dans la constitution de ce cabinet et n'hésite pas à écrire à Pierre Mendès France quand il apprend que Gabriel Ardant a été choisi comme conseiller économique : « Si vous ne prenez pas Nora avec vous, vous agirez de façon contraire à vos inté-rêts, votre honneur et votre gouvernement. Je ne pourrai plus travailler avec vous.» Simon Nora rejoindra le cabinet du président non pas pour faire plaisir à Servan-Schreiber mais parce qu'il fut, en tant qu'inspecteur des Finances, l'ancien rapporteur de la commission des Comptes de la nation qu'avait présidée Mendès et qu'il lui fai-sait toute confiance.

Il faut rappeler qu'à l'époque – la vie politique les séparera ensuite – Simon Nora est le double, le frère jumeau de Servan-Schreiber. Pour JJSS c'est d'une certaine façon une partie de lui-même qui est présente dans cette nouvelle aventure. Ainsi que l'observe Françoise Giroud dans *Si je mens*, ils sont « comme les deux fils d'un même père, insé-parables, passant ensemble déjeuners, dîners, week-ends, vacances... Simon ne cessant de reconstruire le monde, avec cinquante-cinq minutes éblouis-santes achevées par cinq minutes délirantes. Jean-Jacques obstinément accroché au concret, au factuel, mais si proche en même temps. C'est diffi-cile d'imaginer ce qu'a été la fécondité, la gaieté, l'efficacité de leur attelage ».

Reste que Françoise Giroud a eu l'intelligence
de ne pas chercher à briser les couples qu'avait
le don de susciter son amoureux : couple avec
Simon, couple avec Mauriac, qui ne se cachait
pas d'aimer Jean-Jacques, couple avec Mendès
France, qui l'écoutait mais ne le suivait pas toujours, couple avec Madeleine Chapsal, avec qui il
habite toujours, et à qui Françoise donne, dans le
journal, des responsabilités de plus en plus importantes. Madeleine se souvient que Françoise l'invitait régulièrement en tête à tête au Fouquet's et la
faisait parler. Elles entretiennent des relations
intellectuelles, éprouvent la même passion pour
Nathalie Sarraute, Federico Fellini, Michelangelo
Antonioni, Jean Vilar, partagent les mêmes goûts
vestimentaires, s'habillent en Dior. Un soir, elles
se retrouvent à une réception avec la même robe
et éclatent de rire. Elles vivent, chacune à leur
façon, dans une grande liberté amoureuse sans
rien s'en dire, mais sans jalousie apparente.

A peine Mendès France a-t-il pris ses fonctions
que *L'Express* commence à le critiquer, manière
de dire à ses lecteurs que le journal garde son
indépendance : « L'ère des félicitations est maintenant révolue. Notre rôle désormais redevient ce
qu'il a toujours été : l'analyse critique, aussi objec-
tive que possible, des actes du gouvernement. Que
ce gouvernement s'appelle Mendès France au lieu
de Laniel ou Pleven, nous donne plus d'espoir
quant aux intentions mais ne nous enlève aucune
lucidité quant aux actes. » PMF a constitué deux
cabinets : un cabinet présidence du Conseil dont
les bureaux étaient à Matignon et un cabinet
Affaires étrangères où Léone Georges-Picot vient

d'être nommée chef-adjoint de cabinet, c'est-à-dire en pratique chef du secrétariat particulier. En raison de ses liens avec les journalistes, en particulier des journalistes étrangers en poste à Paris, elle intervient aussi dans ce domaine. De plus, deux autres proches de *L'Express* viennent, eux aussi, de rejoindre l'équipe gouvernementale : Simon Nora, conseiller technique du président du Conseil, et Jacques Duhamel sont nommés au cabinet d'Edgar Faure, nouveau ministre des Finances. Jean-Jacques qui travaille dans l'ombre pour Mendès a décidé de se mettre « en congé » temporaire du journal. Françoise Giroud, Pierre Viansson sont à la barre pour garder la bonne distance en vue d'éviter qu'il ne devienne l'organe officiel du gouvernement. *L'Express* critique l'absence de fermeté vis-à-vis de la politique coloniale au Maroc et le peu de flamme pour la cause européenne. Les relations demeurent cependant très proches : Mendès, peu de jours après son investiture, dîne avec l'équipe réduite de *L'Express*. Mauriac s'enquiert des compétences d'un ministre. Devançant la réponse du président, Jean-Jacques affirme : « C'est une cloche », d'autres noms suivront, qualifiés du même adjectif. Mendès sourit, Mauriac s'écrie : « Alors, cher président, ce n'est pas un gouvernement, c'est un carillon. »

On imagine mal aujourd'hui ce type de relations entre journalistes et décideurs politiques au plus haut niveau : cette proximité serait dénoncée comme un pur scandale de collusion entre pouvoir et presse. Jean Lacouture n'hésite pas à qualifier le couple Giroud-Servan-Schreiber de « troisième cabinet », qui bombarde le chef du gouvernement de propositions et de suggestions.

Le président du Conseil que le journal a baptisé
PMF, à l'instar des Américains qui appelaient
Roosevelt FDR, tient ses promesses et honore sa
parole. Le journal bénéficie de sa cote de popularité et peut enfin rembourser sa dette aux *Echos.*

CHAPITRE IX

L'insolence de *L'Express*

Insolent, oui, et de plus en plus inventif. *L'Express* porte toujours comme sous-titre *Les Echos du Samedi*, propose, comme à ses débuts, une synthèse de l'actualité politique en première page et annonce, au-dessus de son titre, le « Bloc-notes » de François Mauriac.

L'affaire algérienne est confiée à Jean Daniel, qui va se montrer à la fois d'une grande perspicacité politique et d'une modernité journalistique remarquable dans sa manière de couvrir les événements. Introduit par K.S. Karol, spécialiste de la gauche européenne et des pays de l'Est, il est convoqué par JJSS qui lui dit : « Je cherche quelqu'un pour écrire un article expliquant ce qui se passe en Algérie. Karol m'a rappelé que vous êtes originaire de ce pays. Je pense que vous connaissez bien la question et pouvez nous faire un papier avant demain soir. »

Dès le 13 novembre 1954, sous le titre « La France peut gagner en Algérie », il analyse les forces en présence, rappelle le contexte historique, constate que tout le monde se ment et conclut : « En proclamant l'Algérie c'est la France, nous affirmons un but ou un désir. Mais est-ce une réalité ? ».

Le journal, en dépit de l'actualité politique brûlante, accorde une place importante à la mode féminine et se soucie de capter ses lectrices. Ainsi, après un défilé Christian Dior, vingt abonnées sont choisies pour sélectionner leur robe préférée et vingt lecteurs sommés de dire ce qu'ils pensent de cette nouvelle silhouette. Françoise, comme à *Elle*, aime établir un rapport direct avec son lectorat et continue son combat pour une femme moderne, libérée des tabous, indépendante matériellement. Se dessine ainsi sociologiquement, au fil des numéros, le modèle d'une femme sportive, cultivée, débrouillarde – elle doit avoir son permis de conduire et savoir voyager –, saine – faire du ski et de la natation est vivement recommandé –, et en regard celui d'un homme qui fait attention à sa ligne et doit savoir respecter la liberté de sa femme.

Le journal juge, au bout de cinq semaines, que si PMF a gagné la première manche, la paix en Indochine, avec éclat et courage, il tarde à sortir le pays de sa léthargie économique : « Mais déjà le lourd balancier politique commence à repartir dans l'autre sens, sous l'effet des forces puissantes qui n'ont été qu'un instant déséquilibrées, voici l'instant où des symptômes nombreux, des lézardes dans le mur, indiquent que l'équilibre est peut-être en train de se renverser » (18 septembre 1954). Le 16 octobre, *L'Express* titre : « PMF à l'entracte » et l'encourage à agir vite sur le front diplomatique et économique : « Pour livrer ces deux batailles, Mendès France aura besoin de mobiliser de vraies forces, et non pas de recevoir des baisers de salon ». A bon entendeur, salut... *L'Express* va d'ailleurs continuer à décocher ses flèches : le 4 décembre un éditorial titre « On se rendort » avec une photo de Mendès assoupi : « Qui est responsable de ce sommeil ? le gouvernement... il est temps, il est grand temps de s'en apercevoir ». Le 31 décembre, le journal n'hésite pas à poser cette question en une : « Faut-il garder PMF ? ». Oui, est-il répondu, mais à condition qu'il réussisse à briser le réseau des forces installées par les lobbies et qu'il se lance dans la bataille des réformes sociales tout de suite.

Derrière le questionnement critique adressé à Mendès se cache probablement une haine personnelle, féroce, de Françoise Giroud et Jean-Jacques Servan-Schreiber envers Edgar Faure, ancien président du Conseil qui ne songe qu'à occuper de nouveau ses fonctions, haine nourrie, sans doute, par les analyses de Simon Nora qui, dès novembre 1954, alertait Mendès sur l'usure de son capital de confiance. Plusieurs couvertures ravageuses sont consacrées à celui que le journal ne nomme que le ministre des Finances de Monsieur Laniel...

Françoise ne cesse de créer de nouvelles rubriques, comme ce forum où elle invite les lecteurs à poser leurs questions au cénacle de personnalités qu'elle a réunies : Jean Vilar, Lucien de Gennes, le père Avril, Maurice Merleau-Ponty, Georges Izard, Alfred Sauvy, Francis Perrin... à qui elle s'est jointe, seule femme parmi ces hommes. Elle a imposé François Erval à Jean-Jacques Servan-Schreiber pour s'occuper du littéraire et K.S. Karol entre alors pour prendre en charge les entretiens

avec les personnalités de la politique étrangère.
Françoise Giroud, princesse butineuse, ne se plaisant que dans la compagnie des hommes ? Non,
répond Christiane Coblence (plus tard Collange),
à qui Françoise donne des responsabilités alors
qu'elle n'a que vingt-quatre ans tout en lui faisant
confiance pour la rubrique « Une page au féminin »
qu'elle rédige avec Djénane. « Elle nous donnait de
l'élan, croyait en nous et ne cessait de nous
encourager », confirme Florence Malraux. Toutes
s'accordent à dresser le portrait d'une femme attentive aux autres femmes, soucieuse de les mettre en
avant et n'établissant pas de rapport hiérarchique
avec elles.

> J'exècre ceux qui envoient les autres se faire
> tuer. Je n'enverrai jamais une femme se faire
> tuer.

Du côté des hommes, les relations sont plus
complexes : François Mauriac continue à ne pas
cacher qu'il est hypnotisé par la grâce et l'intelligence de Jean-Jacques et à ignorer Françoise. Il faudra attendre le départ pour l'Algérie de Servan-
Schreiber pour qu'il daigne lever les yeux sur elle.
Françoise s'en accommode, tant elle éprouve
d'admiration pour l'écrivain. De lui, elle dit :
« Mauriac avait un radar. Non seulement sa sensibilité l'avertissait de ce que son intelligence
aurait pu négliger, mais il avait acquis cette position où plus rien ne l'arrêtait. » Elle admire aussi
son courage. Mauriac monte en première ligne à
chaque fois avec audace et maestria tel un torero
dans l'arène. Libre, libre des autres et de lui-
même. Cette IVe République lui répugne. Il sait
trouver les mots qui blessent pour en dire les

avanies et les dysfonctionnements. Dès que PMF est attaqué, Mauriac le soutient, l'accompagne, exprime son admiration pour son courage, son sens de l'événement, sa profondeur morale. Et, étrangement, au moment où *L'Express* se montre critique vis-à-vis de sa politique, c'est lui qui, à l'intérieur, le défend bec et ongles : « Il faut serrer les dents et attendre le moment. Le président du Conseil sait ce qu'il a à faire. Ce continuateur du général de Gaulle maîtrise la situation. Faisons-lui confiance. » Mauriac fut l'un des premiers à saisir la gravité, l'ampleur et les conséquences des attentats en Algérie du 30 octobre 1954, confiant à ses lecteurs ses angoisses : « Je ne croyais pas que le pire fût si proche. Mais que j'en sois accablé, mes amis le savent. La responsabilité des fellaghas dans l'immédiat n'atténue en rien celle qui, depuis cent vingt ans, pèse sur nous d'un poids accru de génération en génération. L'horreur de ce qui va se déchaîner doit être tout de suite adoucie par une offensive concertée contre les bas salaires... Et, coûte que coûte, il faut empêcher de torturer. » Les timides réformes du 5 janvier 1955 ne font qu'attiser la colère des élus d'Alger. Le 13 janvier, Claude Bourdet, dans son journal, *France-Observateur*, parle de Gestapo en Algérie, évoque les atroces conditions de détention des opposants qui subissent la torture et conclut : « Nos hommes d'Etat peuvent-ils supporter calmement ce qui se passe ? C'est la grande colonisation qui donne des ordres, mais ce sont Mendès France et Mitterrand qui sont responsables devant l'opinion et l'histoire. Quand on laisse commettre de tels crimes, on ne se sauve pas en disant : d'autres feraient pire. »

Françoise Giroud prendra la mesure de ce qu'on appelle « les événements » et en fera son combat personnel. Elle en sera atteinte physiquement, psychiquement, intellectuellement. Pendant toute la durée de cette guerre, elle ne ménagera jamais ses efforts pour aller manifester, venir en aide aux militants du FLN, et, bien sûr, avec l'accord plein et entier de la rédaction, elle et Jean-Jacques Servan-Schreiber transformeront le journal en tribunal : reportages de Jean Daniel, analyses de François Mauriac, témoignages de militaires.

Françoise Giroud, au fil du temps, s'impose comme la patronne, notamment auprès des hommes. C'est elle qui dirige et elle entend le faire savoir, en particulier à Jean Cau, Philippe Grumbach et Jean Daniel. Celui-ci se souvient :

« La première fois que je l'ai vue, je l'ai trouvée très belle et impressionnante. Elle était avec Jean-Jacques. Cela se voyait qu'ils étaient ensemble, alors qu'aucun signe extérieur ne le manifestait. Mes premiers articles avaient été corrigés par JJSS qui aimait le style américain direct, factuel. Il m'a enlevé des "de nos jours", "on ne sait pas", "encore que"... Elle aussi voulait de l'affirmatif, du concret, voire du péremptoire, en tout cas de l'incisif, où elle excellait elle-même en utilisant très peu d'adjectifs. Camus m'a dit un jour : ce que recherche Françoise, c'est mêler la concision à la trouvaille. Françoise voulait avoir la main sur tout le journal et cela n'allait pas sans engueulades, notamment avec Brigitte Gros, l'une des deux sœurs de Jean-Jacques. Elle avait un côté snob : elle avait adopté Florence et était tout éblouie de la gentillesse de la fille de Malraux, qu'elle se vantait de faire travailler. Elle témoi-

gnait quelquefois d'une dureté et d'une méchanceté que je lui reprochais. Pour elle, la vie était un
combat, une sélection d'espèces. Elle ne respectait
que les gens qui s'affirmaient et elle savait qu'ils
étaient des tueurs. Elle sortait ses griffes à tout
moment et n'entendait pas ne pas être la première au courant de tout événement. Quand
Grumbach lui apportait une information, elle se
sentait blessée. Elle détestait ceux qui la quit-
taient et n'éprouvait guère de pitié. Jean Cau, qui
avait les plus grands défauts mais aussi les plus
grandes qualités, a voulu partir pour écrire une
pièce. Françoise lui a fait un pot de départ avec
moult compliments. Deux ans plus tard, elle est
conviée à la première de la pièce. En allant au
marbre le surlendemain, je lis une critique d'une
violence inouïe sur le spectacle. Les articles étaient
toujours anonymes à l'époque. Je questionne Françoise qui me dit qu'elle en est l'auteur. Je lui rappelle qu'il a beaucoup fait pour le journal, qu'il a
été des nôtres. Elle me répond : "La pièce n'est pas
bonne et il nous a quittés. Vous voulez que je
mette mes initiales ?" Elle l'a fait. Un soir, elle
donne un dîner avenue Raphaël : Mendès, Mauriac et, bien sûr, Jean-Jacques, sont là. A la fin
du dîner, Mauriac voit, sur la cheminée, des
extenseurs. Mauriac s'approche de JJSS et, de sa
voix blessée, lui dit : "Vous aimez cette femme ?
A votre place j'aurais une sacrée frousse..." »,
conclut, en souriant, Jean Daniel.

A l'époque, Françoise et Jean-Jacques sont fous
amoureux. Caroline se souvient être entrée, par
effraction, dans la chambre de sa mère un dimanche après-midi et, gênée, y avoir vu sa mère sur-
sauter alors qu'elle remettait ses bas. Jean-Jacques

lui offre chaque jour des roses ; dans les grandes occasions, des rosiers. Il lui adresse des mots d'amour chaque soir quand chacun rentre chez soi.

Françoise a beau stigmatiser dans les colonnes du journal les femmes qui ne savent pas être mères et affirmer que la naissance n'est qu'un acte biologique, la véritable naissance étant l'éducation, reçue de l'enfance jusqu'à la majorité, elle est d'abord amante et journaliste, tout en veillant de loin, grâce à la complicité de sa mère, qui est une femme merveilleuse sur le plan humain et exceptionnelle sur le plan intellectuel, à l'éducation de ses enfants.

« Françoise, vous êtes le courage et, en dehors même du fait que je vous aime, c'est ce qui me touche au plus profond. »
Jean-Jacques l'aime et l'admire. Françoise n'est pas seulement sa muse, son amoureuse. Elle est aussi l'unique personne à qui il peut tout dire, y compris ses volte-face sur des sujets essentiels comme le mendésisme. Dans une lettre non datée, mais envoyée de Megève, manifestement au tout début de 1955, il lui avoue :

Il n'y a plus que des illusions et des hypocrisies dans la politique mendésiste. Il faut sortir complètement de l'univers, du vocabulaire, des termes de référence de notre combat politique de ces dernières années. Il y a une « mue » radicale à effectuer. C'est cela que les gens qui nous ont fait confiance attendent de nous. Je suis impatient de connaître vos sentiments. Avez-vous encore les forces pour nous renouveler complètement ? Et encore le crédit de l'audience ? Je ne sais. C'est notre prochaine étape. A bientôt, mon amour. (IMEC, correspondance inédite.)

Après avoir arraché *in extremis*, avec une toute petite majorité, le vote de confiance du Parlement, Mendès clôt l'année 1954 sur un texte contestable et un traité impopulaire. Ses vrais amis le quittent. Il fait alliance avec des suspects. Jean Fabiani dans *Combat* s'interroge : « Mendès France aura ainsi, avec brio, tenu toutes les promesses des autres. Nous souhaitons qu'il puisse un jour tenir les siennes. Mais lui en laissera-t-on le temps ? ». On connaît la suite. En Grande-Bretagne, il est, comme on dit dans le jargon diplomatique, « *expendable* ». On peut en disposer. Il ne sert plus à rien. A jeter aux chiens. Dans la presse de droite, mais aussi de gauche, il est attaqué sur sa politique algérienne, à la fois par *Les Temps modernes,* par Claude Bourdet dans *France-Observateur,* qui tire à boulets rouges sur les propositions énoncées dans *L'Express* par Mauriac de créer une nouvelle gauche avec Malraux et le courant moderniste du catholicisme français. Sous la plume de Jean-Jacques Servan-Schreiber, *L'Express* prend part à cet hallali en n'attaquant pas frontalement Mendès mais la bête noire de JJSS, Edgar Faure, en mettant en cause son honnêteté. La réaction de l'intéressé a de quoi surprendre : il provoque en duel celui qui a attenté à son honneur. Cela pourrait avoir du panache, mais, très vite, l'incident tourne au pathétique vaudevillesque. Servan-Schreiber relève le défi et leurs témoins respectifs arrivent à temps à les convaincre d'y renoncer. Cela n'empêche pas le déchaînement de la presse qui ricane : Président ou d'Artagnan ?

Le 2 février 1955, Mendès affronte la meute.
Le 4, c'est fini. Et là, il se passe quelque chose
d'incroyable. Lorsque le match est perdu, le
boxeur quitte le ring. Lorsque Mendès perd la
confiance (il obtient 273 voix contre 319), il
quitte l'hémicycle dès le résultat du vote connu,
et, à la stupéfaction générale, il monte à la tribune, sort un papier de sa poche et fait une déclaration : « Non, le travail accompli ne sera pas
effacé ni dans ce domaine ni dans aucun des
autres. Oui, durant ces derniers mois, il a fallu
lutter sans trêve aux échéances accumulées comme
aux économies quotidiennes... Les hommes
passent, les nécessités naturelles demeurent. »

Sous le titre « SOS », François Mauriac rend
dans *L'Express* un hommage appuyé à Mendès,
qui a su empêcher le pays de pourrir par la tête.
La fin de son article est ironiquement cinglante :
« Un silence morne retombe sur ce pays, en apparence du moins, dans sa prostration. Les soulève-
ments de masse ne s'observent que chez la classe
commerçante et ne touchent qu'à ses démêlés
avec le fisc. Pour le reste, j'entends surtout parler
d'un nouveau chanteur nommé Gilbert Bécaud
qui transporte les foules. »

Mendès France dira à Jean Lacouture n'avoir
pas été blessé par ce départ tumultueux qu'il considérait comme faisant partie des risques du métier.
Il n'avait pas l'intention de prendre sa retraite.
Des élections étaient prévues en 1956. Il serait de
ce combat.
Françoise Giroud a-t-elle réussi à faire changer
d'avis Jean-Jacques Servan-Schreiber ? Elle n'aime

pas hurler avec les loups et conserve sa confiance en Mendès France, à la fois politiquement et amicalement. Dans le journal, elle se situe du côté de Mauriac, qui continue à faire campagne pour Mendès. Le 14 mai 1955, dans son « Bloc-notes », il écrit : « Nous ne croyons pas que PMF soit infaillible. Il a pu se tromper, il risque de se tromper encore. Mais je sais bien que nous ne trouvons plus rien à dire à des peuples qui s'éloignent de nous ; il ne nous reste plus rien à opposer que ceci : nous travaillons pour qu'il revienne. »

C'est à cette époque que Françoise Giroud reçoit un coup de téléphone d'un homme qui lui dit avoir reçu deux millions pour « descendre » Mendès. Il ajoute qu'il a tué beaucoup de « bougnoules », mais jamais de Français. Ça l'ennuierait. Il lui demande de prévenir Mendès. Ce qu'elle fait. Il ne prend guère ces menaces au sérieux, mais l'homme vient chez Françoise pour demander de l'argent. Pas question, dit Mendès, de céder au chantage. Elle lui donnera tout de même, comme elle dit, « un pourboire ». Il n'en sera plus question ensuite.

Servan-Schreiber change de pied. Il convoque son équipe et annonce : nous n'avons pas de temps à perdre, il faut s'y mettre tout de suite. Lui qui était en train de lâcher Mendès va entrer en campagne pour lui et, de nouveau, toujours avec la complicité active de Françoise, transformer son journal en tribune de soutien politique. Il prend des risques financiers pour augmenter le tirage, pendant que Françoise étoffe l'équipe : Albert Camus, débauché par Jean Daniel de *France-Observateur*, arrive à *L'Express* en mai. Jean-Jacques est sceptique, Françoise insiste : elle aura gain de cause. Entre JJSS et Albert Camus, le courant ne passera jamais. Comme le résume avec humour Jean Daniel, « Camus et moi aimions la mer, lui uniquement la montagne ». *France-Observateur* riposte de manière machiste à ce transfert en attaquant la crédibilité de Françoise Giroud : « Monsieur Albert Camus, qui doit pourtant avoir une autre idée de la presse que Françoise Giroud, va donner une chronique littéraire à *L'Express*. » Camus réplique dans les colonnes de *L'Express* : « De Françoise Giroud à qui vous essayez de m'opposer, je n'ai aucun mal à approuver sa conception de la presse et je me sens tout à fait autorisé à collaborer à ce journal, avec la totale liberté qu'il veut bien m'accorder. En revanche, et pour des raisons inverses, je n'aurais pu continuer à collaborer à *France-Observateur*. Je n'ai pas en effet les mêmes idées sur le rôle et l'objectivité d'un hebdomadaire d'opinion. »

A la fin de sa vie, Françoise Giroud confiera à Martine de Rabaudy que Camus, la voyant touchée par ces critiques, lui avait dit : « Ne vous laissez pas intimider, ce sont des chiens. » Maurice Nadeau était l'auteur de ces phrases misogynes. Il m'avouera en avoir été peu fier et avoir pris rendez-vous avec Françoise Giroud pour lui faire ses excuses. Elle l'engagea illico dans son équipe où il resta de nombreuses années en tant que découvreur infatigable de nouveaux talents. Aujourd'hui, il dit en souriant : « Nous nous sommes très bien entendus tous les deux. Mais j'étais fier d'être l'un des rares qui ne se faisaient pas, par elle, réécrire les papiers… ». Camus, lui, restera à *L'Express* de mai 1955 à février 1956. Il y publiera trente-cinq articles en tout, qui ne se cantonneront pas à la chronique littéraire, mais, très vite, aborderont la tragédie de sa terre natale. Il confiera à Jean Daniel les raisons du choix de *L'Express* : solidarité avec son époque, croyance au journalisme, « la forme la plus agréable de l'engagement, à condition de pouvoir tout dire », et la ferme conviction que *L'Express* arriverait à imposer Mendès comme chef d'Etat. Pour autant, il ne sera pas heureux au journal : il rêvait de refaire *Combat*, rêve irréalisable... Surtout, le poids et la violence des événements en Algérie le tourmentaient de plus en plus. Il a appelé à une trêve, la communauté intellectuelle s'est gaussée de lui et le monde politique n'a pas voulu l'entendre. Alors il n'a plus parlé. Il quittera *L'Express* pour retrouver le registre de ce monde du théâtre qu'il aimait tant et où il pouvait exprimer ses tourments. Françoise lui restera fidèle et ne manquera aucune de ses pièces, dont elle fera des chroniques toujours élogieuses.

On comprend de plus en plus clairement le mode de fonctionnement du couple : Jean-Jacques écrit l'édito, s'occupe – même si cela ne l'amuse guère – de la gestion, Françoise donne l'impulsion, relit, corrige tout, équilibre graphiquement et intellectuellement le journal jusqu'au marbre, s'occupe du suivi de l'équipe, morigène, encourage et... engage toujours de nouveaux talents : après Malraux, Sartre, Merleau-Ponty, Camus, c'est au tour de Françoise Sagan. C'est une croqueuse, Françoise Giroud. Elle a de l'appétit. A peine un talent éclôt-il qu'elle a envie qu'il fasse partie de son écurie. Robert Badinter, qui l'a bien connue avant la guerre, la fréquente alors beaucoup et témoigne de sa manière de faire : « J'étais à l'époque un jeune avocat lié à la famille Servan-Schreiber. Je l'avais connue du temps où elle était Bouchon. Ce n'était pas le genre de femme dont la beauté vous arrêtait lorsque vous la croisiez. Je l'ai vue devenir belle. Françoise est une sorte de construction. Elle a sculpté elle-même sa beauté en mettant en avant son regard magnifique, en modulant les expressions de sa voix. Elle est devenue elle-même une œuvre d'art et aimait les regards admiratifs. Elle était secrète et compliquée. Elle ne se livrait guère. Elle était avec Jean-Jacques dans une relation de totale égalité. Elle était l'âme, l'esprit, le premier talent journalistique de *L'Express* et Jean-Jacques le savait. Je n'ai pas connu un journal semblable à celui-ci : avec autant de courage et de capacité à penser l'avenir. Ces temps-là étaient difficiles. Le journal avait été saisi. Il le sera encore à plusieurs reprises. J'observais Françoise pendant ces épreuves. Elle restait de marbre. Jamais elle ne montrait sa peine ni sa fatigue et conservait, en toutes circonstances, le visage épanoui et la virtuosité de ses expressions. Elle était capable de travailler en équipe, et en même temps de s'isoler, pour écrire. Jean-Jacques était plus jeune qu'elle. Quelquefois, il semblait impressionné par elle, pas intimidé. Aucune femme ne l'a égalée dans l'art journalistique. Elle s'intéressait aux autres, au monde et moins à elle-même. Elle me citait souvent le proverbe arabe : "Ce que tu n'as pas dit t'appartient. Ce que tu as dit appartient à tes ennemis". »

CHAPITRE X

Le courage de *L'Express*

Les circonstances politiques vont, de nouveau, faire évoluer le journal. Edgar Faure est renversé par la Chambre et décide de dissoudre l'Assemblée nationale pour provoquer des élections anticipées. La réaction du groupe mendésiste est brutale : elle exclut Edgar Faure du parti radical le 1ᵉʳ décembre. Même si Mendès en est membre depuis trente ans, sa vision personnelle fondée sur l'anticolonialisme et la planification démocratique n'est guère partagée par ses camarades. Il décide donc de se lancer dans la bataille électorale en faisant alliance avec la SFIO, et il prend rendez-vous dès le 2 décembre avec Gaston Defferre, familier de *L'Express*. C'est dans les locaux du journal qu'est inventée par Jean-Jacques Servan-Schreiber la formule de front républicain. Mendès prend contact avec Guy Mollet, secrétaire général de la SFIO, qui lui donne son accord. Jean-Jacques pense qu'il faut encore élargir. Ceux qu'on nomme « les conjurés de *L'Express* », Jean-Jacques, Simon Nora, Françoise, prennent contact avec le chef de l'UDSR, François Mitterrand, puis avec Jacques Chaban-Delmas qui préside aux destinées des républicains sociaux. Mendès fédère et incarne cette coalition fragile et hétéroclite. Le 5 décembre, *L'Express* publie un manifeste signé par les quatre leaders de ce front républicain qui proteste contre la dissolution et appelle à la « défense de la république ». *L'Express* devient la rampe de lancement du candidat PMF et, pour ce faire, devient quotidien. Il improvise et lance ce nouveau parti en en faisant la publicité par de petites affichettes qu'on voit partout dans Paris : « Avec PMF votez X ». Mais comment contrôler ? Des centaines de candidats se réclament de PMF. Jean-Jacques invente de coiffer du bonnet phrygien les bons candidats, les vrais mendésistes. On sombre dans le ridicule, objectent certains mendésistes. Peu importe. Il faut foncer, répond l'équipe de *L'Express* qui se lance, unie, dans la bataille.

Mauriac se montre fort actif dans le soutien à Mendès. Déjà, dans *L'Express* daté du 8 octobre 1955, il a publié, sous le titre « La suprême faute », une attaque en règle d'Edgar Faure, décidément la bête noire du journal qui rappelle sans cesse à ses lecteurs que celui-ci, ministre des Finances puis des Affaires étrangères dans le gouvernement PMF, l'a trahi en lui succédant comme président du Conseil. « Aveugles que nous étions... Edgar Faure devint ce casseur d'assiettes de music-hall de ma jeunesse qui, pour en rattraper une, laissait choir toute une pile et la pulvérisait – numéro qui eût pu être cocasse mais il y allait pour nous de la vie. Aujourd'hui, où en sommes-nous ? A quoi songe un vieux peuple recru comme le nôtre et que faudra-t-il pour le réveiller ? »

L'équipe de *L'Express* travaille jour et nuit pour inventer un quotidien original, bricolo, bon enfant, faisant appel à la générosité des lecteurs, s'excusant de ses maladresses. Une sorte de news du cœur pro-PMF. Françoise Giroud est aux commandes. PMF présent chaque jour. Les lecteurs sont ravis, envoient de l'argent, donnent des conseils. Le lien qu'a su créer Françoise avec eux devient alors ombilical.

Le 5 décembre sont distribués des tracts de *L'Express* : AVEC PMF VOTEZ X. Le journal veut désigner le candidat de son cœur sans être poursuivi pour illégalité. Le 19 débute la publication de la liste des candidats à bonnet phrygien. Les opposants se gaussent. Mais quand on lit cela aujourd'hui, on est saisi par la fraîcheur, la jeunesse, mais aussi par la prise de risque, l'audace que traduisent les contenus aussi bien que la maquette de ce journal-tract, précurseur en somme de *La Cause du peuple* et de *Libération*.

Dans le camp de la droite, on ricane et on nomme cette étrange coalition, soutenue par le quotidien, « Front Express », preuve s'il en fallait qu'il a réussi, en peu de jours, à créer une dynamique politique.

La machine électorale est lancée et le siège du journal se transforme en salle d'attente de bureau de vote. C'est l'émeute. Des états-majors politiques viennent réclamer le bonnet phrygien. Françoise Roth et Serge Siritzky racontent dans *Le Roman de L'Express* ce moment de folie : de nombreuses personnes se présentent pour être sélectionnées et repartir avec leur bonnet… Comment reconnaître un bon candidat ? L'état-major de PMF invente à la hâte toute une série de critères. *L'Express*, de son côté, est complètement débordé par des candidatures de non-parlementaires. « Des lettres de supplication ou de "menaces" arrivent à *L'Express*, où l'on voit défiler des messieurs à Légion d'honneur qui attendent sagement d'être reçus par les deux jeunes femmes préposées à la sélection », dira Pierre Viansson-Ponté qui n'approuve guère ce genre de démarche politique mais constate qu'elle provoque un véritable engouement. Que faire de tous ces candidats ? Brigitte Gros et Léone Nora, qui a repris du service, sont désignées pour faire la sélection. Léone Nora se remémore en souriant cet épisode : « Je me souviens que nous prenions notre rôle très au sérieux et que nous avions déterminé des critères de sélection d'après les votes de chacun sur des problèmes importants de la législature écoulée. Cette grille guidait les choix qui étaient ensuite soumis à PMF. »

L'Express se transforme en plate-forme politique, en lieu de débats, en antichambre de l'investiture. On n'a jamais vu cela dans l'histoire du journalisme. Certains choix seront douloureux. Mendès France – et il le regrettera plus tard – favorisera les socialistes, au grand dam des radicaux. Croyait-il la victoire possible ? Avec le recul du temps, on a l'impression qu'il a été embarqué dans l'histoire... Il dira plus tard : « Tout a été vraiment bâclé. On a improvisé des investitures dont, après coup, je ne suis pas tellement fier. Tout s'est fait si vite, dans une telle pagaille. »

Françoise partage son avis : le journal prend trop de risques financiers, il s'est lancé dans l'aventure sans y réfléchir et travaille, comme un funambule, dans l'improvisation. Ce n'est pas douze heures par jour, c'est jour et nuit. Elle a installé un lit de camp dans son bureau. Le verdict tombe dans la nuit du 2 au 3 janvier : PMF est le seul de ses troupes à en tirer les leçons : les 31 % obtenus, certes, sont honorables mais peu propices à gouverner une Assemblée disparate et ternie par la présence des poujadistes. Dans la précipitation, aucun accord précis n'avait été conclu entre les quatre partis de la coalition, même si tout le monde pensait que le front républicain s'incarnait dans la personne de Mendès qui était moralement le candidat. En politique, cela ne suffit pas.

Le 5 janvier 1956 à midi, Gaston Defferre et son épouse, Pally, invitent, dans leur minuscule appartement de l'avenue du Président-Wilson, Guy Mollet, Françoise Giroud, Pierre Mendès France et Jean-Jacques Servan-Schreiber. Mendès n'aime pas Mollet ? La réciproque est vraie. Defferre met du liant. Servan-Schreiber, tout feu tout flamme, expose ses idées. Pour lui, comme pour Françoise Giroud, il n'y a aucun doute : PMF peut et doit être le seul à se présenter. A la stupéfaction de Françoise, Mendès ne se pose nullement comme futur chef du gouvernement. Elle l'observe, folle de rage, pataud, hésitant, pesant interminablement le pour et le contre : « Scène historique, au vrai sens du terme, où un homme qui brûle, légitimement, d'être un agent de l'histoire et qui est en situation de l'être, regarde la fille et laisse à un autre le soin de lui faire un enfant. » Elle trouve son comportement fascinant et exaspérant. Dans une lettre inédite, conservée à l'Institut Pierre-Mendès-France, elle l'apostrophe : « Je ne sais pas si vous avez eu une attitude bien "politique", je ne crois pas ; j'imagine que vous avez déçu professionnellement ceux qui ont besoin de chefs et de slogans et que, peut-être, ils se retrouveront découragés... Je ne sais si c'est ainsi qu'on parvient au pouvoir et si cela a un sens d'être un homme politique sans avoir le pouvoir de faire de la politique. » Françoise se trompe. Elle est trop impliquée dans la bataille et prend ses désirs pour des réalités. Elle a toujours trouvé Mendès légèrement paranoïaque, trop acharné à peser interminablement le pour et le contre, et elle pense que ce sont ces traits de caractère qui le conduisent à ne pas se décider. Mais Mendès est pragmatique : c'est au président de la République, René Coty, de choisir le chef du gouvernement et non à l'un d'entre eux de s'autodésigner.

La Chambre sera divisée en l'absence de majorité. Mendès pense à la France plus qu'à sa propre personne. Et puis l'idée de Guy Mollet comme président du Conseil ne lui déplaît pas. Les jours qui suivent sont rocambolesques. Mollet dit que si René Coty lui propose le poste, il ne pourra pas refuser. Defferre s'interpose et fait promettre à Mollet d'appeler le Président pour se désister. Il promet, mais il ne le fait pas. Defferre, pensant qu'il est de bonne foi, pousse Mendès à appeler Coty en lui disant que Mollet s'est désisté. Coty fixe un rendez-vous à Mendès.

Son choix était-il déjà arrêté ? Edgar Faure – le revoilà –, alors président du Conseil par intérim, apprenant que l'audience est fixée, supplie René Coty de ne pas recevoir Mendès. On se croirait dans « Tintin au pays du parlementarisme dévoyé » : « Monsieur le Président, si vous recevez Mendès, vous ne résisterez pas à son charme, à son ascendant. Créez, avant de l'accueillir, l'irréparable. Placez-vous devant le fait accompli. Convoquez Guy Mollet. » Nous connaissons cet épisode grâce à Jean Lacouture qui le tient de la bouche même d'Edgar Faure, lequel le rapportera quelques années plus tard à Mendès...

Mollet fut donc nommé et commença par ne pas tenir ses promesses. Lors du déjeuner chez Gaston Defferre, Mollet et Mendès s'étaient promis réciproquement que l'heureux élu nommerait celui qui n'était pas investi ministre des Affaires étrangères. Une cabale s'organise contre Mendès. Mollet prend peur. Il le nommera à la tête d'un ministère d'Etat sans véritables attributions. Bref, ridiculisé avec, comme dit Mauriac, « son bouquet de garçon d'honneur ».

Tout ça pour ça... L'équipe de *L'Express,* qui n'a pas ménagé sa flamme, se sent flouée, désarçonnée, déçue. Françoise, elle, va plus loin : elle se sent trahie.

CHAPITRE XI

L'Express sans Jean-Jacques

Jean-Jacques, lui, joue toujours les conseillers du prince. Il adore le pouvoir, préfère de loin Mendès à Mollet, mais puisque c'est Mollet, il va conseiller Mollet... Mendès avait promis que s'il était élu chef du gouvernement il irait d'abord s'installer à Alger pour « maîtriser les oppositions de toutes sortes ». Lors du premier Conseil des ministres le 3 février, Mollet fait part de ses intentions de s'y rendre. Mendès, tenu au courant de la rapide évolution de la situation en Algérie, tente de l'en dissuader. Peine perdue. Mollet reste sourd à ses arguments et annonce son départ le 6 février. JJSS, la veille de celui-ci, force la porte de Mollet, qu'il trouve en pyjama, et l'adjure de changer d'avis : « Toutes nos informations concordent : vous allez vous faire écharper par les Algérois. » Mollet ne l'écoute pas. Il est certain que l'accueil des Français d'Algérie sera bon. Le 6 février, le cortège, de l'aéroport jusqu'au centre-ville, passe entre des CRS dans un silence de mort. La voiture du président du Conseil s'arrête devant le monument aux morts. Eclate alors une manifestation d'une violence inouïe qui se transforme en émeute. « A mort Guy Mollet ! » hurle la foule.

Pierres, oranges, tomates s'abattent sur la délégation... Mollet est discrédité. Mauriac, dans les colonnes de *L'Express*, le ridiculise. Guy Mollet accroît alors sa politique de répression et Mendès, début avril, lui envoie une note sur l'Algérie, proposant, parallèlement à la « trêve civile » prônée par Camus, de mettre fin à la guerre totale. C'est tout juste si Mollet en accuse réception. Mendès démissionne en mai. Mauriac, dans son « Bloc-notes » du 23 mai, écrit : « La démission de Mendès France nous délivre d'une équivoque qui devenait chaque jour moins supportable. »

L'Express se retrouve privé de sa raison initiale d'exister : faire gagner Mendès France. Et pourtant, ni Jean-Jacques Servan-Schreiber ni Françoise Giroud ne se posent la question d'arrêter. Les événements sont trop douloureux. Le journal conserve la même orientation politique et se trouvera en première ligne dans le combat où il mettra toutes ses forces et ses énergies : la dénonciation de la torture en Algérie.

En juillet 1956, Servan-Schreiber est appelé là-bas. Ce n'est pas l'envie qui le brûle. Mais il n'entend pas se dérober. Comment le pourrait-il, lui qui s'est fait, avec l'ensemble de sa rédaction, le porte-parole des appelés qui, malgré eux, sont les exécutants d'une guerre qu'ils réprouvent, et dont ils racontent les atrocités en envoyant des lettres à leur journal préféré ? Mendès est fou de rage et interprète cette mobilisation comme un règlement de compte politique. Il intervient auprès de Maurice Bourgès-Maunoury contre la volonté de JJSS, à qui il dit : « Ils vous tueront là-bas. » Bourgès-Maunoury signe l'ordre de démobilisation dont Jean-Jacques ne veut pas entendre parler. Sur les conseils de Françoise, il décide d'accepter de se faire mobiliser, sachant que, s'il ne partait pas, c'en serait fini de sa crédibilité.

Servan-Schreiber demande, sans la moindre hésitation, à Françoise Giroud de la remplacer en lui laissant le message suivant : « Dites à PMF que tout ce que je fais pour le faire respecter par nos adversaires qui m'entourent, je le fais en pensant à lui. C'est le seul fait de représenter la cause intellectuelle et politique qui me donne un style de vie et une profonde raison de tenir. »

Françoise se retrouve seul maître à bord. Elle qui tient le journal mais y écrit très peu va alors changer de statut et devenir journaliste politique en demandant à Mendès France de devenir son conseiller. Les archives, en effet, nous permettent de comprendre que, pendant toute l'absence de Jean-Jacques Servan-Schreiber, Françoise Giroud voit, consulte, écrit à Pierre Mendès France qui joue alors, dans les coulisses, un rôle majeur. Elle n'hésite pas à le rejoindre en vacances, lui soumet ses articles, l'interroge sur la pertinence de lancer telle ou telle enquête. PMF répondra toujours présent. Elle a en charge un journal fragilisé financièrement par l'expérience du quotidien. Robert Badinter se souviendra qu'elle redoutait ces nouvelles responsabilités, mais qu'elle n'en laissait rien paraître. Jean Daniel partage ce sentiment : « Quand Jean-Jacques est parti, c'était comme un veuvage. Elle a révélé d'elle une autre image : l'incarnation de la discipline et de l'érudition. Elle arrivait très tôt le matin et, comme elle ne se sentait pas à la hauteur, elle demandait aux collaborateurs de lui donner des cours : Gabriel Ardant et Simon Nora auront une élève attentive et modeste. Le révérend père Avril fera de même pour l'histoire des religions. Quant à moi, elle m'assaillait de questions philosophiques sur la décolonisation, de véritables examens auxquels je devais me préparer, tant sa manière de comprendre, de façon synthétique et non événementielle, demandait de la rigueur. »

Elle peut compter sur Pierre Viansson et Jean Daniel pour leur rectitude et leur amitié, sur K.S. Carol pour sa fidélité, sa présence, sa loyauté, sur François Erval qu'elle aime tant et qui dirige la page « Littérature », sur Colette Ellinger, sa plus proche collaboratrice, avec qui elle entretient des rapports d'égalité et de confiance absolue, ainsi que sur ses amies journalistes qui lui font une garde rapprochée, comme Danièle Heymann, bref sur la quasi-totalité de la rédaction à l'exception des deux sœurs de Jean-Jacques, qui la trouvent un brin autoritaire. Elle voit aussi beaucoup pendant cette période François Mitterrand, qui ne ménage pas son temps pour répondre à ses questions et tenter de l'aider quand elle le lui demande.

Pendant ce temps, à travers la distance et la séparation, elle entretient une correspondance amoureuse avec Jean-Jacques, qui lui raconte son quotidien et l'encourage : « J'aime vous regarder et vous admirer. C'est un point très important de voir ce spectacle que vous êtes et que vous étiez au moment où je vous ai rencontrée. Vous êtes l'une des plus belles chances de ma vie et qui m'évite d'être amer et désabusé. Vous êtes faite pour réussir et tout vous va si bien. Comme vos robes s'adaptent à votre cou et à vos épaules, le succès de la lutte est dans ce calme que vous gardez et qui vous rend tellement esthétique à regarder. » Il lui confie ses angoisses, les épreuves qu'il subit, la camaraderie avec les autres soldats, qui lui permet de tenir psychologiquement. Elle a l'idée de lui demander de prendre des notes. Il lui répond : « Je ne suis pas écrivain. » Elle insiste : ce qu'il est en train de vivre constitue un véritable témoignage au cœur de la guerre d'Algérie. Il serait dommage de ne pas en faire profiter les lecteurs de *L'Express*. Elle réussit à le convaincre.

Et puis un jour, Françoise décide d'aller rejoindre Jean-Jacques en grand secret. Elle est très bien accueillie par le capitaine Loustau, du premier bataillon de la 531ᵉ DBFA – demi-brigade des fusiliers de l'air – Djebel. Jean-Jacques et elle peuvent ainsi vivre deux nuits d'amour. Quelques jours plus tard, Jean-Jacques la remercie : « Mon amour, je vous vois de loin et c'est comme dans un rêve puisque je suis dans un monde si lointain et, dans ce rêve, vous me plaisez. Je vois votre sourire et votre courage si naturel et votre dureté quotidienne avec la vie et votre talent dans les gestes. Vous êtes un être humain tout à fait bien fabriqué et je vous vois assez loin sur la route des hommes. » Quelques jours plus tard : « En entendant votre voix j'ai pensé à l'éternité. »

Françoise lui envoie chaque semaine un exemplaire du journal qu'il lit attentivement et, par des télégrammes très longs, il n'hésite pas à faire des suggestions, à corriger le journal, à faire des propositions. Françoise tient le coup, mais subit des accès de fatigue dont elle ne peut s'entretenir qu'avec Mendès : « La vie quotidienne est si difficile, les problèmes si nombreux, le journal si lourd que je suis comme anesthésiée contre l'absence de Jean-Jacques. C'est sans doute bien ainsi. »

En octobre, la situation financière du journal devient alarmante. Françoise décide, seule, de faire un supplément qui justifierait l'augmentation du prix de vente de 100 %. C'est du jamais vu, du quitte ou double. Emprunter lui fait horreur – séquelle de la pauvreté de l'enfance et désir, jusqu'à la fin de sa vie, de ne jamais rien demander à personne. Elle aime le risque, sait qu'elle peut compter sur l'appui de la rédaction et veut épater son Jean-Jacques. Le manager, c'était lui. Maintenant, c'est elle.

Pari gagné. Elle dira que les événements l'ont servie : la Hongrie, l'arrestation d'Ahmed Ben Bella par les services français alors qu'il prenait l'avion du Maroc pour Tunis, la nationalisation du canal de Suez. Françoise se retrouve au cœur d'un maelström politique et chacun veut alors la conseiller. Mais elle n'écoute personne, sauf Mendès France à qui elle soumet ses éditoriaux avant publication. Elle lui rend compte aussi de la composition de chaque numéro et il arrive à Mendès de demander de retarder tel ou tel papier. Son avis l'emportera à propos de l'expédition de Suez, qui tourne au fiasco le 6 novembre 1956. Françoise Giroud le voit et le consulte alors chaque jour. Il juge le journal de manière critique et ne se prive pas de le lui dire. Dans une note qu'il lui adresse le 28 janvier 1957, il en analyse les faiblesses : « Pas assez de tribunes libres, pas d'éditorial régulier, ce qui empêche une fidélisation. Pas d'articles sur le monde paysan. » Elle lui en sait gré et suit ses conseils. Elle reconnaîtra sa dette envers lui, particulièrement lors de cette période : « Que m'a-t-il transmis, pendant tout ce temps-là dont je porte la marque ? C'est indéfinissable. Il m'a rompue, certainement, à l'exercice de l'analyse politique à quoi rien ne m'avait préparée... Il a nourri ma confiance naturelle en l'Homme. Lui qu'on prétendait pessimiste professait une foi sans faille dans le progrès. Un jour, j'ai dit devant lui : "Le progrès est peut-être une façon de changer de malheur". Je me suis fait rabrouer. » Elle s'est demandé parfois si elle avait toujours été à la hauteur de ses exigences. Certes, elle a su couvrir Suez et Budapest grâce à un article bouleversant de Sartre.

Mais la période est tendue, le travail harassant. L'angoisse, pourtant, la stimule. Les responsabilités lui donnent de l'élan. La percée de L'Express était, jusque-là, entièrement attribuée à JJSS. Son rôle va-t-il enfin être reconnu ?

Le journal est divisé en huit sections :
Les affaires françaises
Les affaires étrangères
Les actualités (comportant des enquêtes et des jeux)
La marche des idées
Paris en parle
Lettres
Les pages au féminin
Le « Bloc-notes » de François Mauriac, qui clôt chaque numéro.

C'est une expérience prodigieuse – l'adjectif n'est pas trop fort – que de se replonger dans la lecture de *L'Express* de ces années, tant s'entremêlent l'acuité de l'analyse politique et l'expression de la fine fleur de l'intelligence et de l'esprit de découverte. Qu'on en juge : le numéro du 8 février 1957 met en une Samuel Beckett avec le bandeau suivant : « Un inconnu célèbre. » Au sommaire : l'avenir du mendésisme, une enquête sur la médecine à prix unique. Un peu plus tard, le 11 mars 1957, Françoise Giroud confie à Mendès le soin de commenter et d'analyser les résultats d'une grande enquête qu'elle a lancée sur la situation économique de la France. Chaque semaine, les événements d'Algérie sont couverts par Jean Daniel et analysés par des militaires qui s'y opposent. Des témoignages d'appelés affluent au journal, qui les publie dans la rubrique « Courrier ». L'Algérie demeure le sujet récurrent, obsédant du journal. C'est sa raison d'exister. A Mendès, Françoise écrit : « La France a mal à l'Algérie comme un malade atteint d'un cancer. Elle préfère les piqûres de morphine du médecin impuissant et les promesses de guérison totale du sorcier rebouteux à la vérité des chirurgiens » (lettre inédite, Archives de l'Institut Pierre-Mendès-France).

Le 7 juin, le journal titre sur Alberto Giacometti et propose un grand entretien sur la bombe atomique avec trois savants. Françoise Giroud signe de temps en temps l'édito dans la page « Courrier » sous le titre : « La lettre de L'Express. » Jean Daniel, Danièle Heymann, Colette Ellinger racontent que, la veille du bouclage, Françoise s'enferme dans son bureau pour taper, taper, taper tout en fumant sans discontinuer. Son bureau est jonché de feuilles. Jamais satisfaite, elle peut recommencer plus de trente fois un papier jusqu'à la version définitive qu'elle doit bien remettre au marbre, mais dont elle n'est généralement pas contente. A cette époque-là, il est vrai qu'elle ne donne pas encore l'amplitude de son talent : ses papiers sont la synthèse du contenu du journal dont, d'une plume incisive, elle relie les différentes parties. Progressivement, elle va donner son point de vue, livrer sa colère, son indignation, son émotion aussi, comme ce même 7 juin à l'annonce des massacres en Algérie : « Assassinés, mutilés, dépecés, broyés dans l'engrenage de la violence, il ne manquait à ces cadavres bruns reniés par leurs auteurs, à ces suppliciés devenus de la chair à communiqués, que de baigner dans des larmes de crocodile... Nous savons encore ce que signifie la mort d'un ami ; nous ne saurons bientôt plus ce que signifie celle d'un homme, ce qu'est un homme, un petit d'homme, de quelles larmes, de quel amour, de quelles souffrances, de quels espoirs est tissée la plus misérable vie d'entre les vies d'hommes. Nous ne savons déjà plus frémir lorsque les morts anonymes vont par trois. »

L'Express continue à accorder une place importante à la culture et aux grands entretiens. En littérature, il repère et soutient dès ses débuts Philippe Sollers, et témoigne une vive admiration à Nathalie Sarraute, Samuel Beckett, Claude Roy, Elio Vittorini... Dans le domaine du cinéma, Jean-Luc Godard, que le journal allait découvrir, demeurait le favori de Françoise Giroud, avec Federico Fellini et Michelangelo Antonioni. Grâce aux liens noués avec les agents littéraires, Françoise va désormais publier systématiquement les bonnes feuilles des nouveaux livres signés d'auteurs étrangers qu'elle aime : Arthur Miller, Norman Mailer, pour ne citer qu'eux. Elle se montre offensive sur la censure en littérature et publiera *in extenso* la plaidoirie de maître Maurice Garçon, défenseur de Jean-Jacques Pauvert, éditeur des œuvres du marquis de Sade.

CHAPITRE XII

L'*Express* censuré

Jean-Jacques est démobilisé au bout de six mois, le 5 février 1957, et il raconte à Françoise, à ses sœurs et à ses parents tout ce qu'il a vu et vécu. Parler, alors, ne lui suffit plus : « Tant que je ne me serai pas libéré par un livre, je ne pourrai faire autre chose et surtout pas revenir à *L'Express*. » Il se retire pendant un mois dans la maison de sa sœur Brigitte, non sans avoir demandé son avis à Malraux, qui lui a conseillé de changer les noms et de tout dire, et à Jean-François Revel, auteur de *Pourquoi des philosophes ?*, qui, au contraire, l'a encouragé à offrir un témoignage avec les vrais noms. Ne voulant pas mettre en péril ses camarades de combat il donne un récit très légèrement démarqué de la réalité. Il sera intitulé *Lieutenant en Algérie*. L'éditorial de Françoise Giroud du 8 mars lui est consacré. Elle est la première lectrice de ce texte que son auteur n'a pas relu. Elle annonce aux lecteurs qu'ils le découvriront en feuilleton dans la série « La marche des idées ». Elle salue le retour de JJSS au sein de la rédaction et, en lieu et place d'un édito politique, écrit une déclaration d'amour enflammée :

Là où il se trouve le climat se tend, sans que l'on sache bien pourquoi. C'est un homme jeune. C'est un homme jeune dont le sourire recèle ces vestiges de l'enfance qui ne déserteront peut-être jamais son visage, et dont l'intolérance commence à peine à se tempérer. François Mitterrand raconte qu'après l'avoir rencontré pour la première fois, il eut envie de lui demander : « Dites-moi, monsieur, avez-vous jamais entendu parler de la comtesse de Ségur ? », tant ce jeune homme lui paraissait étrangement détaché de l'univers commun, et presque de la vie. Sa grande affaire c'est l'avenir, celui de sa génération, ce que la France est, ce qu'elle sera, c'est de l'histoire à faire de ses mains. Aussi est-il parfois fatigant, irritant aussi par tout ce qu'il paraît entrer d'illusion dans cette volonté d'arracher un pays aux ornières où il s'enlise comme on arracherait un avion du terrain pour monter vers le ciel.

Lieutenant en Algérie, d'abord publié dans *L'Express* avant de devenir un livre, fera événement par les informations communiquées comme par le témoignage qu'il donne sur l'atmosphère de dégradation, de ruine morale qui règne dans l'armée, sur l'impuissance des pouvoirs politiques en place, sur la misère du peuple algérien. Il y a à la fois un côté anthropologique, qui rappelle les plus belles pages de Germaine Tillion et de Pierre Bourdieu, sur la compréhension de ce peuple que Jean-Jacques Servan-Schreiber découvre, son mode de vie, sa dignité, et un style camusien pour décrire ce qu'il vit au jour le jour. Le lecteur se trouve emporté dans le djebel avec la sensation oppressante du danger et de l'attente. Servan-Schreiber a choisi de décrire ce qu'il voit et non de faire un décryptage idéologique. Son livre est un véritable réquisitoire contre un gouvernement désireux de ne pas connaître l'ampleur du drame et sa dimension politique. Aujourd'hui encore disponible en librairie, il demeure un témoignage irremplaçable, au même titre que les ouvrages de Pierre Nora et de Jean Daniel.

La publication de ce feuilleton augmentera les ventes du journal et la classe politique va se précipiter pour le lire. On verra même, le premier jour, Bourgès-Maunoury déjeuner seul chez Lipp en s'étranglant de rage à la lecture de *L'Express*. La rumeur d'une censure commence à courir dans tout Paris. Il faudra attendre le deuxième fragment du feuilleton pour que le journal fasse l'objet de poursuites devant la justice militaire sur inculpation de « démoralisation de l'armée ».

Le 22 mars 1957, *L'Express* fête son trois centième numéro avec en couverture sa mascotte : un léopard tenant le journal dans sa gueule. En titre, « Lieutenant en Algérie, troisième épisode ». L'éditorial, offensif et défensif, est signé Françoise Giroud : la justice accuse le journal d'avoir trafiqué des photos ? Faux, répond-elle, tout en reconnaissant qu'il y avait eu une erreur sur l'une d'elles, prise au Maroc. Elle-même assure avoir vu plus de deux mille photographies et n'avoir sélectionné que celles qui ont trait au récit. Elle prend volontiers à son compte cette erreur tout en expliquant que là n'est pas le problème : le gouvernement veut qu'on fasse silence, nie l'évidence, efface la réalité et, dans ce but, cherche à bâillonner la presse. *L'Express* poursuivra donc la tâche qu'il s'est assignée en prenant le risque de la censure.

Jean-Jacques Servan-Schreiber continue à publier son récit et les témoignages des appelés d'Algérie, de plus en plus nombreux, affluent à la rédaction, qui les publie.

Jean-Jacques est accusé par le ministre de la Défense d'avoir des contacts secrets avec le FLN et de ne pas dire la vérité sur « sa » guerre. Pour couper court aux rumeurs il demande au général de Bollardière, sous les ordres duquel il a servi, de lire son texte et d'écrire ce qu'il en pense. Celui-ci hésite, de peur de ruiner encore plus l'image de l'armée. Jean-Jacques insiste. Le général se décide à écrire une lettre qui se termine ainsi : « Je pense qu'il est hautement souhaitable que, après avoir vécu notre action et partagé notre effort, vous fassiez votre métier de journaliste en soulignant à l'opinion publique les aspects dramatiques de la guerre révolutionnaire à laquelle nous faisons face et l'effroyable danger qu'il y aurait pour nous à perdre de vue, sous le prétexte fallacieux de l'efficacité immédiate, les valeurs morales qui, seules, ont fait jusqu'à maintenant la grandeur de notre civilisation et de notre armée ».

Fureur du gouvernement, augmentée du fait que le général de Bollardière demande à être relevé de ses fonctions.

Lors de la publication dans *L'Express,* JJSS précise : « M. le ministre de la Défense et M. le ministre résident m'excuseront sûrement si je me permets de leur dire que, après cette lettre, je n'éprouve plus le besoin, ni le désir, de répondre à leurs insultes. »

La publication de *Lieutenant en Algérie,* en effet, a fait tomber une forme d'autocensure, déclenché un flux de témoignages, brisé l'interdit. La page du courrier des lecteurs n'y suffit plus : les bérets rouges, les officiers, les sous-officiers, tous veulent dire les abominations qu'ils ont vécues. Tous dénoncent les massacres. Tous remercient *L'Express* pour son rôle de catalyseur des consciences.

Le journal est saisi à trois reprises en Algérie, alors même qu'il a été amputé, sur décision de Françoise Giroud, du feuilleton, des déclarations du général de Bollardière et du courrier des soldats. Cela ne fait qu'exciter le désir de vérité des militaires qui débarquent au siège du journal pour raconter ce qu'ils ont enduré. Souvent Françoise les reçoit, prend en note leurs témoignages et les publie sous couvert d'anonymat.

Elle lance une grande enquête sur la démoralisation des jeunes et décide de consacrer deux pages... à la mode masculine. Là aussi, elle innove. Elle est l'une des premières à s'intéresser à un sujet encore non défriché : « Il y a deux sortes d'hommes : ceux qui sont capables de porter le négligé – les hommes minces et lestes – et ceux qui, dès qu'ils sont sous leur complet-veston, passent leur temps à rentrer l'estomac. » A ces derniers, elle conseille l'exercice physique mais aussi... la « chirurgie esthétique » : se faire tirer le ventre, s'acheter un appareil dentaire et changer de nez... Elle aime les hommes habillés d'un polo de lin et d'un blouson en daim.

On imagine que c'est ce genre de tenue que porte l'homme qu'elle aime, avec qui elle s'apprête à prendre des vacances bien méritées, lorsque éclate

la nouvelle de l'arrestation du général de Bollardière, emprisonné pour deux mois dans une forteresse. JJSS préfacera ainsi son dernier feuilleton :
« Personne n'a le droit de se servir du nom du
général de Bollardière pour promouvoir une campagne ou une politique. Ayant servi sous ses
ordres pendant six mois, ayant appris à le respecter, je trouve, dans l'épreuve qu'il subit, une raison
supplémentaire de poursuivre jusqu'au bout, dans
ce récit, le drame que nous avons connu ».

A son retour de vacances, Françoise Giroud
met en couverture le portrait de Jacques Lacan et
publie un passionnant entretien avec Madeleine
Chapsal. Audace du journal qui met en pleine
lumière un homme encore inconnu du public,
comme le souligne Elisabeth Roudinesco dans
son livre *Jacques Lacan. Esquisse d'une vie, histoire d'un système de pensée.* Certes son sémi-
naire de Sainte-Anne était suivi par des intellectuels
de différentes disciplines, mais il n'avait pas
encore publié d'ouvrages. Françoise Giroud est
désireuse de livrer, comme elle le dit, « les clefs
de la psychanalyse » et Lacan joue le jeu : com-
parant Freud à Champollion, expliquant le *ça* de
manière lumineuse, l'inconscient, le refoulé, le
retour du refoulé... Il s'exprime en termes clairs
et donne une véritable leçon : « En psychanalyse
le refoulement n'est pas le refoulement d'une
chose, c'est le refoulement d'une vérité... La
vérité refoulée va persister mais transposée dans
un autre langage, le langage névrotique. A ceci
près qu'on n'est plus capable de dire, à ce
moment-là, quel est le sujet qui parle mais que
"ça parle", que ça continue à parler. »

De telles phrases Françoise Giroud aura bientôt à se souvenir, dans des circonstances douloureuses. En attendant, après la publication de cet entretien naîtra, entre Lacan et elle, une relation d'amitié. Ils se verront à dîner. Lacan tente de séduire Madeleine ; Françoise, elle, l'invite à dîner à la demande de Lévi-Strauss, devenu collaborateur du journal, et de Mendès France. Elle s'en souviendra toute sa vie : ni Lévi-Strauss – coutumier du fait – ni Lacan n'ouvriront la bouche. La conversation ne se nouera qu'entre Mendès et elle. A l'heure du digestif, les invités s'en vont. Mendès reste et demande en riant : « Ils sont tous comme ça, vos amis ? ».

Deux ans plus tard, en juin 1959, *Lieutenant en Algérie* sortira enfin en librairie. Ce sera un succès, favorisé par la critique de François Mauriac qui dira avoir pleuré en le lisant. Le mois précédent, *Les Temps modernes* ont publié un recueil de dépositions et de documents sur les méthodes de pacification en Algérie. En mars était sorti *Contre la torture* de Pierre-Henri Simon. François Mauriac en accuse publiquement réception dans *L'Express* : « C'est une histoire de fous. Que dis-je ? C'est pire que l'histoire d'idiot dont Macbeth disait qu'elle est pleine de fracas et de furie et qu'elle ne signifie rien. Histoire qui échappe évidemment aux hommes et qui n'est plus pensée par personne. »

Jean-Jacques Servan-Schreiber garde une immense fatigue de tous ces mois passés en Algérie. Harcelé de menaces par l'OAS, il est aussi tombé dans un cycle dépressif. A la fin de la publication de son récit, il disparaît. Un week-end, de sa maison de campagne, il demande à Philippe Grumbach de le rejoindre. Celui-ci le trouve en larmes : « Je ne sais pas ce que j'ai. Je crois que je ne serai plus jamais capable de gagner ma vie. Je ne vois pas l'avenir, j'ai peur de ne plus pouvoir travailler. » Quelques jours plus tard il partira pour Megève où il restera trois mois. Françoise continue vaillamment à tenir les rênes du journal et ne s'autorise pas à « craquer ». Le retour de Jean-Jacques, s'il fut salué par l'ensemble de la rédaction, ne se fit pas sans difficultés. Comment retrouver sa place ? Françoise Giroud, elle aussi, se pose beaucoup de questions. Elle se confie alors à Mendès : « Pour la première fois depuis bien longtemps, peut-être pour la première fois de ma vie, je suis professionnellement fatiguée et cela me décourage. » (Archives inédites, Institut Pierre-Mendès-France, 19 août 1957).

Le 2 août 1957, *L'Express* publie la lettre de Gilberte Salem-Alleg, titrée « Si mon mari est encore vivant ? ». Henri Alleg, directeur du journal communiste *Alger républicain*, a disparu à Alger le 12 juin. Interné au camp de Lodi, il fait parvenir une plainte au procureur de la République, publiée par *L'Aurore*, qui sera immédiatement saisi. *L'Express* s'indigne : « Aucun journal libre n'a le droit d'accepter la complicité du silence. »

Le 16 août, Françoise Giroud fait paraître, avec pour la première fois sa signature reproduite, un édito sur la torture qui fera date :

« Dans un accès de colère ou de douleur, on peut tuer. On ne torture pas. La torture est une opération qui mine à froid, et qui conduit celui qui la pratique à la plus haute jouissance. Elle s'accompagne, presque toujours, d'injures immondes, car elle est obscène comme le désir qu'elle déclenche. Aux consciences inquiètes qui seraient tentées de répondre : "Je suis contre la torture en général mais...", il faut dire, parce que c'est vrai, il n'y a pas de mais. »

Début septembre, Florence Malraux intègre la rédaction comme assistante. A peine est-elle arrivée au bureau que Jean-Jacques lui demande de recevoir une institutrice qui enseignait en Algérie, Léone Mezurat. Elle affirme avoir été torturée par des militaires sous prétexte qu'elle avait des liens avec des terroristes.

Son histoire semble délirante. « Assurez-vous que les choses se sont bien passées ainsi », lui dit Jean-Jacques.

Le gouvernement parlait alors de « bavures ». L'affaire Maurice Audin, jeune mathématicien disparu après son interrogatoire à Alger et l'arrestation, suivie d'une pseudo-tentative de suicide, d'Ali Boujmendel, avocat et frère d'un dirigeant du FLN, augmentaient les doutes. Une commission permanente de sauvegarde des droits et des libertés individuelles venait de rendre un rapport accablant.

Florence se retrouve face à Léone Mezurat et, devant son récit terrible et précis, comprend qu'elle ne ment pas.

C'est parce que, sous la torture, on l'avait accusée d'être en rapport avec Françoise Giroud qu'à son retour en France elle décide de venir livrer son récit à *L'Express*. Françoise publie son récit intégralement et dénonce : « Torturer est une intense satisfaction que se donnent certains individus dans des situations données. Nous sommes dans une situation où quelques hommes peuvent en jouir pleinement, au lieu d'être internés dans des hôpitaux psychiatriques. A vous de décider si vous acceptez d'identifier votre pays à ces hommes. »

Simultanément, Françoise Giroud lance une grande enquête internationale sur la nouvelle vague, notion qu'elle a inventée lors de la sortie du film *Les Tricheurs* de Marcel Carné et, avec l'appui d'une équipe de sociologues, prépare une nouvelle enquête d'envergure sur la jeunesse française. L'idée est reprise d'un journal polonais et est adoptée lors d'un week-end à Veulettes, entre Léone, Simon Nora, JJSS et Françoise. Celle-ci conçoit à cet effet un questionnaire pour les dix-huit à trente-huit ans, qu'elle envoie aux personnes « les plus éloignées de *L'Express* et aux lecteurs susceptibles de provoquer, autour d'eux, le plus grand nombre de réponses possibles ».

Elle veut tourner la page, pense à l'avenir, veut croire que la guerre d'Algérie va bientôt se terminer. La mort de Staline lui permet d'espérer : « Et si Staline est mort, c'est que tout le monde est mortel. »

Elle donne la parole à la jeune génération qui, dans dix ans, prendra les commandes. Il est nécessaire de savoir ce qu'elle pense. En partenariat avec l'IFOP, vingt-quatre questions sur le sexe, la religion, le métier, l'argent sont posées à toute la jeunesse, quelle que soit son appartenance sociale, professionnelle ou religieuse. La publication de cette enquête s'accompagne de la « confession » de certains. Au total, plus de quinze mille personnes répondent à l'appel. Là aussi elle innove : inventant une sociologie du quotidien, dessinant une histoire des mœurs, pressentant les signes de l'avenir, elle traduit en termes journalistiques ce que commence à faire Roland Barthes, qu'elle admire. On la sent poreuse, en éveil, sur la brèche : elle engage de nouveaux collaborateurs : Claude Lanzmann, Michel Cournot, Jean-Louis Crémieux-Brilhac. Elle offre une tribune de plus en plus régulière à Sartre, fait une place grandissante à la linguistique mais aussi à la médecine.

Le journal dessine, en creux, l'image d'une femme dans l'éclat de sa jeunesse : nombre de recettes pour ne pas vieillir trop vite sont données. « S'empêcher de vieillir, c'est conserver sa jeunesse. » Tel est le credo du journal. C'est le sien aussi bien. Françoise fait de la gymnastique. Françoise va chez le coiffeur. Françoise est « allurée ». C'est la beauté même, disent ses collaboratrices qui admirent son élégance, son port de tête, son apparence toujours impeccable.

C'est elle qui tient les rênes du journal, de la totalité du journal, tant sur le plan éditorial qu'administratif. Françoise s'occupe de tout, relit tout, vérifie chaque détail et veille au devenir économique. C'est ainsi qu'elle confie à Christiane Collange, après le succès de *L'Express* au féminin, le 6 septembre 1957, les pages de « Madame Express ». Christiane confie : « Françoise avait pris sa place. Jean-Jacques, quand il est rentré, avait perdu le rythme et ne s'intéressait qu'à la politique. Françoise s'intéressait à tout, transformait tout son savoir pour le journal et travaillait tout le temps. Elle possédait aussi cette grande capacité à faire confiance, à déléguer. Je travaillais dans mon secteur, faisais mes propres conférences de rédaction, engageais qui je voulais même si je rendais compte du contenu de mes pages à

Françoise. Il n'y avait aucune défiance sur le plan professionnel et je l'admirais. Sur le plan personnel, c'était plus compliqué : j'étais une mère de famille qui aimait la vie, je n'étais pas son genre et puis j'étais la sœur de Jean-Jacques... ».

Comme nous l'apprend leur correspondance inédite, lorsque JJSS était en Algérie, Françoise Giroud ne cessait de l'exhorter à songer à une carrière politique, comme si elle devinait que les habits de directeur du journal lui seraient trop petits à son retour. Sans compter qu'elle a gagné, seule, son pari fou : *L'Express,* qui a augmenté ses pages et doublé son prix, ne cesse de conquérir de nouveaux lecteurs. C'est donc le moment, selon elle, pour se lancer dans une nouvelle aventure journalistique : la publication d'un hors série, en héliogramme, sans supplément de prix, consacré à *La Métamorphose des dieux* d'André Malraux. Le 21 novembre 1957, l'introduction, en avant-première, sort avec une longue préface signée Françoise Giroud.

A vrai dire, elle n'hésite pas à intervenir sur tous les fronts : le financement du cinéma d'art et essai ou la faiblesse des crédits accordés à la recherche scientifique, par exemple. Elle demande à une ménagère lambda de faire l'interview du secrétaire d'Etat aux Affaires économiques ; elle tente d'aider Fellini à trouver le financement de son prochain film, elle engage Henri Guillemin et Armand Gatti (qui va suivre pour le journal les grandes grèves de Saint-Nazaire), elle publie *in extenso* la conférence que Sartre fait en Pologne sous le titre « Marxisme et existentialisme », elle met en valeur les longs et remarquables entretiens de Madeleine Chapsal avec Paul Morand, Claude Simon, Georges Bataille, Françoise Sagan, pour ne citer que ces quelques noms, elle modernise le journal avec une nouvelle mise en page de la section affaires étrangères, en ajoutant – sous forme de télégrammes – des express du monde entier.

Mais la grande affaire, le cœur battant du journal, sa raison d'être, son essence même, c'est toujours et encore l'Algérie, sujet sur lequel, pour le moment et pour peu de temps, l'ensemble de la rédaction a la même analyse. Une photographie montre Mauriac aux côtés de Sartre et de Giroud à la manif silencieuse du 22 juin. Manifestation intime, dira *Le Figaro*. Mauriac s'écriera dans *L'Express* : « Nous étions six cents Français. Pas le nombre suffisant. Mais nous ne nous résignons pas à ce meurtre proliférant dont vous vous accommodez le mieux du monde. Vous pouvez dormir du sommeil des vertueux. Il y a peu de chances pour qu'une manifestation silencieuse s'amplifie jamais jusqu'à vous faire pâlir et verdir derrière vos volets fermés. » Jean Daniel, chaque semaine, publie ses analyses et ses reportages.

En juillet, l'armée annonce l'« évasion » de Maurice Audin, qui a disparu après avoir été torturé. Un comité d'intellectuels, à l'initiative de Laurent Schwartz, se constitue pour tenter de connaître la vérité. Il est soutenu par *L'Express* qui s'engage aussi dans le procès de Djamila Bouhired, accusée d'être une poseuse de bombes, torturée et condamnée à mort, et publie de larges extraits de *L'Algérie en 1957* de Germaine Tillion, où est dénoncée la torture. *France-Observateur* et *Le Monde* ont les mêmes positions, mais *L'Express* se singularise par la diversité des opinions qui s'expriment au sein de sa rédaction, qui n'hésite pas à évoquer les tensions et oppositions au sein des combattants indépendantistes.

Entre 1956 et 1958, Françoise Giroud confie, dans *Si je mens,* que cette guerre n'a cessé de la tarauder, de jour comme de nuit. Elle assiste à toutes les manifestations, fait l'objet de menaces, et est la spectatrice engagée, indignée mais impuissante, de la décomposition des gouvernements successifs : « Et tous ces cas de tortures, et toutes ces affaires... qui a envie de s'en souvenir ? Moi pas, en tout cas... ».

CHAPITRE XIII

L'*Express* et le Général

Du côté de Colombey des rumeurs circulent. De Gaulle aurait-il des velléités de revenir ? Devant le pourrissement de la situation, le journal se rallie à cette idée et publie les textes que Léon Blum a consacrés au Général, mettant en avant son courage et son indépendance. Françoise Giroud, dans son éditorial du 13 mars 1958, loue la résistance du vieux chef démocratique à toutes les tentations du pouvoir personnel, sa prescience du désespoir, sa croyance dans le régime parlementaire – aussi imparfait soit-il –, et conclut : « Le général de Gaulle serait-il capable de refaire le sang de la France et de lui rendre ses globules rouges ? Tant de cellules saines, vivaces, actives ne demandent qu'à être irriguées... ».

C'est alors que L'*Express* est de nouveau saisi – tout comme *France-Observateur* – parce qu'un parlementaire du nom de Jean Dides a proclamé à l'Assemblée nationale qu'on ne pouvait faire confiance à un gouvernement capable de tolérer l'existence d'une presse libre. Sous le titre « L'Express se ressaisit », le journal va fabriquer un faux aux ordres du gouvernement... Edifiant... Dides en

sort ridiculisé et le journal peut continuer à combattre la cause de l'indépendance : il propose, en
avant-première, un inédit de Sartre sur l'Algérie.

Un soir de la même période, un dîner réunit dans
un restaurant, autour de Pierre Mendès France,
Françoise Giroud, seule femme présente, François Mitterrand, Jean-Jacques Servan-Schreiber et
Maurice Duverger, pour débattre de l'impasse
algérienne. Mendès est sûr du retour du Général :
il ne s'agit pas de savoir s'il va prendre le pouvoir
mais quand il le prendra et à la faveur de quoi.

Le 13 mai 1958, une manifestation à Alger se
transforme en insurrection et les ultras, avec la
complicité des parachutistes, occupent le gouvernement général et constituent un « Comité de
salut public et militaire », présidé par le général
Massu pour défendre l'Algérie française. Ce jour-
là, *L'Express* fête son cinquième anniversaire. La
veille, pendant toute la nuit, Françoise Giroud a
peaufiné son édito, véritable questionnement sur
l'utilité d'un journal en temps de guerre civile : à
quoi sert de crier dans le désert ? Elle confie,
pour la première fois, que lorsque Jean-Jacques
est parti en Algérie elle a songé sérieusement à
mettre la clef sous la porte. Si elle ne l'a pas fait,
c'est uniquement pour ne pas donner ce plaisir à
ses nombreux ennemis. La situation, depuis, a
empiré. Le journal a été saisi à plusieurs reprises.
Les menaces se multiplient et la rédaction est
contrainte de travailler sous protection policière.
Malgré ses efforts, *L'Express* a échoué à réformer
le pays : « Nous essayerons donc, au cours de
notre sixième année d'existence, de redéfinir une
politique nouvelle... Si *L'Express* est vivant, nous

Françoise et ses parents en 1917.

La famille Gourdji à Villennes
en 1920. Djénane, Salih,
Elda et Françoise.

Françoise à vingt ans,
sur le tournage de *Courrier Sud* de
Saint-Exupéry au Maroc,
à Mogador (aujourd'hui Essaouira),
en 1936.

Page suivante :
Françoise à quatorze ans, en 1930.

Françoise avec Saint-Exupéry sur le tournage de son film *Courrier Sud* (Maroc, 1936).

Sur le tournage d'*Education de prince* en 1938. Françoise fait répéter leurs textes à Louis Jouvet et Fernand Charpin.

Françoise sur le tournage de *La Grande Illusion* de Jean Renoir, en février 1937.

Françoise et son fils Alain en 1947.

La sœur de Françoise, Djénane, dans les années 1950.

Françoise à son bureau, au début des années 1950.

La fille de Françoise, Caroline (à droite) habillée par Christian Dior en 1950.

Page précédente :
Françoise en 1950.

Elda, la mère de Françoise,
avec sa petite-fille Caroline
en 1951.

Françoise et ses enfants,
Alain et Caroline, en 1951.

Françoise,
Jean Chevalier,
Hélène Gordon-Lazareff
et Marguerite Duval
à *Elle* en 1950.

La Une du premier numéro de *L'Express*,
paru le 16 mai 1953.

Françoise à *L'Express* en 1953.

Françoise et Jean-Jacques
Servan-Schreiber à *L'Express*.

Réunion de travail à *L'Express*.

Jean-Jacques Servan-Schreiber
et Françoise entourant François
Mauriac à *L'Express* en 1954.

Pierre Lazareff, une invitée,
Hélène Gordon-Lazareff
et Françoise, lors d'un
cocktail chez Gallimard
en 1953.

le devons à nos lecteurs. Nous leur devons, en retour, de tenir l'engagement que nous avons pris le 13 mai 1953 : dire la vérité telle que nous la voyons, telle que nous la verrons. »

Le lendemain, Françoise Giroud est invitée à dîner chez Mendès en compagnie de Servan-Schreiber et de Lucien Rachet, administrateur du journal et gaulliste fervent. Tout le monde tombe d'accord · oui au Général, à condition qu'il revienne par des voies légales. François Mauriac déclare : « Nous espérons toujours en de Gaulle. Mais non en un de Gaulle qui répondrait à l'appel de Massu. La grandeur de De Gaulle c'est d'appartenir à la nation ».

Les rumeurs d'un lancement de parachutistes sur Paris devenant de plus en plus insistantes, Jean-Jacques Servan-Schreiber et Françoise Giroud décident d'installer des guetteurs sur le toit de l'immeuble du journal et demandent aux collaborateurs de mettre en place un tour de garde en leur distribuant des carabines américaines. Chaque membre de L'Express reçoit à son courrier ce mot de Françoise : « Que pensez-vous de la venue du général de Gaulle au pouvoir ? ». Une écrasante majorité du journal répond qu'elle perçoit de Gaulle comme l'otage des militaires, prêt à supprimer la République. Deux notes discordantes cependant : celle de Jean Daniel, qui pense qu'une gauche unie peut négocier directement avec le FLN tout en soulignant que l'opinion arabe est gaulliste, et celle de Mauriac qui pense que l'arrivée au pouvoir du Général est une chance inespérée « si les Français et le peuple algérien se réconcilient sous son égide, dans une

Algérie autonome, où les deux drapeaux flotteront et ne seront plus jamais séparés, eh bien, je me consolerai de voir la République devenir autoritaire... ».

Le 22 mai, *L'Express* publie toutes les opinions de gauche sur le sujet, de Sartre à Amrouche en passant par celle de Mauriac.

Françoise avoue que, comme tant d'autres, elle a cru à la possibilité du putsch. Dans la nuit du 24 mai, elle reçoit un coup de téléphone de Lucien Rachet qui lui annonce l'arrivée des parachutistes et ajoute qu'elle fait partie des premières personnalités à arrêter. Elle s'habille en vitesse, prend un revolver – où se l'est-elle procuré ? mystère –, et part à pied se réfugier chez sa sœur qui lui offre le gîte sans lui demander la moindre explication. Le lendemain elle se sent un peu honteuse d'avoir paniqué : « Il n'y a pas plus de parachutistes que de beurre en branche. »

Le 27 mai, le Général déclare : « J'ai entamé le processus régulier nécessaire à l'établissement d'un gouvernement régulier. » *L'Express* publie ses consignes :

Article I : Tenez-vous en état d'alerte permanent.

Soyez prêts à répondre à l'ordre de grève générale en cas de coup de force dans la métropole.

Le 1er juin, le gouvernement du Général est investi à une large majorité.

Le 25 juin, *L'Express* est saisi par la police. Depuis son arrivée au pouvoir, de Gaulle n'avait pas levé l'interdiction de diffuser le journal en

Algérie. Maintenant il est censuré aussi en métropole et il est demandé à JJSS d'enlever le nom des militaires cités et de censurer l'interview d'un chef du FLN. Il s'exécute pour la première demande et publie en lieu et en place de l'entretien avec Krim Belkacem deux pages blanches précédées de deux citations sur la liberté de De Gaulle et de Malraux.

La position de Françoise Giroud est claire : de Gaulle est sans doute le moins mal placé dans cette situation, mais elle refuse l'idée de l'homme providentiel.

Présente à la conférence de presse au Quai d'Orsay le 19 mai, elle constate que le Général se refuse à prendre position contre les émeutiers civils et militaires. Maurice Duverger ose lui poser la question : « Respecterez-vous les libertés républicaines ? ». De Gaulle : « J'ai rétabli la République. Pourquoi commencerais-je, à soixante-sept ans, une carrière de dictateur ? ».

Françoise Giroud, Jean-Jacques Servan-Schreiber et Pierre Mendès France sont pessimistes ; François Mauriac, rasséréné. Au sein de la rédaction de *L'Express*, le schisme naît. Françoise, dans son édito suivant, rend compte de la conférence de presse et compare le Général à un vieil éléphant débonnaire qui a du mal à trouver son registre, comme un président du Conseil qui cherche à ne déplaire à personne. Elle termine ainsi : « Il nous reste deux étoiles sur le képi glorieux d'un général qui ne commencera certes pas, à soixante-sept ans, une carrière de dictateur mais qui se propose comme monarque. Il sera l'Etat. Nous serons "le peuple". Vous en concluez que si les Français cherchent un père, ils ne peuvent en espérer un meilleur. »

Le 29 mai, *L'Express* fait sa couverture sur Marianne qu'on assassine en place publique. La liberté de la presse est menacée. Giroud fait un édito musclé en prévenant que, si les journaux doivent passer sous les fourches caudines d'un quelconque ministère de l'Information, le journal se sabordera. JJSS reprend la plume : le problème n'est pas pour lui d'être pour ou contre de Gaulle, mais il dit non au de Gaulle que les maîtres d'Alger ont fait revenir. Non au régime de la peur. Non à l'absence de démocratie : « Même s'il n'apparaît pas clairement pourquoi se battre, nous savons, sans équivoque, contre qui il n'est pas possible de se battre. Pas possible, et dès maintenant. »

Françoise Giroud ne délaisse pas pour autant le domaine des idées : elle sera la première à lancer en France la *Beat generation* et à parler de Jack Kerouac, à évoquer le film *Les Maîtres fous* de Jean Rouch, à prononcer l'éloge des *Nègres* de Jean Genet, qu'elle défend avec ardeur, avant de se lancer – invention journalistique – dans la campagne pour le référendum du 28 septembre 1958 sur le projet de Constitution qui posait les fondements de la Ve République, par un prévote auprès de ses lecteurs, innovation reprise et saluée par l'ensemble de la presse.

Servan-Schreiber part pour Rome où il doit rencontrer Jean-Paul Sartre. Il veut lui demander un article sur le référendum. Sartre enverra « La

Constitution du mépris », un texte remarquable, malheureusement trop long... et qui sera coupé au marbre par Simone de Beauvoir : « On nous dit que nous allons voter. On nous ment. Arrachons le tissu des grands mots qui couvrent un crime. Le 28 septembre ne sera pas un jour d'élections mais de violence. Et la violence c'est nous qui la subissons. »

Les numéros de *L'Express* de toute cette période semblent avoir retrouvé l'esprit des débuts du journal, dans un enthousiasme partagé par une équipe ressoudée. Pierre Mendès France intervient régulièrement. Merleau-Ponty dissèque le lien entre démocratie et philosophie. Germaine Tillion apporte son point de vue. Jean-Marie Domenach n'est pas en reste tandis que Siné se déchaîne : après sa série hilarante sur les chats, il se lance dans un feuilleton sur les paras...

Françoise Giroud est bien la seule à constater l'énervement grandissant de François Mauriac contre ces positions. Elle publie sans sourciller le « Bloc-notes » où il attaque sa propre rédaction. Elle craint son départ et en évoque l'éventualité avec Jean-Jacques, qui l'écarte d'un revers de main, tant il est certain que son charme continue à opérer sur ce jeune vieillard. Lui qui aime à se comparer à un chat n'est-il pas en train de songer à changer de panier ? Lui qui se vantait que *L'Express* fût « sa jeune maîtresse », n'est-il pas en train de la vivre comme une perfide épouse ?

Mauriac parle de la « sombre fidélité » des leaders de gauche vis-à-vis de la IVᵉ République et de l'« horrible charme » des anciens chefs du gouvernement. Mendès se sent visé par ces attaques, et lui répond : « Vous avez parlé de moi si souvent dans le « Bloc-notes », si souvent en termes si élogieux, si inoubliables... que je ne peux résister au besoin de vous dire, en toute franchise, que j'ai été peiné... Non, je n'ai jamais "consenti" ni trouvé un "horrible charme" au "jeu" qui a coûté si cher au pays... Je l'ai méprisé comme vous et j'en ai souffert comme vous, et plus que vous. Tout dépend du général de Gaulle. Mais qu'il n'adopte pas, de l'ancien régime, les mœurs les plus blâmables, qu'il ne déçoive pas ceux qui n'ont cessé de combattre la démagogie, la faiblesse, les intérêts bornés et égoïstes. Des voix comme la vôtre ne devraient-elles pas le lui rappeler ? ».

Les positions de plus en plus violentes de JJSS contre de Gaulle, que Françoise contrairement à Jean Daniel suit en adoptant un ton moins virulent mais tout aussi ravageur, parce qu'elle le traite par la dérision, agacent de plus en plus Mauriac, qui loue la politique des petits pas du Général et encense ses multiples vertus chaque semaine. Il écrit dans son « Bloc-notes » : « Désormais, sur l'Algérie, dans le journal de Jean-Jacques, il n'y a que Jean Daniel et moi pour comprendre De Gaulle. »

Dans son dernier édito avant l'été, Françoise prédit que la période de grâce se termine pour de Gaulle : « Seul le Général lui-même serait sans illusion sur le temps que durera ce point d'orgue, tel que l'histoire en ménage parfois, mais qu'elle ne prolonge jamais... Le passé n'en parlons plus. L'avenir ? n'en parlons plus. Le présent ? Juillet sera chaud. »

C'est le moment où Françoise apprend qu'elle attend un enfant. Un enfant du bonheur, un enfant imprévu, un enfant désiré par Jean-Jacques comme par elle. Jean-Jacques n'a jamais caché qu'il voulait des enfants. Sa mère aussi attendait avec impatience la venue de petits-enfants. Certains esprits perfides disent même qu'elle ne comprenait pas que Madeleine ne « tombe » pas enceinte et prétendent que si Madeleine Chapsal fut « répudiée » c'est parce qu'elle ne donnait pas une descendance à cette prestigieuse lignée. Elle-même en convient en souriant : « C'était une autre époque. »

Françoise a quarante-deux ans, un âge déjà avancé pour avoir un enfant. Elle sait que ce sera son dernier. Je n'ai trouvé aucune correspondance datant de cette période, hélas très courte, puisque Françoise fera une fausse couche à plus de quatre mois de grossesse. Une nuit, elle perdra beaucoup de sang et sera hospitalisée de toute urgence. Le diagnostic tombera le lendemain matin : grossesse extra-utérine. Il faudra une opération lourde, qui la privera de tout espoir d'avoir un autre enfant.

Jean-Jacques a toujours eu peur de la maladie. Il s'éloigne des gens fragiles, déteste affronter les situations difficiles. Lui-même a toujours compté sur la force de sa compagne, son énergie, sa vitalité pour calmer ses angoisses et ses anxiétés. Quand il apprend qu'elle est à la clinique, il ne se montre pas et reste sourd à ses nombreux appels. Certes, il lui fait porter des bouquets de roses, envoie des petits mots tendres, mais pas question d'apparaître.

Françoise, fidèle à elle-même, décide de reprendre des forces seule, de ne pas se plaindre, de ne pas demander d'explications. Mais la situation est trop lourde et elle se surprend à craquer. Ce dont elle aura honte. Elle a laissé, dans ses archives, la lettre suivante :

> Je vous demande pardon, mon amour, de ces ultimes sursauts de nervosité Ma solidité naturelle a été mise à rude épreuve depuis maintenant deux mois. J'ai espéré que vous puissiez venir me tendre la main dans cette chambre de clinique en personne. J'ai failli céder et demander que l'on vous appelle. Maintenant, tout va bien mais j'ai été choquée et les temps sont encore un peu fragiles parce que je n'ai tenu le coup qu'à force de drogues fatigantes. Leur effet se dissipera peu à peu et je redescendrai, je vous le promets, pour atteindre ce calme dont j'ai besoin pour savoir vous aimer. Ce fut dur de ne pas douter de vous. Vous le comprenez, n'est-ce pas ?
> Bonsoir mon amour, accordez-moi encore quelquefois le droit d'être une femme et pas seulement une locomotive, un sanglier, une brute, un baobab. Aidez-moi un tout petit peu. Nous avons tant à faire encore. (Archives IMEC.)

CHAPITRE XIV

L'*Express* et François Mauriac

A la rentrée, Françoise Giroud est sur pied et assure la campagne du préréférendum. Elle soutient les positions de Mendès France dont elle publie quatre semaines de suite les analyses. Servan-Schreiber et elle, comme une bonne partie de la gauche dont les jugements se retrouveront synthétisés par François Mitterrand dans *Le Coup d'Etat permanent*, épousent alors complètement les vues de Mendès : voter pour le Général serait lui accorder aveuglément les pleins pouvoirs. Mauriac s'élève dans les colonnes du journal contre leurs positions, les traitant de doux rêveurs, plus emportés par leurs chimères et leurs convictions que par le désir concret d'envisager l'avenir, enfin réalisable, d'une nation qui, grâce au Général, retrouverait son honneur.

80 % de ceux qui avaient voté pour Mendès voteront pour de Gaulle. Cruel désaveu pour Mendès France, mais aussi pour le journal. En politique, quand on perd la main, les ennuis s'accumulent rapidement. Le 23 novembre 1958, l'élection de l'Assemblée nationale voit la déroute du parti communiste, la défaite des adversaires

du Général et le triomphe du parti gaulliste. Mitterrand et Mendès sont battus. François Mauriac salue la sortie politique de son ami : « PMF quitte une chambre dont le rôle politique va se trouver très réduit à une heure où c'est au pays directement qu'il importera de s'adresser par la parole et par la plume ; et ce sera sa manière à lui, qui a voté non, de défendre de Gaulle contre ceux qui ont voté oui et qui, sourdement, le combattent. Notre PMF n'a pas besoin de la tribune parlementaire pour nous dire la vérité : ce noble destin continue. Je le salue ici avec admiration, affection et respect. »

Malgré l'élégance affichée de Mauriac, Françoise Giroud perçoit de plus en plus son agacement devant certaines caricatures du Général signées Tim, ainsi que son irritation croissante suscitée par l'utilisation d'un certain vocabulaire pour qualifier le régime : comme le mot « fascisme », par exemple, qu'on trouve aussi sous sa plume. La collaboration avec François Mauriac dure depuis cinq ans, et Françoise tient à lui redire publiquement son affection : « A notre déférence formelle, à sa courtoisie formelle, s'est lentement substitué un lien mystérieux, tissé fil à fil, chiné, pour notre part d'admiration mais aussi de tendresse. En un mot comme en cent, nous l'aimons.

« Ce n'est pas simple, mais c'est délicieux. »

Entre elle et Servan-Schreiber, des dissensions apparaissent : d'abord sur la manière de « traiter » Mauriac. Françoise tente de calmer le jeu, mais Mauriac et Servan-Schreiber s'éloignent politiquement de manière irréversible. Le patron du journal se montre de plus en plus excédé par ses articles, qu'il juge déférents et sans nuances, où il ne cesse de couvrir d'éloges le chef d'un régime que lui qualifie de « monarchie ». De son côté, Françoise éprouve moins de défiance vis-à-vis de cette Constitution et a plus de considération envers le Général, qu'elle juge, non sans réalisme, comme le moins mal placé pour diriger le pays. En revanche, elle se montre plus inquiète que Jean-Jacques pour le journal, qui se fait saisir de nouveau à plusieurs reprises et sur lequel circulent les rumeurs les plus vénéneuses quant à un changement de capital qui priverait la rédaction de sa liberté politique. C'est encore elle qui va au front et rassure les journalistes. *L'Express* est une société anonyme : trente personnes ont fourni le capital et s'en partagent les actions. Depuis 1955, aucun appel de fonds ne leur a été adressé. Précisons d'ailleurs que Françoise n'a jamais souhaité détenir la moindre action. Le 29 août 1955, Jean-Jacques lui a proposé d'entrer dans le capital du journal qu'ils allaient créer. Françoise a reçu deux certificats : l'un de seize actions de 10 000 francs, l'autre de trente du même montant. Elle les a renvoyés tous les deux à son destinataire. Il a eu beau insister, pour conserver sa liberté, Françoise n'a jamais souhaité devenir actionnaire. Jusqu'à la fin de l'aventure douloureuse du journal, elle est et restera une employée.

C'est un moment de crise pour *L'Express*, qui est attaqué en permanence. Françoise n'en continue pas moins de lancer de nouvelles enquêtes, de coordonner la rédaction et d'afficher un accord total avec JJSS, démenti, toutefois, par leur correspondance. Jean-Jacques Servan-Schreiber : « La beauté de votre article est très émouvante. Elle me permet d'oublier un instant l'injure inutile et méchante que vous m'avez faite ce matin. » Ou encore : « Mon amour, vous me sous-estimez gravement si vous croyez que je vous en veux. Du moment que je me suis rangé à votre avis c'est que je n'avais pas de meilleurs arguments à opposer aux vôtres. Ce n'est pas votre entêtement qui est en cause mais votre puissance de conviction... Et puis quand nous sommes face à des différends, nous le sommes ensemble. Il n'y a jamais eu entre nous de recherche de la responsabilité et il n'y en aura, j'en suis sûr, jamais. Je vous embrasse tendrement. » Jean-Jacques ne date jamais ses billets, mais tout laisse à penser que nous sommes début 1959.

Travailler ensemble et s'aimer n'est plus si simple. Caroline Eliacheff est persuadée que sa mère a eu alors d'autres liaisons. Etant donné son emploi du temps, elle devait être diablement organisée... Mais quand on regarde les photographies de cette période, elle irradie : son visage est lumineux et son corps sculptural. D'elle qui a tant prôné la nécessité de l'amour sexuel pour l'accomplissement de son équilibre personnel, on sait qu'elle est alors courtisée et qu'elle n'a que l'embarras du choix... L'époque et le milieu dans lequel ils évoluent permet une grande liberté des mœurs, pratiquée à l'époque sans réprobation morale. Madeleine Chapsal, chez qui Servan-Schreiber rentre dormir chaque soir, ne se cache pas, elle non plus, d'avoir des liaisons. « Cela arrangeait bien Jean-Jacques », dit-elle aujourd'hui en souriant malicieusement. Elle aussi affirme qu'il avait alors des maîtresses : « Il y avait des nuées de filles à la maison. Des belles, des jeunes, de tous les genres. Il m'affirmait qu'elles étaient des collaboratrices du journal. Je n'en croyais rien. Jean-Jacques n'aimait pas prendre son temps, mais c'était un carnassier. Il consommait. »

Lors de la publication en France du rapport Kinsey, premier ouvrage du genre sur l'importance de la sexualité à travers le monde occidental, Françoise livre ses commentaires : oui, le rapport physique est ESSENTIEL entre un homme et une femme, et la négation de la vie sexuelle signifie l'absence de domination de sa propre existence.

Début février, Jean-Jacques organise un grand débat sur la dimension européenne du socialisme. L'idée est d'éloigner Mendès des miasmes de la IVe République et de le faire rebondir politiquement dans l'avenir. Françoise accompagne cette démarche en lançant une grande enquête sur la signification même du mot « démocratie ». Pari réussi : Mendès élabore un plan qui fera l'objet d'une conférence de presse fort attendue, au Lutetia, le 2 avril 1959. Fidèle à sa méthode, elle conçoit elle-même le questionnaire qu'elle envoie à ses abonnés et fait appel à de jeunes étudiants pour le dépouiller. Une excellente idée. L'idée de trop ? Jean-Jacques, en tout cas, s'empresse de la saisir. Elle lui permet d'engager au journal une jeune fille qui répond au prénom de Sabine. Sa future femme...

Histoire de famille ? Désir de descendance encouragé par la mère de Jean-Jacques, omniprésente ? Angoisse de ce dernier qui se voit vieillir sans avoir d'enfants ? Coup de foudre, ni plus ni moins ? Toutes ces raisons s'entrelacent sans doute, mais aujourd'hui, à voir le regard si bleu de Sabine, qui veut bien me recevoir chez elle, à Neuilly, là où Jean-Jacques vécut ses derniers instants, à constater son charme fou, on n'a pas de peine à imaginer à quel point Jean-Jacques a pu être impressionné et séduit par l'apparition de cette jeune fille dans sa vie.

Le père de Sabine est l'un de ses amis. Il était le commandant d'escadrille de Jean-Jacques pendant la guerre et ils n'ont jamais rompu leur relation. Jean-Jacques a fait appel à lui pour être son témoin lors de l'épisode tragi-comique du duel avec Edgar Faure. A la recherche des petits boulots pour ses deux filles, c'est tout naturellement qu'il demande à Jean-Jacques de recevoir Sabine pour savoir si elle peut faire partie de l'équipe temporaire de ceux qui vont dépouiller le questionnaire. Sabine va à ce rendez-vous à reculons. Elle est en train de préparer l'IDHEC, se passerait bien de ce genre de job, et a besoin de temps pour savoir ce qu'elle veut faire de sa vie : après avoir tenté le noviciat, elle vient d'y renoncer tout en continuant à vivre au couvent des dominicaines.

Le jour du rendez-vous est celui de ses vingt ans. Jean-Jacques lui montre le dernier numéro de *L'Express* et – c'est une habitude chez lui – lui demande ce qu'elle en pense. Après avoir été impressionnée trente secondes, Sabine se lance dans une critique féroce : les enquêtes sont bavardes, les sorties pas assez développées, même si l'édito est formidable et « Madame Express » un régal. Il y a du travail à faire pour conserver un lectorat jeune. Jean-Jacques n'en revient pas. Avec sa jupe plissée, ses yeux bleus écarquillés et sa franchise, Sabine l'intrigue et le fascine. Il l'engage sur-le-champ et lui fixe un rendez-vous le soir même dans une boîte de nuit. N'étant pas née de la dernière pluie, elle s'y rend avec sa sœur, Ariane. Jean-Jacques leur offre du champagne : « Il regardait mes médailles religieuses que je portais autour du cou et me fixait des yeux, ébahi. Je ne comprenais pas pourquoi. »

Jean-Jacques va voir Sabine chaque jour à *L'Express* en tout bien tout honneur pendant des semaines. Il lui pose des questions sur le journal et son avenir. Elle devient une sorte de conseillère privilégiée. Puis, insensiblement, il se confie : il lui raconte sa guerre d'Algérie, elle lui parle de sa passion pour Teilhard de Chardin. Jean-Jacques tombe sous son charme : Sabine est belle, drôle, fantasque, enthousiaste. De plus – et cela compte pour la mère de Jean-Jacques –, elle est d'une famille aristocratique et peut lui donner des enfants. Elle a donc tout pour plaire, outre ses qualités personnelles... Elle l'emmène au cinéma, en fin d'après-midi, sur les Champs-Elysées, et lui fait découvrir *Orfeu Negro* de Marcel Camus, *Le Dialogue des carmélites* de Philippe Agostini... Il la suit, intrigué, de plus en plus attaché à cette jeune fille si différente des femmes qu'il a connues. Elle, elle dit aujourd'hui qu'elle n'a rien compris, rien vu. Elle le considère comme son patron, un point c'est tout, et se montre préoccupée par ses études. Elle lui dit qu'elle va se présenter à l'IDHEC. Il se montre autoritaire et lui conseille plutôt Sciences politiques. Elle accepte pour ne pas le décevoir, tout en dépouillant consciencieusement le fameux questionnaire.

Françoise est débordée par son propre succès et se fait aider par Anne-Marie de Vilaine, collaboratrice précieuse en qui elle a toute confiance. Plus de dix-huit mille lettres affluent au journal. Aux vingt-huit questions posées répondent l'ajusteur, le secrétaire de cellule du parti, la femme au foyer comme le travailleur agricole ou le polytechnicien. La plupart des envois sont manuscrits. Françoise Giroud espère, de l'analyse des résultats, « un examen sincère complet de nos convictions les plus profondes et une révision, fût-elle déchirante, de certaines attitudes formelles qui ne recouvrent peut-être plus que des tics de langage ou de pensée ». Elle accompagne cette enquête d'une longue confession où elle met en scène son propre déracinement social, son obligation de travailler à quatorze ans, son regret de ne pas avoir pu entreprendre des études de médecine, et livre cette sensation qu'elle éprouve encore d'habiter « un tunnel fermé », car elle n'a pas choisi la vie qu'elle voulait mener.

Le journal traverse une crise : saisi à deux reprises en trois mois pour cause de soutien à l'indépendance tunisienne et algérienne, il ne perd pas moins de dix millions de francs. Lors de la dernière saisie, le 12 mars, des milliers de lecteurs ont envoyé spontanément des contributions financières. Plus les attaques contre le journal se multiplient, plus Jean-Jacques Servan-Schreiber exprime ses critiques, de plus en plus véhémentes, contre ce « général, ce grand militaire qui a tout magnifié certes, mais ensuite tout pétrifié et tout remis en ordre ». François Mitterrand, qui s'apprête à publier *Le Coup d'Etat permanent*, n'y va pas non plus de main morte. Le régime en place est pour lui une néomonarchie où la démocratie est étouffée et l'autorité morale de la France inexistante. Les caricaturistes Tim et Siné s'en donnent aussi à cœur joie en prenant pour cible, chaque semaine, leur général. Bref, tout concourt à irriter de plus en plus François Mauriac qui s'étrangle de rage en ouvrant son journal.

Le 30 avril 1959, la rupture est accomplie. Sous le titre « Le point », il annonce qu'il interrompt son « Bloc-notes », non « à cause d'une grippe mais d'un malaise non physique ». Il n'est pas ennemi des dissonances, mais son sens de la justice et son attachement à la vérité historique sont offensés. Il se dit opposé à la vision d'un de Gaulle dominé par les ultras, impuissant depuis dix mois, alors qu'il est en train d'accomplir ce que la gauche n'a pas su faire, une gauche se berçant d'illusions, incapable de réagir si ce n'est par la haine : « Car vous êtes d'étranges politiques : vous méprisez la tactique, le choix de l'heure et des moyens. L'habileté n'est pas interdite aux enfants de lumière. » S'il n'attaque pas frontalement JJSS, avec qui il se dit toujours en accord sur son combat contre la torture, il s'en prend, dans les colonnes du journal, à Françoise Giroud : « Françoise Giroud croit que le nom de Machiavel est une injure. Ce patriote passionné connaissait les hommes, à la fois par la pratique qu'il en avait et par la réflexion et la méditation. C'est ici que Charles de Gaulle rejoint le grand Florentin. » (« Bloc-notes », 13 août 1959.)

François Mauriac sera rattrapé, de justesse, par la force de conviction de Jean-Jacques Servan-Schreiber. Il n'en continuera pas moins de décocher des flèches de plus en plus virulentes contre la ligne du journal. JJSS lui répondra en réitérant son amitié et son désir de ne pas le censurer, mais en lui opposant des faits et non des sentiments. Mauriac, lui, se situe dans le domaine de la foi et de l'admiration et le mouvement de sa prose nous emporte vers l'adhésion, par empathie, à un régime de l'arbitraire et de l'injustice qui pétrifie toutes les intelligences. JJSS s'excuse d'avoir pu le blesser et le supplie – ce que le grand écrivain ne déteste pas – de rester. Etrange sentiment que celui que le lecteur éprouve en assistant à ces joutes oratoires et politiques sur fond d'amitié réelle Mauriac semble se mettre dans la position du captif amoureux de JJSS et préférer rester comme en sursis... en attendant un miracle.

CHAPITRE XV

La détresse

Françoise habite toujours avenue Raphaël avec sa mère et ses deux enfants. C'est dans sa chambre qu'Elda disparaît le 1ᵉʳ juillet 1959. Malade depuis longtemps, soignée uniquement par son médecin traitant, le docteur Eliachevetich, n'ayant jamais voulu se faire hospitaliser même quand elle avait de graves hémorragies, ne se plaignant jamais, elle s'éteint en toute conscience après avoir fait promettre à sa fille de ne jamais dire à personne que la famille est juive.

Aux côtés de Françoise se tient le père Avril. Collaborateur de *L'Express* depuis le début, celui qu'elle nomme « mon dominicain au poil gris » a noué avec elle, comme avec sa mère, un lien particulier tissé de confiance et d'amitié profonde. Elle sait qu'elle peut tout lui dire : « Si quelqu'un avait eu le pouvoir de me réintégrer parmi les enfants de Dieu, humbles et confiants, il aurait été celui-là », dit-elle dans *Leçons particulières*.

Françoise se sent déboussolée, en pleine régression. Elle ne sait plus ce qu'elle fait sur terre « et comment on peut vivre sans oreiller où poser la tête ». Le père Avril devient le confident de sa détresse. Elle se sent si misérable, quelques jours après la mort de sa mère, qu'elle l'appelle au secours. Il sort de son couvent pour déjeuner avec elle. Mais le père n'a pas de réponses à ses questions existentielles, « ou plutôt j'étais sourde à celles qu'il espérait me faire entendre. Ce jour-là j'aurais voulu que Dieu m'aimât. Hélas, c'était au-dessus de mes moyens ».

Elle s'en veut de l'avoir appelé en urgence. Elle le prie de l'excuser de ce qu'elle nomme une faiblesse, voire une indignité. Elle ne laisse pas le chagrin la pénétrer, ne tente pas d'apprivoiser son deuil, mais rassemble, ravaude des fragments de sa personnalité, telle une petite soldate, pour repartir au front comme si de rien n'était.

Une photographie prise le 17 septembre 1959 dans le bureau de Jean-Paul Sartre, en compagnie de Claude Lanzmann, Robert Kanters et François Erval, la montre souriante, élégante, radieuse même. Les représentations des *Séquestrés d'Altona* vont commencer. Entre Françoise Giroud et Sartre règne une sorte de tendresse, de complicité même. Il a confiance en elle. Il est toujours prolixe, se sent en confiance et sait que Simone de Beauvoir viendra, au marbre, couper ses propos... Ce jour-là, il est brillant, blagueur, rieur, dans une grande proximité avec elle.

Moment de court répit, de bonheur professionnel éphémère, car le journal est sans cesse menacé par le ministre de l'Information qui annonce à qui veut l'entendre : « Dans six mois *L'Express* aura cessé de paraître. » Françoise montera, encore une fois, en première ligne pour défendre l'honneur de François Mitterrand dans l'affaire Pesquet, dite « de l'Observatoire ». Cet ancien résistant proche de l'extrême droite prétend avoir fait un faux attentat en criblant de balles la voiture de Mitterrand, soi-disant à la demande de ce dernier, dans le but d'augmenter sa popularité. Dans un éditorial au ton acéré, Françoise Giroud répond à certains de ses lecteurs qui la critiquent de défendre un Mitterrand opaque : « Etes-vous lâches ? Non. Alors quoi ? Alors les hyènes sont en train de gagner qui, de proche en proche, en sont arrivées à vous souffler à l'oreille : "Laissez tomber" en vous tendant la cuvette où vous pourrez vous laver les mains. Alors exit Mitterrand, n'est-ce pas ? Ils ont réussi à lui attacher une pierre au cou. Détournez-vous et laissez-le couler. Eh bien non. Mille regrets. »

Jean-Jacques Servan-Schreiber et Françoise Giroud décident de publier le discours intégral de François Mitterrand au Sénat. Mauriac défend Mitterrand, mais se refuse à rendre de Gaulle responsable. Faux, répond JJSS : il y a bel et bien une affaire Mitterrand, et de Gaulle en est le responsable. Les lecteurs se sentent un peu perdus devant l'incohérence de la ligne éditoriale du journal et Françoise, en interne, peine à gérer les conflits. Elle fait semblant d'aller bien. Elle « fait le garçon », comme elle dit. Elle se réfugie dans le travail de même que pendant l'absence de Jean-Jacques quand il était appelé en Algérie. Mais Jean-Jacques est bien là. Le garçon c'est lui. Reste qu'elle n'est plus la seule, la désirée, la désirable. Rien n'est dit, mais elle le sent. Il est de plus en plus souvent absent, il a la tête ailleurs et un emploi du temps changeant. Elle guette ses venues, tente de savoir ce qu'il fait.

Sartre l'avait prédit : l'année soixante ne sera pas celle du bonheur.

Pour Françoise, ce sera celle du cauchemar. Une série de disparitions en frappe les trois coups : Gérard Philipe, Fausto Coppi, Albert Camus, tous trois proches d'elle. Elle sent le sol se dérober sous ses pieds et la mort s'approcher, la cerner. Elle écrit : « Les Dieux ont soif qui nous arrachent les princes de notre jeunesse. Noirceur de ses ombres où s'engouffra 1960. L'âme tremble devant ces destins arrachés... L'important ne sera jamais comment un homme meurt, si spectaculaire, si saisissant que soit l'événement, mais comment il a vécu et que sa mort confère l'irrémédiable à ce qui l'a précédée. »

Nous aurons à nous souvenir de ces mots lorsque Françoise, joignant l'acte à la parole, voudra se suicider.

CHAPITRE XVI

Le drame

A *L'Express,* les tensions sont de plus en plus vives. Chaque semaine, Mauriac menace de s'en aller. A l'époque, il est l'un des rares à défendre le Général bec et ongles. La droite lui préfère Pinay, voire Massu. La gauche le considère comme son principal adversaire. Mauriac écrit que la gauche est en pleine décadence et n'offre aucune alternative. Seul le Général peut, et doit, comme il le fait depuis dix-huit mois, se tenir au-dessus de la mêlée et persévérer. Françoise, elle, s'interroge : cela fait quatre-vingt-neuf semaines que *L'Express* dénonce ce qui se passe en Algérie. Faisons-nous bien notre travail ? Faut-il vraiment continuer ? Elle réunit les collaborateurs et définit avec eux la ligne du journal : non à de Gaulle, non à Debré, non à un avenir possible de la démocratie dans de telles circonstances. Elle navigue entre les édito antigaullistes de plus en plus musclés de Servan-Schreiber et le « Bloc-notes » de Mauriac, qui se transforme, au fil des semaines, en tribune libre contre *L'Express...* Quand on lit aujourd'hui les numéros de cette période, on est frappé par la violence du journal : les caricatures de Siné, les articles douloureux de Jean Daniel, la surenchère du patron, et Françoise Giroud qui doit accorder tous ces violons... On a l'impression d'un bateau fou et d'une surexposition de luttes intestines bien plus que d'une diversité d'opinions.

Françoise quitte le journal chaque jour à deux heures du matin. Les fronts ne manquent pas. Elle continue de s'engager pour l'Algérie avec le soutien au philosophe Francis Jeanson, qui avait créé le « réseau Jeanson », chargé de transporter des fonds à destination du FLN, lequel a été démantelé en 1960, et Jeanson a été contraint de fuir à l'étranger, a été jugé par contumace et condamné à dix ans de réclusion en octobre 1960. Elle poursuit sa défense du statut de la femme dans la société contemporaine. Tout lui est bon pour mener son combat : prenant prétexte de la création de *Château en Suède,* la première pièce de Françoise Sagan, elle livre dans une double page, datée du 24 mars, sa conception de la condition féminine : certes, les femmes sont au monde pour « faire la vie », mais elles sont, heureusement, en train de s'affranchir de ce destin biologique, et de réussir, « de la façon la plus douloureuse, la plus déchirante, la plus chaotique, une étape importante de leur évolution, bien qu'elles soient, en ce moment, dans une impasse. Une femme ne peut plus n'avoir d'existence sociale que par son époux et le désir qu'elle lui inspire ». Françoise prône le modèle d'une femme émancipée qui peut vivre totalement un amour sans en faire l'unique objet de ses préoccupations. Tâche difficile, concède-t-elle : « Oui, c'est éreintant... oui, il y a des jours où on gémirait de fatigue, de détresse, d'accablement », surtout quand la vie sentimentale se transforme en désespoir. Les femmes deviennent alors « blessées, souffrantes, angoissées. Elles y pensent et elles pleurent avant et après le travail. Mais pendant, elles sont requises, absorbées, utiles ». On ne peut mieux dessiner son autoportrait...

Françoise pressent que Jean-Jacques a une liaison. En février 1960, elle lui écrit dans une lettre : « L'image que vous renvoyez de moi est odieuse. C'est ce que je n'accepterai jamais d'être. Vaincue. C'est pourquoi je ferai sans doute tout pour m'en aller bien que ce soit contraire à mes intérêts, à tout ce que commande la raison. Et, puisque vous m'aimez encore un peu, pour que je n'aille pas follement me briser en deux sur je ne sais qui, je ne sais quoi, pour que la chance soit encore une fois avec moi, je vous rends votre bracelet. »

En attendant, elle ne tient plus en place. Prenant le prétexte de l'enquête, elle envoie l'une de ses collaboratrices rencontrer Sabine. Elle laisse ouverte la fenêtre de son bureau dans l'espoir d'entendre le bruit de la voiture de Jean-Jacques. Elle épie les conversations téléphoniques. Jean-Jacques, lui, se réfugie dans le silence. Et, comme à chaque fois qu'il va mal, il part se ressourcer dans son chalet de Megève. D'où il tente de la rassurer : « J'ai le sentiment que nous sommes à un moment grave. Essayer d'être vrai et sincère à me ressaisir. Et je compte sur vous pour y parvenir. J'espère et je pense que votre sentiment "d'être abandonnée" n'était qu'une humeur de fatigue. Croyez-moi, mon amour, s'il s'agit de moi, vous n'êtes absolument pas abandonnée. Vous ne le

serez jamais. Ce qui me lie avec vous est indestructible. Je vous le dis parce que je le sais. »

Françoise semble rassurée et reprend plus serei-
nement le travail. Mais Carmen Tessier publie,
dans sa chronique mondaine de *France-Soir*, « Les
potins de la commère », l'annonce de la liaison
de Jean-Jacques Servan-Schreiber avec Sabine. Il
se cache d'ailleurs de moins en moins et sort avec
elle tous les soirs.

Le dernier article de Françoise Giroud avant sa
tentative de suicide – on a envie d'écrire : avant
son suicide, car tout était ourdi par elle pour
qu'elle ne survive pas – est consacré à *La Dolce
Vita* de Fellini...

Sabine dit avoir été stupéfaite le jour où Jean-
Jacques lui a déclaré son amour. Elle avait, certes, de longues conversations avec lui sur Vladi-
mir Jankélévitch ou sur les écrits du Général,
mais elle admirait Françoise et n'avait jamais
imaginé que...

Elle me reçoit dans l'appartement de Neuilly
où Jean-Jacques s'est éteint et sort les albums de
famille. Pétillante, pétulante, elle se souvient du
début de leur amour : « Il m'avait déclaré son
amour mais rien ne bougeait dans sa vie. Il continuait à cohabiter avec Madeleine et était toujours
marié. A partir de décembre je lui ai demandé de
mettre ses affaires en ordre. Je n'avais pas envie
d'être son flirt. Ça ne flatte pas forcément l'ego.
Lui me répondait : "Mais pourquoi nous embar-
rasser de contraintes, de formalités, de conven-
tions qui, peut-être, éteindront l'amour ?" ». Elle
décide de prendre du champ et part pour Londres
où elle se fait engager par l'*Observer* pour trier

les dépêches. Petit à petit elle monte en grade et donne un article sur la découverte de l'ADN, qu'elle câble à Jean-Jacques. Il le publie la semaine suivante dans *L'Express* et lui demande de revenir en France. Il l'accueille en lui disant : « Toi aussi tu as l'ADN de la presse dans le sang. » Entre-temps, Jean-Jacques a pris soin de divorcer de Madeleine Chapsal, qui l'a accepté sans difficultés. Il n'avait jamais songé à entreprendre une telle démarche quand il était fou amoureux de Françoise...

Début mai, il demande Sabine en mariage.

Certains hommes sont peu imaginatifs en amour. C'est le cas de Jean-Jacques, qui recommence avec Sabine ce qu'il a fait avec Françoise : week-ends au Trianon à Versailles, promenades en forêt, envoi, chaque soir, de bouquets de roses.

Françoise s'enfonce dans la dépression. Elle sait désormais que Jean-Jacques est amoureux, mais ne se confie à personne. Elle fait semblant. Elle colmate. Elle assure. De temps en temps, elle se lézarde et envoie des missives à Jean-Jacques : « J'ai ce qu'on appelle le cafard... pas le droit de devenir "molle" à l'intérieur. » Elle sent qu'elle perd pied et lui avoue en le tutoyant de manière inaccoutumée : « J'ai aimé ta famille à cause de toi et je m'y suis attachée parce que, pour la première fois de ma vie, je reçois de la tendresse sans qu'on exige de moi, en échange, d'aller jusqu'au bout de mes forces. Ce n'est pas tout le temps moi qui dois donner. Avec eux c'est presque le contraire. Je suis fatiguée mais pas comme toi, moins grave mais moins guérissable. Avec toi et parmi les tiens je me repose. Merci mon amour de m'avoir donné, pendant des années, ce dont j'avais oublié la douceur. Voilà, c'est tout. J'ai l'impression d'être devenue un fauve apprivoisé qui rentrerait dans une cage... Si cela te fatigue d'écrire, téléphone-moi de temps en temps juste pour savoir si tu existes encore, je n'en suis plus très sûre. » Il ne répond pas, ne téléphone pas, ne se montre plus au journal. Elle réussit enfin à le croiser un jour dans un bureau et, à l'émotion qui l'étreint, il ne peut méconnaître l'ampleur de sa souffrance. Il s'en trouve bouleversé : « Si je ne vous ai pas rappelée c'est parce que je vais très mal en ce moment et je ne peux, actuellement, vous faire du bien. Mais je vous demande de le croire de tout mon cœur. Je vous laisse donc juge et vous pourrez toujours me parler, ne serait-ce qu'au téléphone, afin qu'il n'y ait jamais de malentendus, ou le moins possible. Croyez-moi, rien de ce qui m'est arrivé n'enlève la mémoire et ce qui a été entre nous reste gravé dans mon esprit sans altération. »

Absent et présent. Amoureux d'une autre, mais pas encore marié. Coupable. Fuyant. Là et pas là. Peut-être, un jour, de nouveau là... Françoise prend des antidépresseurs qui, reconnaît-elle, la fatiguent, l'abrutissent et la font dériver vers un état d'exaltation où les frontières avec le réel s'estompent. Elle confie à Jean-Jacques qu'elle a l'impression de se trouver dans un camp de concentration. Pourquoi un camp de concentration ? Le début d'un discours étrange, teinté d'obsessions ayant trait à sa propre judéité, s'amorce et prend corps. L'association mortifère de mots, conséquence de sa chute existentielle, se met en place.

Des lettres anonymes – elles le sont toutes et il en existe à ma connaissance une bonne trentaine – arrivent au domicile de Madeleine Chapsal où dort encore Jean-Jacques, chez Sabine, qui vit toujours chez ses parents à Versailles, chez les parents de Jean-Jacques également. Elles sont insultantes, menaçantes, antisémites. J'ai attendu des années pour être autorisée à voir ces lettres. Je connaissais leur existence et me doutais de leur contenu. Mais le jour où j'ai pu les lire, j'ai été prise d'un véritable malaise. Ce que j'avais sous les yeux me soulevait le cœur. Là est la limite du biographe. Je ressentais comme une honte d'en avoir pris connaissance. J'espérais, sans doute, que toute cette histoire de lettres anonymes avait été exagérée. J'aurais tant voulu qu'il en ait été ainsi... Je peux seulement dire que le vocabulaire utilisé est celui de l'antisémitisme des années trente. Telle est la trame obsessionnelle de ces lettres qui évoquent la souillure d'une aristocratie par un sale « youtre ». Inutile d'en dire plus, si ce n'est que nous savons que chaque lettre a exigé de son expéditeur dix-sept à dix-huit heures d'écriture et qu'elles font toutes appel à un procédé sophistiqué : tapant d'abord avec un ruban usé pour inscrire en creux des lettres, leur auteur prenait ensuite une plume à bec d'oie pour repasser sur ces creux et composer ses missives.

Françoise Giroud publiera en 1999 son seul livre de nouvelles, *Histoires presque vraies*. L'une d'elles s'intitule « Léonie » et met en scène une femme qui passe son temps à écrire, sans le moindre sentiment de honte, des lettres anonymes dites « bienfaisantes ». Ainsi, sous le pseudonyme d'Ernestine, elle écrit à une de ses amies qu'elle s'habille de manière trop voyante, ou bien elle adresse des menaces à un mari volage. Elle écrit ses lettres avec jubilation. Quand elle va les poster elle souligne « qu'elle a passé un bon moment ». Croyante, Léonie va se confesser. Elle avoue ses péchés de gourmandise et évoque, en passant, ses activités épistolaires. Le curé la tance, prévient le commissaire. Celui-ci dépêche chez Léonie un inspecteur qui l'arrête. Avant d'être mise en prison elle envoie, sous son véritable nom, une dernière lettre au curé : « Dieu nous jugera tous les deux. Vous irez en enfer et moi au paradis où je jouerai au bridge avec des anges pendant que vous grillerez. »

A ma connaissance, Françoise Giroud n'a jamais parlé à quiconque de ses lettres anonymes.

Au début, Jean-Jacques Servan-Schreiber n'y prête guère attention, mais, devant la fréquence et la violence de ce courrier, et sous la pression de ses parents, il décide d'élucider le mystère et entreprend de les faire expertiser : il est un adepte de la graphologie, qu'il a toujours considérée comme une science exacte. Il fait appel, par souci de discrétion, à un expert belge, G. Carels, et lui confie des lettres de plusieurs personnes de son entourage. Pourquoi avoir envoyé, dans le lot, des lettres de Françoise ? Madeleine Chapsal se souvient que lors d'un passage du facteur, une ancienne collaboratrice de Françoise Giroud, qui se trouvait par hasard chez elle et n'était pas au courant de l'existence des lettres anonymes, s'était écriée en voyant l'enveloppe : « Tiens, une lettre de Françoise. » Jean-Jacques en avait été troublé.

Pour Carels, il n'y a aucun doute. Par retour du courrier, il désigne l'auteur des lettres et explique que la méthode employée – superpositions sur une trame de caractères laissés en creux sur une page blanche, puis recouverts par la plume – est le fruit d'un travail de titan, qui exige précision, rigueur et temps d'exécution considérable. Il joint un portrait psychologique de la personne en cause : « L'auteur possède une grande intelligence qui s'exerce dans des domaines variés, mais souffre d'un sentiment d'incomplétude et d'une imagination mal contrôlée avec une part de fabulation. Nature exaltée et impulsive, capable d'actes antisociaux et d'actions imprévisibles. »

Jean-Jacques Servan-Schreiber, pour en avoir le cœur net, s'adresse alors à Raymond Trillat, expert près la cour d'appel. Il utilise le même jeu de lettres et ne dit pas qu'il a déjà entrepris une démarche auprès d'un confrère. La réponse, cette fois encore, est sans ambiguïté.

Qui a pris la décision ? Jean-Jacques Servan-Schreiber seul ou avec ses parents, puisqu'un conseil de famille restreint vient d'avoir lieu ? Toujours est-il qu'il a aussi besoin de s'entretenir avec quelques amis, dont Pierre Mendès France, Jean Riboud et Philippe Grumbach, pour les informer des raisons qui le contraignent à se séparer professionnellement de Françoise Giroud. Dans la foulée, il lui demande de le rejoindre avenue Pierre-Ier-de-Serbie. Madeleine est présente et priée de quitter l'appartement. Françoise nie être l'auteur des lettres anonymes. Elle explique à Servan-Schreiber qu'elle sait qui est cette personne, quelqu'un de très proche de lui ; mais puisqu'il a osé faire porter sur elle ses soupçons, elle ne lui en révélera jamais l'identité. Jean-Jacques Servan-Schreiber ne l'écoute plus. Il la révoque, la congédie comme une employée de maison. Deux jours plus tard, le 12 mai 1960, il rassemble la rédaction et annonce que Françoise quitte *L'Express* pour des raisons personnelles. Catherine Nay se souvient de son émotion : elle se demandait comment le journal allait pouvoir continuer. Elle était en pleurs, comme Danièle Heymann, comme JJSS lui-même...

Pourquoi ces larmes ? Des larmes de crocodile ? Pas sûr. Servan-Schreiber, comme la suite de sa vie le montrera, reste attaché de manière indestructible à Françoise. Il sait tout ce que le journal lui doit et met sur le compte de la déception et de la douleur d'avoir été quittée l'existence de ces lettres qu'il considère plus comme un symptôme de détresse que comme les premiers signes d'un dérèglement de sa personnalité.

Le week-end suivant, il invite à nouveau Sabine à Versailles. Françoise a quitté *L'Express* depuis trois jours sans un mot d'explication et Sabine est inquiète. Elle supplie Jean-Jacques de prendre des nouvelles. Il finit par se rendre à ses arguments. Le téléphone sonne dans le vide. Ils partent immédiatement pour le journal. Françoise Roth et Serge Siritzky, les auteurs du *Roman de L'Express,* ont retrouvé le billet laissé par Françoise, la veille, sur le bureau de Philippe Grumbach : « Je pense que le mieux est de dire, ici, que j'ai dû partir de toute urgence... pour Rome par exemple.

« Je vous rappellerai chez vous. Merci de votre amitié. Gardez-la aussi à Jean-Jacques. Il en aura bien besoin. »

Louis Fournier, responsable de la rubrique « Forum », Philippe Grumbach et JJSS se rendent au domicile de Françoise Giroud. Après avoir sonné en vain, ils se décident à forcer la porte et la découvrent, inanimée, dans sa chambre fermée à clef.

La suite, c'est Françoise Giroud qui la raconte dans *On ne peut pas être heureux tout le temps* : « Il est indiscret de raconter ses amours, on est toujours deux à qui elles appartiennent. Alors je dirai seulement que dix années de passion partagée se sont terminées sans cris, sans pleurs, sans reproches... Inconvénient imprévu : cette séparation ne m'a pas été seulement douloureuse, elle m'a été intolérable. Si seulement j'avais pu lui en vouloir, le maudire, lui imputer quelques vilenies... Mais je n'avais rien à lui reprocher. C'était moi la coupable ! Coupable de n'avoir pu lui donner un enfant, à cause d'une méchante opération. Et insuffisante parce que je ne lui suffisais plus. »

CHAPITRE XVII

La dépression

Françoise Giroud part seule pour le Midi, chez Hélène Lazareff qui oublie leur brouille et la recueille. Caroline est prise en charge par le couple Defferre qui l'emmène à Roscoff. Françoise est en mauvais état physique – l'ingestion de nombreux médicaments lui a ôté tout appétit et lui donne une nausée permanente – et en mauvais état psychique. Elle pense, on l'a vu, que les personnes qui lui ont sauvé la vie lui ont rendu le pire des services. La mort lui apparaît comme l'unique délivrance. Avant d'attenter à ses jours, elle ressentait une blessure dans la poitrine, comme un afflux de sang qui l'empêchait de respirer. Après avoir été sauvée contre son gré cette sensation subsiste : quand elle se réveille le matin elle croit saigner. Elle éprouve la sensation d'avoir une pieuvre au-dedans d'elle-même, ou d'être à elle-même sa propre pieuvre. Elle se hait, se méprise. Elle passe ses journées à écrire un texte où elle hurle sa douleur, texte qu'elle jugera impubliable et dont il ne reste pas de traces. Françoise a peur. Françoise fait peur.

Mais de qui pourrait avoir peur Jacques Lacan ? Il passe ses vacances dans le Midi et vient la chercher un soir pour aller écouter *Don Giovanni* au festival d'Aix-en-Provence. Quand il la raccompagne, elle lui demande s'il peut la prendre en analyse. Lacan comprend qu'elle reste suicidaire. Il accepte, mais la fera attendre. « J'avais raté un suicide, bien organisé. Les analystes se gardent des suicidaires. Un mort dans la clientèle fait toujours mauvais effet. Lacan les acceptait. » Françoise n'entrera en cure qu'en 1963.

Après le Midi, elle rejoint sa maison de Gambais, charmante résidence secondaire au milieu des prés non loin de Paris, qu'elle a achetée avec ses économies. Seule la présence de Djénane est acceptée. Françoise s'isole et ne veut pas que son entourage voie qu'elle continue à sombrer. Elle avouera dans *Si je mens* qu'elle se sent alors « délabrée, calcinée comme une forêt après un incendie ». Elle souffre d'obsessions récurrentes et de fantasmes destructeurs qui lui font comprendre que son intelligence est mise en échec.

Quelqu'un qui m'eût vraiment aimée, à ce moment-là, aurait compris qu'il fallait me laisser mourir. Mais c'est demander trop d'amour.

Elle est accueillie par Léone et Simon Nora à Noirmoutier. Mais, malgré les efforts incessants de Léone, elle refuse de s'alimenter. Léone se souvient aussi qu'elle supportait mal son traitement. Qui est-elle ? Elle n'en sait plus rien. Il y eut, dans sa vie, l'avant-1960 et l'après-1960.

Jamais Françoise, ni dans ses écrits, ni dans ses conversations, n'a évoqué l'histoire des lettres anonymes. La rubrique faits-divers regorge, chaque jour, de ruptures assorties de lettres anonymes où la jalousie, la haine, le sexe font cause commune. Rien, hélas, que de très banal, qui résulte d'une intense souffrance et d'un sentiment de perdition. Mais pourquoi l'antisémitisme ?

Comme journaliste, Françoise Giroud n'a de cesse, depuis des décennies, et elle le fera jusqu'à la fin de sa vie, de dénoncer l'antisémitisme sans la moindre ambiguïté. Trois mois encore avant sa tentative de suicide, elle a signé un éditorial sur la renaissance de l'antisémitisme en Allemagne, sous l'influence de certains groupes néonazis, qui commence ainsi : « L'antisémitisme, ce sanglant snobisme, est une vieille histoire. Une histoire que l'on racontera aussi longtemps qu'il y aura des petits-bourgeois qui se voudraient aristocrates et qui peuvent se ressentir tels – c'est-à-dire riches d'un privilège octroyé de naissance – en méprisant les Juifs de leur pays. C'est commode, ça ne coûte rien, et dans certains milieux cela fait même assez distingué. » Elle incarne même la figure de l'intellectuelle engagée contre l'antisémitisme et toutes les formes de racisme. Il faut donc avancer l'hypothèse d'un impensé, d'un retour de bâton d'une injonction maternelle lui donnant ordre d'effacer son identité et son origine, qui aurait pu se raviver, ou se révéler, lorsqu'elle a appris que celle qui lui était préférée était d'origine aristocratique. En tout cas les lettres mettent en avant ce sang impur de Jean-Jacques qui, en tant que juif converti, allait souiller la famille de celle qu'il allait épouser... Le schéma du refus de l'assignation à l'identité originelle resurgira plus tard dans la vie de Françoise Giroud, manière récurrente et violente de paraître et de se situer dans le monde.

Jean-Jacques, quand il l'a licenciée, ne lui a pas donné un sou. Pierre Lazareff lui propose d'entrer à *France-Soir*. Elle est obligée d'accepter et se trouve coincée dans des luttes intestines de pouvoir au sein de la rédaction. Elle parvient cependant à publier cinq articles émouvants à partir du 25 juin 1960 sur Ingrid Bergman et Roberto Rossellini. Seule journaliste reçue dans l'appartement de Rome où le couple, dont le monde entier suit le roman d'amour, s'est réfugié après la naissance de Robertino, elle saura gagner leur confiance et prendra leur défense alors qu'ils sont désignés à la vindicte publique pour mauvaises mœurs. Elle restera leur amie.

Revenue à Paris elle écrit peu : sa mission est de régenter une rédaction turbulente et cette mission est impossible. Elle fait ce qu'elle peut, combat la fatigue, s'étourdit de sorties justifiées par son titre : rédactrice en chef de la rubrique « Spectacles ». Mais elle continue à souffrir ; sur les photographies, elle est méconnaissable : elle a maigri de huit kilos. Les médicaments font trembler ses mains. Elle se réfugie dans la solitude, tandis que Caroline et Djénane font ce qu'elles peuvent pour l'arracher à sa mélancolie.

Mort de la mère. Adolescence difficile du fils. Encerclement dans la dépression.

Françoise est d'un tempérament calme. Trop calme. Quand elle explose, elle ne contrôle plus rien et déteste cette sensation. En même temps,

elle sait où elle en est professionnellement : quand
Prouvost la demande pour *Paris-Match*, elle refuse,
car elle se sent bien incapable de nouvelles aventures.

A la rédaction de *L'Express*, chacun continue
sur sa lancée et on sent bien que le journal est
en roue libre : JJSS fait des éditos-fleuves sur le
pouls de l'opinion française, histoire de remplir
des pages, de longs entretiens avec PMF sur tous
les sujets comblent l'espace, Christiane Collange,
qui vient d'épouser Jean Ferniot, *nouveau rédacteur politique et heureux père*, publie – quarante
ans avant Ségolène Royal – une grande photographie d'elle à la maternité avec son fils Vincent
et narre par le menu les bienfaits de l'accouchement sans douleur. Alice Morgaine, qui vient
d'entrer au journal par l'intermédiaire de Christiane à l'âge de vingt-deux ans, se souvient de cette
période : « Chacun faisait ce qu'il pouvait sans
aucune hiérarchie ni direction. J'étais jeune et
inexpérimentée. Je me souviens avoir dû faire un
reportage sur un nouvel avion car le journaliste
spécialisé était absent. Nous étions comme des
balles de ping-pong lancées dans toutes les direc-
tions tout en essayant de bien faire. » François
Mauriac continue à vanter les bienfaits du Général,
qu'il appelle désormais « mon prince ». JJSS le
voue aux gémonies.

On sent l'absence de Françoise Giroud dans
cette hétérogénéité des discours, des rubriques,
des idéologies. Il n'y a plus de pilote dans l'avion
et personne n'accomplit plus ce travail de fourmi
qui était sa spécialité – réassurance de chaque
journaliste en son propre talent et réécriture de

l'ensemble des textes – et qui donnait au journal son éclat, son style. *L'Express* se disloque, devient une cohabitation d'articles. Servan-Schreiber cherche à remplacer Françoise comme éditorialiste. Le 16 juin 1960, l'édito réapparaît avec, en lieu et place de la photographie de Françoise Giroud, celle de... Françoise Sagan, qui se livre à une défense brillante et passionnée de Djamila Boupacha, cette jeune femme algérienne engagée dans la cause pour l'indépendance de son pays, arrêtée par la police en 1961 puis torturée et pour laquelle *L'Express* avait déjà soutenu la campagne initiée par Simone de Beauvoir et Gisèle Halimi. Mais Sagan, qui à vingt-cinq ans a déjà publié cinq livres dont le dernier, *Aimez-vous Brahms ?* est un best-seller, n'entend pas s'intégrer à cette rédaction qu'elle trouve « ennuyeuse », même si elle accepte de donner des papiers, voire de faire des reportages à l'étranger. Elle ne souhaite pas aliéner sa liberté. La semaine suivante ce sera Jean-Marie Domenach, collaborateur habituel, qui signera l'édito de la page deux. L'absence de Françoise continue à se faire sentir. Servan-Schreiber engage alors une journaliste, collaboratrice de *L'Echo de la mode* après l'avoir été aux *Informations catholiques internationales*, Françoise Verny. Ce monstre de travail, agrégé de philosophie, possède des qualités semblables à celles de Françoise Giroud : même amour du métier, même perfectionnisme, même abnégation. Jean-Jacques la nomme corédactrice en chef avec la haute main sur tout ce qui n'est pas politique. Philippe Grumbach prend très mal cette décision : il se sent désavoué. La guerre éclate entre ceux qui pensent que *L'Express* est avant tout un journal politique et les autres, menés par François

Erval – véritable polyglotte, incarnation de l'intégrité, doté d'une culture encyclopédique, dont Françoise fait un portrait élogieux dans *Leçons particulières* –, qui, avec Michel Bosquet, de son vrai nom André Gorz, croient que la philosophie, la réflexion économique sur le devenir du monde, l'amour du spectacle vivant et le goût de la littérature constituent la marque de fabrique et l'originalité du journal. Entre Jean Daniel, souvent en reportage en Tunisie ou en Algérie, qui ne veut traiter qu'en direct avec JJSS, François Erval, bougon, qui regrette sa chère Françoise, et Philippe Grumbach qui ne lui adresse pas la parole, Françoise Verny a bien du mal à asseoir son autorité. Tim caricature le Général en contrôleur de la SNCF. François Mauriac dit son mépris pour ce qu'il considère comme de la vilenie. Jean Cau publie un long reportage sur la liberté des nuits à Saint-Germain-des-Prés. Mauriac s'étouffe et demande des explications à Jean-Jacques Servan-Schreiber : pourquoi ce journal fait-il l'apologie de ce qu'il nomme « une faune immonde » ?

Mauriac suspend sa collaboration pendant l'été. Grumbach prend la décision de le remplacer par Siné, qui livre un « Bloc-notes » incisif, décapant, irritant. Mauriac a beau le supplier « de ne pas piétiner son jardin de curé », la tentation est trop forte : Siné attaque frontalement Mauriac, se moque de lui, pourfend le Général, ridiculise la religion. Le courrier afflue : certains lecteurs se félicitent de cet esprit anar, d'autres se désabonnent devant tant de grossièreté. Jean-Jacques Servan-Schreiber est obligé de s'exprimer : « Cynisme, bêtise, grossièreté, hargne, sous-nazisme... Siné et *L'Express* se sont vu qualifier de bien d'autres épithètes encore à propos de cette chronique du mois d'août qui ne devait être qu'un divertissement et qui a déclenché des protestations indignées... Il y a, dans ce pays, une ankylose de l'esprit. »

Mauriac change de ton. Il s'emporte et attaque JJSS dans les colonnes de son journal. Servan-Schreiber, affaibli par sa rédaction qui ne comprend pas qu'il ne soutienne pas le manifeste des 121 – rédigé par Maurice Blanchot avec la complicité de Dionys Mascolo et d'autres intellectuels pour défendre le FLN –, est aussi à ce moment-là inculpé de complicité d'injures publiques à l'armée pour caricatures. Mais c'est à cause du traitement infligé à la nouvelle reine de Belgique, Fabiola, par Christine de Rivoyre, qui couvre de manière acide son mariage, que Mauriac donnera sa démission. La coupe est pleine. On ose s'attaquer à Fabiola qui croit en Thérèse d'Avila. Jean-Jacques Servan-Schreiber lui promet de mieux tenir ses troupes. Mauriac lui répond qu'il a en horreur ce genre d'autocensure, mais qu'il accepte une trêve en raison de l'amitié qu'il lui porte...

Le patron de *L'Express* colmate, tente d'apaiser. Fin 1960, il demande à Françoise Verny de quitter le journal. C'est lui qui a échoué à la faire respecter et il le reconnaîtra publiquement. Françoise Verny rejoindra avec soulagement *Le Nouveau Candide*, un concurrent de *L'Express* lancé par Hachette. Face à une actualité brûlante – menace atomique, élections américaines, politique algérienne du Général, ouverture de la campagne pour le référendum –, JJSS improvise, à la tête d'une rédaction désunie où la menace du départ de Mauriac apparaît comme une catastrophe. Celui-ci se sent de plus en plus isolé, désavoué : « Je ne voudrais que personne à *L'Express* se sente tenu en laisse contre moi. Et c'est pourtant sous cet aspect-là que je crains d'y apparaître désormais – un aspect qui me répugne à moi-même plus que je ne saurais dire. Tout n'est que malentendu : nous n'en finissons pas d'enlever nos masques. Le dernier qui restera collé à notre figure, il n'est pas sûr que la mort elle-même réussisse à nous l'arracher. »

Jean-Jacques Servan-Schreiber et François Mauriac vivent parallèlement deux histoires passionnelles et tous deux délaissent le journalisme d'observation en surenchérissant sur leur propre désir : Mauriac idolâtre de Gaulle, souffre pour lui, vit pour lui et avec lui par procuration, et sa prose recèle une dimension mystique s'agissant de cet homme qu'il place hors de l'espèce commune et à qui il pardonne tout, comme un illuminé. JJSS, lui, croit au retour de Mendès et sa conviction repose sur un acte de foi et non pas sur l'analyse des forces en présence. Mauriac prophétise : dire non à de Gaulle, c'est dire oui au malheur. Quand le résultat tombe : 75 % de votants pour le oui, Servan-Schreiber se réfugie dans le déni de la réalité et explique que ce résultat ne change rien : il compare de Gaulle à Mussolini et à Franco. Pour Mauriac, tout ce que dit le Général est pain bénit. Pour JJSS, tout ce que fait de Gaulle est forfaiture.

Jean-Jacques Servan-Schreiber sait que son journal bat de l'aile, même si les ventes en kiosque sont correctes et les abonnements de bonne

tenue. Comme l'observe Mauriac : « Votre journal est dissonant. » On ne peut mieux dire : il a
beau receler des perles – un entretien de Madeleine Chapsal avec Colette, un tête-à-tête Mao-
Mitterrand détonant, le compte rendu de très haut
vol, sur les plans juridique et philosophique, du
procès Eichmann par Robert Badinter –, il n'a
pas de fil directeur.

Une seule personne peut lui redonner son allant.
Servan-Schreiber le sait et fera des approches. Je
n'ai pu retrouver la lettre qu'il lui a envoyée à ce
moment-là, mais voici la réponse de l'intéressée :

> Volonté et intelligence peuvent être perverties
> quand elles sont empoisonnées à une source
> secrète. Je n'ai pas encore trouvé la source. C'est
> long mais je la trouverai. J'avance donc, deux
> pas en avant, trois pas en arrière, j'avance donc
> parce qu'une grande ombre qui s'appelle Jean-
> Jacques cache la forêt et que je ne peux pas la
> contourner. Il faut que je passe à travers. Ça fait
> mal mais c'est le chemin. Je ne cesserai jamais de
> vous aimer, vous savez, pas plus que vous n'avez
> cessé de m'aimer, je le sais bien. Vous aimer
> dans le présent, vous me demandez de me réa-
> juster à vous dans le présent, dans votre réalité :
> marié, lié, couplé. J'ai fait comme si pendant un
> an. J'ai vécu ainsi pendant l'Algérie : comme si
> vous y aviez été tué. Seule et avec vous. Mais
> l'Algérie c'était la réalité...
> Vous n'êtes pas un saint qui me demande un
> sacrifice mais un homme qui m'offre, avec poli-
> tesse et tendresse, de faire avec lui un travail inté-
> ressant et utile où nous savons donner notre
> meilleur ensemble. Soyez encore un peu patient,
> Jean-Jacques.

Sabine précise qu'elle a fortement encouragé son mari à réembaucher Françoise : « Moi, je voulais le retour de Françoise. Je voyais toujours, à l'époque, deux amis de mon père, Marcel Bleustein-Blanchet et Charles Gombault. Ils ont eu pour mission de la convaincre de revenir. Je disais à Jean-Jacques : moi je suis forte pour les enfants – David a été conçu au cours de notre nuit de noces, l'aîné de quatre garçons tous aussi brillants –, mais votre enfant à vous, c'est *L'Express*. Françoise s'y était ruiné la vie et la santé. Le journal lui devait tout. Ce n'était qu'une juste réparation. »

Christiane Collange et Danièle Heymann soulignent qu'à la rédaction tout le monde attend avec impatience son retour, car le journal tangue. Françoise fait savoir qu'elle s'apprête à signer avec *France-Observateur*. Jean-Jacques s'affole, convoque les actionnaires, les persuade de la nécessité d'aller vite, obtient le blanc-seing d'Emeric Gros, mari de Brigitte, et personnalité influente dans le conseil, ainsi que l'accord de Philippe Grumbach. Mais Françoise se fait attendre.

La conférence de presse du général de Gaulle, le 11 avril 1961, va tout précipiter. Le Général y annonce qu'il va se débarrasser de l'Algérie : « Aujourd'hui la France considérerait avec le plus grand sang-froid une solution telle que l'Algérie cessât d'appartenir à son domaine, solution qui, en d'autres temps, aurait pu nous paraître désastreuse pour nous et que, encore une fois, nous considérons avec un cœur parfaitement tranquille. » Jean-Jacques Servan-Schreiber commente : « En écoutant de Gaulle j'ai eu honte. Il a tout rabaissé. »

Jules Roy écrit : « Pour moi, le général de Gaulle est mort le 10 avril. C'est un notaire qui a pris le lendemain la parole à sa place pour donner lecture d'un sombre testament. »

Mauriac écrit à Servan-Schreiber qu'il cesse de collaborer. Dans cette lettre manuscrite il lui dit qu'il « veut entrer dans son repos sans plus se mêler aux combats de ce monde, tout tourné vers cette éternité du monde », et qu'il attend son maître à Langon. Jean-Jacques Servan-Schreiber annonce son départ le 20 avril sous le titre « Adieu à François Mauriac », en lieu et place du « Bloc-notes » : « Dans cette page que nous lui avions donnée, et que, par amour et respect pour le chef de l'Etat, il nous rend... Mauriac avait raison. Ce n'est pas une divergence politique qui l'a séparé de nous. C'est la conception de l'homme dans la cité. »

Jean-Jacques Servan-Schreiber persiste et signe : pourquoi Mauriac, comme Malraux, traite-t-il de Gaulle comme un roi et non comme un homme politique ?

JJSS a tort d'avoir raison. Avec le recul, on peut se demander pourquoi il s'acharne à étriller le Général chaque semaine, alors qu'une grande partie de la gauche, dont Mendès France, qui n'en fait pas mystère dans les colonnes de *L'Express*, approuve sa politique, depuis le 16 septembre.

Le discours du patron de *L'Express* est de plus en plus celui d'un homme politique. Servan-Schreiber croit encore qu'il va réussir à faire revenir Mendès au pouvoir et, en cas de refus, qu'il pourra se présenter comme son héritier...

L'attitude du Général face aux putschs des généraux donnera raison à Mauriac. L'événement que le journal prédisait depuis 1958 se produit le 22 avril 1961. Quand l'état d'urgence est déclaré sur l'ensemble du territoire français, Jean-Jacques Servan-Schreiber décide de sortir une édition spéciale et confie à Pierre Mendès France le soin de commenter la triste actualité : sous le titre « Le putsch, de Gaulle et le peuple », Mendès crédite au Général le mérite d'avoir su éviter la guerre civile et rend hommage à sa faculté de résister aux insurgés. La crise morale que traverse l'armée n'en est pas pour autant résolue. Il attend un langage clair et loyal du chef de l'Etat tout en ne croyant plus en son avenir politique : l'homme providentiel n'a qu'un temps. Les citoyens n'accepteront pas indéfiniment d'être traités en mineurs. Un réveil brutal est à prévoir car « les régimes personnels finissent toujours mal ».

Certains, dont Jean Cau, se sont moqués de l'importance accordée à ces événements et de la manière dont *L'Express* les a mis en exergue. Indigné et écœuré par cette bonne conscience de gauche, il écrit, de Torremolinos où il réside, cette lettre à Philippe Grumbach, retrouvée par Françoise Roth et Serge Siritzky, et retranscrite dans *Le Roman de L'Express* : « Ce n'est pas le sang qui coule mais l'encre. Si je comprends bien, nous venons d'assister à une formidable bataille entre deux colosses en carton. Les généraux ont agité le mythe "para", la France a agité le mythe "de Gaulle" et le plus gonflé des deux l'a emporté.

Gonflé, bien sûr, comme on le dit d'une outre. Etre sur la brèche donnerait-il une particulière lucidité, pas une seconde je n'ai douté que toute cette tragédie allait s'achever en farce... ». Cela ne l'empêchera pas, dès son retour en France, de demander à réintégrer *L'Express*...

Le 8 juin 1961 la couverture de *L'Express* est consacrée à Alberto Giacometti. Sur la droite, deux noms apparaissent, ou plutôt font leur réapparition : ceux de Jean Cau et Françoise Giroud.

Le retour

Françoise Giroud est revenue au journal comme si de rien n'était. Elle a repris sa place sans mot dire. Comme une reine, dit Danièle Heymann : « C'était comme si elle n'était jamais partie. » Une photographie la montre amaigrie, ce qui met encore plus en valeur l'ovale de son visage, et souriante. Sous le titre « L'invitée silencieuse » – repris d'une déclaration de John Kennedy au sommet de Vienne –, elle livre un édito brillant et structuré sur politique et philosophie, concluant sur un thème qui la préoccupe de plus en plus, la liberté du journalisme toujours plus menacée par les pouvoirs d'argent : « On peut dire que les journalistes sont libres. A la façon des poussins libres circulant entre les pattes des renards libres. » Qui d'entre nous connaît véritablement la sensation d'être libre ? interroge Françoise. Pas cette femme qui vient de se défenestrer avec ses deux enfants parce qu'elle ne trouvait pas d'emploi. Ni tous ces exclus dont le nombre ne cesse d'augmenter. Pas même elle, qui conclut : « Invitée silencieuse, pour le moment encore, à la table du monde, trop grande pour tenir dans le corps d'un article, j'ai fini par prendre – et je m'en excuse – la liberté de renoncer à épuiser le plus éternel et le plus actuel des sujets. »

Elle va tout de suite se mettre au travail sur la charte graphique et la maquette, changer l'apparence du journal, le rajeunir. Un sommaire illustré de l'actualité fait son apparition, permettant aux lecteurs pressés d'être informés de l'international rapidement : assassinat de Patrice Lumumba, préparation des accords d'Evian, couverts par Jean Daniel et Paul-Marie de La Gorce, guerre froide par K.S. Karol. Jean Cau livre, en avant-première, des extraits de son livre *Les Oreilles et la queue*.

Françoise Giroud revient par la grande porte et n'a pas perdu la main. Elle sait toujours coordonner les talents, remettre en forme – dans tous les sens du terme – le journal, et inventer de nouvelles rubriques. Pour cerner au plus près l'attente des jeunes lecteurs, elle lance un concours qui leur permet de juger leur journal et promet au meilleur une 3 CV Citroën. Elle a déjà en tête le renouvellement de l'âge du lectorat... Françoise ne parle pas, ne commente pas, ne se livre pas, elle agit. Notamment sur l'avortement, à l'occasion de deux drames où des femmes sont poursuivies devant la justice, elle écrit : « La liberté de la conception est un problème en soi, directement lié au développement des sociétés. Non seulement elle n'est pas relâchement, avilissement de l'homme, mais elle est discipline et prise de conscience que peuvent seulement accepter les êtres humains évolués. » S'opposant à la confusion qui règne entre liberté de la conception, avortement thérapeutique et euthanasie, elle distingue l'enfant à naître de celui qui est né : « L'enfant né est un autre. L'enfant à naître est partie d'une femme. Il n'a ni nom, ni visage, ni existence autonome. A la limite, une femme peut s'imaginer enceinte. Elle ne peut pas imaginer un enfant vivant. Il est ou il n'est pas. » Sa légitimité est intacte et elle fait l'admiration de tous, et particulièrement de Servan-Schreiber, qui ne tarde pas à lui abandonner la ligne politique du journal. Leurs relations sont professionnelles et teintées de loyauté. Ni l'un ni l'autre ne font allusion au passé. Françoise vit intensément le présent et la politique les occupe jour et nuit. Jean-Jacques sait qu'elle campe sur les mêmes positions vis-à-vis du Général : « La IVe République et ses mœurs n'inspirent que répugnance. La Ve et ses mœurs appellent à la violence », écrit-elle. L'ordre gaulliste est pour elle une notion abstraite, religieuse plus que politique, et qui menace le citoyen de conduire au fascisme.

Le 16 juillet, Jean-Jacques appelle Jean Daniel, en vacances dans le Midi, et lui demande s'il ne veut pas partir pour la Tunisie après un discours particulièrement violent de Bourguiba. Jean Daniel s'envole sur-le-champ. Il part pour Bizerte avec d'autres journalistes tunisiens et français. Dans son livre *La Blessure* (paru chez Grasset en 1992), Jean Daniel raconte comment le 20 Juillet 1961, la veille de son anniversaire, il est « abattu par une rafale de pistolet-mitrailleur au cours des opérations de refoulement menées par les parachutistes français pour dégager Bizerte. » Cette blessure a failli lui coûter la vie. Dans son ouvrage, il précise que dès le mois d'août « une blessure présentée comme "sérieuse mais en rien alarmante" (puisque l'artère fémorale avait été par miracle épargnée) est devenue de plus en plus "préoccupante" ». Il subira de nombreuses opérations, et recevra quelques visites de marque : celle de Pierre Mendès France le 21 septembre, et celle de Françoise Giroud le 29. Il note dans son livre : « Dès qu'elle est là, on se souvient que la vie est un combat et qu'on n'a d'autre choix que de le livrer. »

En France *L'Express* vit sous surveillance policière et Françoise a peur qu'un collaborateur ne soit touché par une bombe ou un attentat, car les menaces ne cessent, de nouveau, d'affluer à la rédaction. Des gardes bénévoles surveillent les locaux la nuit, d'autres se relaient devant les appartements des journalistes qui sont sur la liste de l'OAS, elle-même sachant qu'elle en fait partie. Le jour, elle est obligée de se déplacer accompagnée par des gardes du corps, des lecteurs musclés de l'hebdomadaire... Françoise rassemble, relance son réseau pour se battre contre les menaces : elle réussit à convaincre Brigitte Bardot – qu'elle connaît depuis l'adolescence et qu'elle a contribué à lancer à *Elle* – de lui donner la lettre de menaces qu'elle a reçue de l'OAS et qu'elle reproduit en fac-similé. Cette publication aura un énorme retentissement et autorisera des personnalités à rendre publiques les menaces qu'elles reçoivent depuis des mois. Bardot est sommée de donner 50 000 francs, l'inexécution de cet ordre devant entraîner l'entrée en action des forces spéciales... Brigitte Bardot, sur recommandation de Françoise Giroud, prendra pour avocat Robert Badinter. Après l'article de *L'Express*, elle n'aura plus de nouvelles de l'OAS.

Dans le même numéro, Françoise signe un éditorial particulièrement poignant sur le témoignage d'un ancien parachutiste, Pierre Leuliettes, revenu à la vie civile et qui relate des scènes de torture dont il a honte. Très émue, elle cite de larges extraits du livre – la jeune fille arabe violée par le vieux sergent-chef, le rebelle blessé qu'on laisse « pourrir », la torture du seau d'eau, du fil électrique, avant de conclure : « Il s'est trouvé un jeune homme pour écrire noir sur blanc l'horreur qu'il a vécue... un éditeur pour le publier... Se trouvera-t-il un imbécile au ministère des Armées pour saisir notre journal pour ce que je viens de dire ? ».

Le numéro est saisi par la police sur demande du ministre des Armées qui estime que Françoise Giroud a porté atteinte à l'honneur des militaires.

Difficile d'imaginer aujourd'hui le climat dans lequel *L'Express* vit alors : peur permanente, menaces, insultes. Pour éviter les incidents, un système de double fouille est institué avec grilles et vitres. Au second étage, celui de la rédaction, les visiteurs doivent de nouveau subir une inspection. Le toit, aussi, est surveillé. Françoise désapprouve, mais doit se rendre à la raison : ces mesures sont justifiées. L'OAS pose des bombes : une première est désamorcée chez Françoise Giroud quelques minutes avant l'explosion, une autre au domicile de Philippe Grumbach. La semaine suivante, Françoise Giroud, dans son édito, s'adresse directement à l'organisation factieuse : « S'il y a une victime nous ne resterons pas sans réagir. » Elle se réfère aux trois cents lecteurs bénévoles de *L'Express*, organisés et coordonnés par Louis Fournier, qui peuvent se transformer du jour au lendemain en « corps francs ». La réponse ne se fait pas attendre : les appartements de Jean-Paul Sartre, d'Hubert

Beuve-Méry, de Maurice Duverger sont plastiqués
début janvier 1962. Elle-même sera plastiquée deux
ans plus tard boulevard des Invalides. Excep-
tionnellement, ni elle ni Caroline ne seront là.
Une photographie montre le désarroi de Françoise
Giroud dans son manteau gris, gros cartable à la
main, devant l'ampleur des dégâts. Françoise craint
plus pour les autres que pour elle.

Elle écrira : « Que des officiers conçoivent,
commandent et fassent exécuter ces grandioses
opérations militaires, tant pis pour eux. Quand
on met son honneur sur les paillassons, il ne faut
pas s'étonner qu'en passant chacun s'essuie les
pieds dessus. »

Le 7 février 1962, Delphine Renard, âgée de
quatre ans et demi, est défigurée par une bombe
destinée à André Malraux.

Le 12 février 1962, cinq cent mille personnes
sont dans la rue malgré l'interdiction de la police
et manifestent de la Bastille à la Nation à l'appel
des organisations syndicales, du parti communiste
et du parti socialiste unifié. Toute la rédaction
de *L'Express* est là, à l'exception de Jean Daniel,
pas encore remis des graves blessures dont il a été
victime à Bizerte en juillet 1961. Jacques Derogy,
que Françoise aime et apprécie particulièrement,
et Michel Cournot, accompagnés par le photo-
graphe Jean-Régis Roustan, couvrent la manifestation. Aucun des trois n'a rien vu, mais Roustan,
en queue de manif, a entendu un CRS dire à l'un
de ses collègues : « Il y a des morts. » *L'Express*,
grâce à Jacques Derogy qui entretient de bons
rapports avec certains syndicalistes de la police,

mène l'enquête et reconstitue comment une brigade spéciale s'est acharnée sur les manifestants réfugiés dans l'escalier du métro Charonne bouché par la grille de la station. Plusieurs sont morts étouffés par la foule, d'autres le crâne fracassé par les « bidules » des policiers. Jacques Derogy ouvre les colonnes du journal à François Rouve, secrétaire général du syndicat de la police, qui s'oppose à l'attitude du gouvernement. *L'Express* est saisi. Une manifestation, elle aussi interdite, rendra hommage aux huit morts du métro Charonne. Puis les cercueils seront transportés à la bourse du travail. Françoise Giroud, au côté de Mendès France, les veillera toute la nuit. Une photographie la montre foulard sur la tête entre les bougies au milieu des cercueils. Dans une pleine page intitulée « L'armée de Paris », elle fera part de son émotion et rendra hommage à cette armée « des anonymes, des citoyens, des républicains » qui a accompagné les victimes.

Le lendemain, en comité de rédaction, Jean-Jacques Servan-Schreiber résume le sentiment général de la rédaction en affirmant que cette manifestation est la réponse claire et nette de la gauche, qui « vient enfin de se relever du coup d'assommoir de 58 ». Tout le monde acquiesce. Tous, sauf Jean Cau, qui, au cours d'une intervention obscène et grossière, s'en prend particulièrement à Françoise Giroud et à ses envolées. Françoise ne répond pas. Jean Cau demande à Jean-Jacques Servan-Schreiber le droit de publier ses opinions. Demande acceptée. La directrice de la rédaction fera donc partir au marbre l'article précédé de la mention : « Point de vue personnel et non de la rédaction. »

Elles n'ont pas de cadre ces cinq cent mille personnes, pas de corset, pas de parti vivant, pas de bergers capables de les conduire. Elles ne constituent pas, contrairement à ce que Françoise Giroud affirme dans son éditorial, une armée, la formidable armée de la gauche montant vers l'avenir, mais un troupeau promis à de futures errances.

Celui qu'elle avait introduit auprès de ses lecteurs par trois pages dithyrambiques ne la reconnaît plus comme sa patronne. Elle n'en semble guère affectée, car elle sait pouvoir compter sur le soutien total de la rédaction et l'appui du plus gaulliste, Jean Daniel, qui défendra la thèse majoritaire : « Oui, il fallait aller manifester le 8 février. » Elle préfère utiliser son énergie à continuer à défendre, inlassablement, tous ceux qui luttent pour la fin de la guerre en Algérie. Elle noue le dialogue avec ses opposantes, telle cette femme pied-noir qui lui déclare que le général Salan est son souverain et l'OAS son seul recours et à qui elle répond : « L'OAS n'a qu'un pouvoir, celui de vous nuire, celui de détruire le possible, elle ne vous rendra pas l'impossible, ce que fut votre Algérie. C'est au suicide que vous conduit cette organisation issue d'ambitions déçues mais nourries de votre désespoir. »

Françoise ne craint guère les dissensions, les affrontements, mais elle éprouve la sensation de s'enliser dans cette atmosphère vénéneuse. Ce temps interminable de massacres, de tortures, lui laisse un goût de cendre et le souvenir d'un danger triste, sans exaltation.

Le conflit

Le 14 mai 1962, Françoise Giroud dépose une requête auprès du garde des Sceaux en vue de substituer à son nom de Gourdji celui de Giroud. La presse s'en fait l'écho et présente Françoise comme la mère de la jeune fiancée de Robert Hossein : Caroline Eliacheff. Caroline a quatorze ans, Hossein trente-cinq. L'été précédent, elle a accompagné son père, Anatole, sur le tournage du film de Christian-Jaque *Madame Sans-Gêne* : « C'est là où j'ai "connu" Robert. Je n'ai rien dit à ma mère. Je poursuivais mes vacances avec elle à la Colombe d'Or quand Robert a débarqué et a demandé à lui parler. Je ne sais ce qu'ils se sont dit. Je n'ai aucun souvenir de la manière dont elle a réagi. Plus tard, elle m'a raconté qu'elle avait le choix entre m'envoyer en pension en Angleterre ou me laisser mener ma vie comme je l'entendais. Je sais qu'elle en a parlé à Jean-Jacques et à Gaston Defferre, dont j'étais très proche. Tous deux lui ont dit de me laisser faire. Je ne pense pas qu'ils auraient réagi de la même façon avec leurs propres enfants. Elle a posé une seule exigence : que je poursuive mes études. Mais pour moi, c'était une évidence : je voulais faire médecine, car je voulais devenir psychanalyste depuis l'âge de douze ans. A partir du moment où Françoise a choisi de me laisser mener ma vie, de me laisser partir, elle m'a aidée, avec beaucoup de générosité, à me transformer en "jeune femme" sans parler beaucoup. Elle m'a toujours fait confiance et a toujours été là quand je me suis trompée – c'est-à-dire souvent. Je ne la voyais pas du tout comme on m'en parlait de l'extérieur. C'était ma mère, j'étais sa seule fille. Nous étions fières l'une de l'autre, mais nous ne nous le disions jamais. » Le mariage s'est fait en petit comité et fut suivi par un dîner réunissant les amis proches. Nicolas naîtra en janvier 1964, il travaille aujourd'hui, comme on l'a vu, à la synagogue de Strasbourg, donne des cours de Talmud, est à la tête d'une famille nombreuse. Caroline est effectivement devenue psychanalyste et pédopsychiatre.

A *L'Express*, Françoise exerce de plus en plus son autorité et tient la ligne politique. Faisant le bilan des trois ans de gaullisme, elle estime que « le Général a fait une bonne carrière à la télévision », note que le parti communiste perd de son influence et que la gauche tarde à se rassembler. « On déstalinise, on dégaullise. Il n'y a rien de sacré en politique, rien d'éternel. »

Le combat politique est dans les gènes de *L'Express*. La guerre d'Algérie lui a donné son envol. Les accords d'Evian, ratifiés par référendum à 90 % par le peuple français, en mettant fin à la guerre d'Algérie, vont-ils fragiliser le journal ? Depuis avril, en effet, les ventes ne cessent de chuter et ni l'indépendance de l'Algérie, ni le remplacement de Debré par Pompidou, ne viennent, malgré les éditions spéciales, enrayer ce qu'on peut nommer un désintérêt, voire un désamour. *L'Express* a-t-il été propulsé par la guerre d'Algérie ? Et si oui, comment peut-il se reconvertir ?

Au journal, les absences de plus en plus fréquentes de Jean-Jacques Servan-Schreiber, déjà complètement happé par la politique, se font sentir et les tensions s'aggravent. Philippe Grumbach n'a jamais accepté le retour de Françoise Giroud et supporte de moins en moins qu'elle donne le ton et s'entoure de collaborateurs qui lui sont totalement attachés. Ses articles font souvent l'événement. Ainsi de celui qui commente le livre de Gisèle Halimi et Simone de Beauvoir consacré à Djamila Boupacha, qu'elle conclut ainsi : « Je vous demande infiniment pardon, mademoiselle, si, pour évoquer votre supplice, l'émotion n'y est plus, si votre tragédie personnelle s'insère dans un chapelet que nous n'en pouvons plus d'égrener, si nos yeux restent secs. C'est d'humiliation que nous brûlons. Pendant que votre nation est en train de se faire, la nôtre va-t-elle se défaire ? ».

Est-ce pour échapper aux conflits qui enveniment la rédaction – où deux camps s'opposent : celui de Jean-Jacques Servan-Schreiber – selon qui le seul thème d'avenir fédérateur est l'Europe –, celui de Jean Daniel, Serge Lafaurie et K.S. Karol, qui, eux, estiment que l'unique problème est le tiers-monde et la décolonisation – que Françoise Giroud décide de revenir à son premier amour ? Elle reprend alors les pages cinéma, applaudit Bergman, s'enthousiasme pour *Vivre sa vie* de Godard, repère le premier film d'Alain Cavalier, *Le combat dans l'île*, suit le tournage de *La Baie des Anges* de Jacques Demy ainsi que celui de *Fahrenheit 451* de François Truffaut. Avec la précieuse collaboration de Michèle Manceaux, qui a en charge l'actualité du cinéma européen et écrit de remarquables reportages sur les métamorphoses du 7e art, elle ironise sur le cinéma de papa, plaide pour un art qui s'éloigne des codes du théâtre et où son et image ne coïncident pas forcément. Cette révolution artistique constitue le signe avant-coureur d'un nouvel état d'esprit qui s'étend bien au-delà des cercles de cinéastes.

Françoise Giroud s'échappe de la politique et, insensiblement, s'empare de tous les registres de la culture : c'est elle qui signera la nécrologie de René Julliard, un ami de quinze ans, immense éditeur mais aussi interlocuteur politique. Elle sera touchée en plein cœur par le suicide de Marilyn Monroe, qui lui inspirera, à mon avis, l'un de ses plus beaux papiers. Tout son art est dans cette sensibilité à fleur de peau, ce style très sensuel, cette manière si personnelle de réussir à mettre des mots sur ce que nous ne savons pas nommer en nous faisant partager ce que nous avons ressenti au plus intime de nous-mêmes. Oui, Françoise Giroud parle à chacune d'entre nous : « Ainsi on peut être belle et seule. Riche et seule. Célèbre et seule. Ainsi on peut être Marilyn Monroe et mourir seule, comme un chien, un dimanche, pour rien. Pour dormir et n'avoir plus à se réveiller, seule, seule dans son cœur sinon dans son lit. »

Marilyn s'est suicidée parce qu'elle était hantée par son propre passé. Marilyn a voulu mourir quand elle a appris que son ancien mari attendait un enfant d'une autre femme.

« Marilyn Monroe était un produit achevé de la civilisation du bonheur, la nôtre. Il ne lui manquait, pour vivre heureuse, que l'essentiel, c'est-à-dire l'envie de vivre.

« Comment cela vient-il à manquer ? C'est très simple. Un jour, on ne désire plus rien. Un jour, on se découvre mort à l'intérieur. Alors, obliger la machine à tourner quand même, à manger, à boire, à dormir, devient un effort immense, totalement disproportionné avec le but à atteindre : demeurer, extérieurement, en vie. »

L'annonce par de Gaulle de son intention de modifier la Constitution pour faire élire le président de la République au suffrage universel va contraindre Françoise à reprendre les rênes de la politique. Le front du refus va de Mendès, profondément hostile au régime présidentiel, jusqu'à la SFIO, sans oublier le parti communiste. Dans *L'Express* se sont exprimées les opinions de Georges Vedel et Maurice Duverger, tous deux favorables à cette constitution, mais opposés à la procédure choisie : le référendum. Pour mieux en faire connaître les enjeux juridiques et les conséquences politiques à ses lecteurs, Françoise Giroud aura l'idée d'aller débaucher Jacques Fauvet, chef du service politique du *Monde*. Son contrat ne l'autorise pas à signer chez un concurrent ? Qu'à cela ne tienne. Elle lui propose de prendre un pseudonyme. Ce sera Régulus, du nom d'un général romain intransigeant qui fut supplicié jusqu'à ce que mort s'ensuive. Une semaine après l'annonce du référendum, cette nouvelle signature résumera avec brio le sentiment de la rédaction : « Au mieux, la révision constitutionnelle est en elle-même inopportune, prématurée. Au pire, elle est dangereuse. A terme elle peut être mortelle pour la République. Mais, dès maintenant, la procédure inconstitutionnelle qui est engagée constitue un véritable suicide moral de la IVᵉ République. »

De Gaulle réussira à dresser contre lui tous les partis, à l'exception de quelques indépendants. Dès l'ouverture de la session, les députés renversent le gouvernement Pompidou et de Gaulle dissout l'Assemblée nationale. Le calendrier se révèle serré : référendum le 28 octobre, élections législatives les 18 et 25 novembre. Un véritable piège politique, annonce JJSS dans *L'Express* du 18 octobre : « Nous sommes dans un étau entre le pouvoir personnel et le retour à la IVᵉ République. Le dilemme effraie tout le monde. Qui a la moindre des chances de succès a le devoir de se présenter au suffrage des concitoyens. Il faut leur donner une chance de voter pour quelqu'un d'autre qu'un pion du gaullisme ou un fossoyeur de la IVᵉ République. »

Françoise Giroud approuve cette prise de position. Elle est loin d'imaginer qu'au moment même où cet article est publié, Jean-Jacques s'est déjà appliqué la leçon : c'est à Yvetot qu'il se présentera en tant que « candidat républicain ». Yvetot c'est une idée d'André Bettencourt, député indépendant, ami de la famille : Liliane, son épouse, est l'amie de Brigitte depuis le lycée.

Le 15 octobre, Jean-Jacques Servan-Schreiber part avec sa famille et deux collaborateurs, Bruno Monnier et Louis Fournier, et commence sa tournée électorale. Françoise Giroud se retrouve, de nouveau, seule aux commandes de *L'Express,* mais cette fois, le candidat Servan-Schreiber entend utiliser son journal pour en faire son outil de propagande en diffusant ses idées.

Les rapports entre Françoise et Jean-Jacques se sont pacifiés sur le plan personnel. Françoise s'entend bien avec Sabine, la nouvelle épouse, et progressivement, elle est réintroduite dans le clan Servan-Schreiber. Elle suivra avec passion sa campagne et ira, lors d'un week-end, le rejoindre à Yvetot. Elle n'aura pas de mal à se rendre compte que Jean-Jacques Servan-Schreiber, épuisé physiquement et psychiquement, ne pense qu'à sa campagne électorale. Pas question de lui demander conseil sur les troubles qui agitent la rédaction. Il semble même complètement déconnecté de la réalité et n'analyse la crise du blocus de Cuba qu'en fonction de son empathie, de son admiration pour Kennedy. Comme lui, JFK fait campagne. Comme pour lui, cette épreuve est difficile. Comme lui, il est riche et beau. Personne ne peut s'imaginer à quel point il s'identifie à Kennedy. Françoise Giroud reçoit à la rédaction ses éditoriaux enflammés. Elle est un peu abasourdie par cette comparaison qu'elle trouve pour le moins exagérée. Mais Jean-Jacques est ailleurs. Malgré le raz de marée pour le oui, il s'imagine encore pouvoir gagner.

Elle n'ose le déranger quand la tempête, de nouveau, se lève à *L'Express* : Jean Cau, une fois encore, en est la cause. Critiquant à tout bout de champ Françoise Giroud, qu'il traite comme une idéaliste de gauche, il ne cesse de faire de la provocation, d'apostropher la rédaction : « Vous êtes tous des perdants », et se prend, lui, pour le nouveau

Mauriac. Les conséquences et la réalité de la révolution algérienne constituent le sujet de dissension. Jean Daniel avait déjà pressenti sur place l'atmosphère de chaos qui régnait, mais estimait prématuré de critiquer des chefs à qui il faisait encore confiance. Jean Cau, de retour d'Algérie, après un vif débat entre Philippe Grumbach, Jean Daniel et Françoise Giroud, publie un article au vitriol où il décrit ce qu'il a vu : « L'Algérie est en train de sombrer dans la misère et le chaos économique. Sans le retour massif des Européens tout – je dis bien tout – est foutu », et de conclure : « La vérité, évidemment, c'est que l'Algérie est dans la merde jusqu'au cou... Cher Monsieur Ben Bella votre arabisme est une billevesée. Si vous y tenez, vous en crèverez comme en crèvent vos pays "frères". »

L'Express serait-il en train de trahir la cause pour laquelle il s'est tant battu ?

Le voyage en Algérie devient un rite chez les collaborateurs du journal. Siné y part à son tour, invité en grande pompe par Ben Bella. Il songe à quitter cet hebdomadaire « bourgeois » et il a mitonné sa décision depuis des mois. L'article de Jean Cau paraît lors de son séjour et Ben Bella, qui connaît les sentiments de Siné vis-à-vis de son journal, lui confie : « J'ai une bonne nouvelle pour toi. Je vais faire interdire *L'Express* en Algérie. Je l'annoncerai après ton retour. »

Le 29 octobre, Siné envoie à Philippe Grumbach sa lettre de démission, en invoquant son amitié avec le peuple algérien, tout en mettant en cause une partie de la rédaction, et termine ainsi : « Algérien et ministre, j'interdirais votre journal...

Français et Algérien, je ne peux que vous donner ma démission. » Grumbach la refuse. Le jour même, on apprend que Ben Bella vient de prononcer publiquement l'interdiction d'un certain nombre de journaux français, dont *L'Express*.

Françoise Giroud, comme bon nombre de journalistes de la rédaction, pense que Siné est à l'origine de cette interdiction et refuse que sa lettre de démission soit publiée. Pour une fois Philippe Grumbach l'approuve. Mais Siné, lui, la publie dans *Clarté*, le journal des étudiants communistes. *L'Express* est ainsi ridiculisé et apparaît comme un organe de presse qui pratique la censure.

Les ennuis ne sont pas pour autant terminés et Françoise Giroud est toujours aussi seule devant l'adversité. Celui qu'on appelle désormais « le roi d'Yvetot » est certain de gagner et passe ses journées sur les routes verglacées de Normandie sans jamais prendre de nouvelles de *L'Express*.

C'est maintenant à Jean Cau de vouloir publier sur le Maroc un article encore plus virulent que celui sur l'Algérie. Refus de Philippe Grumbach, soutenu par Françoise Giroud. Réponse de Jean Cau : « De deux choses l'une, ou bien on bénit, ou bien on écrit. Ou bien on a des yeux pour voir, ou bien on pose des questions, ou bien on moralise doctement, noblement, bellement du point de vue de Sirius et de Paris. »

Jean Cau quittera définitivement *L'Express*, Siné aussi.

Françoise Giroud aurait-elle perdu la main ?

CHAPITRE XX

L'affrontement

Le soir du premier tour des élections, toute la famille de Jean-Jacques est venue fêter son triomphe. Au fur et à mesure que les chiffres tombent, il faut déchanter : le raz de marée gaulliste a tout emporté. Un illustre inconnu, M. Fossé, candidat UNR, est loin devant Servan-Schreiber, qui appelle, inquiet, Mendès France, candidat à Evreux : « Je suis battu. De Broglie est élu au premier tour », lui répond Mendès, au bord des larmes. Jean-Jacques, lui aussi, pleure. Le dimanche suivant, les électeurs confirment leur vote : l'UNR triomphe et, avec l'aide des giscardiens, les partisans du général de Gaulle disposent à la Chambre d'une majorité absolue.

Ce qu'il y a d'extraordinaire avec Jean-Jacques Servan-Schreiber, c'est qu'il ne se sent jamais battu. Bien au contraire, la défaite lui donne de l'énergie, de nouvelles idées, un désir de conquête. Et, pour reconquérir son aura, force lui est de se souvenir qu'il a besoin de *L'Express*.

Sous le titre « Une bonne leçon », après avoir remercié ses électeurs, il tire l'enseignement de son

échec, imputable, selon lui, à ce qu'il nomme
« la gauche antique ». La gauche peut gagner en
France, à condition de se réformer. « Il ne suffit
plus aux tribuns d'enflammer l'imagination des
foules sur des rives d'avenir. La foule n'a plus
d'imagination à brûler et elle a bien raison. Il
faut des hommes sérieux qui parlent de l'immédiat, qui proposent concrètement comment modifier le lendemain et qui sachent écraser, à leur
tour, les préjugés et les partis pris sous le poids
énorme du réel. » La déclaration sera mal reçue
par les ténors politiques de l'opposition, qui se
sentent visés et trouvent que l'outrecuidance de
JJSS est aussi agaçante qu'inutile.

Il a besoin, en tout cas, de son journal pour
mener le combat de la gauche « réformiste » contre
cette gauche dite « antique ». Mais c'est un journal désorienté, déchiré, où règnent le mépris, la
dissension et la jalousie, qu'il va retrouver. Philippe Grumbach harcèle Françoise Giroud sous
n'importe quel prétexte en lui reprochant le côté
vieillot de l'hebdomadaire. Françoise continue à
diriger un journal incarnant, sur le plan politique, une gauche mendésiste. Il lui importe qu'il
soit toujours aussi riche sur les plans intellectuel, artistique et culturel. Mais que signifient la
démission de Vilar du TNP, la sortie du film de
Frédéric Rossif *Mourir à Madrid*, le combat du
poète Evtouchenko, au regard des manœuvres
politiciennes dans lesquelles vit une partie de la
rédaction qui pense que le journal doit se moder-
niser ? Un matin, au cours d'une conférence de
rédaction, Philippe Grumbach lance une flèche
contre Françoise Giroud : on ne pourra plus désormais faire de journalisme écrit si l'on ne regarde

pas la télévision. Christiane Collange et Danièle Heymann se souviennent du rire de Françoise en réponse à cette attaque fausse et injuste puisque, cinq ans auparavant, elle avait créé une rubrique télé de deux pages qu'elle avait confiée à Mauriac. Françoise ringarde ? La télévision n'est qu'un prétexte. Philippe Grumbach donne sa démission en accusant Servan-Schreiber de ne pas l'avoir soutenu contre Françoise Giroud et même de l'avoir trahi. Jean-Jacques Servan-Schreiber exige que son collaborateur retire le mot de trahison. Il refuse. Jean-Jacques accepte donc sa démission, le 6 février 1963. Philippe Grumbach pensera que Françoise Giroud aura su convaincre celui-ci de le faire partir. Faux. En fait, Jean-Jacques avait déjà décidé d'une nouvelle structure pour diriger le journal. Sans lui.

C'est Jean Ferniot, alors chef du service politique de *France-Soir*, beau-frère de JJSS, qui lui présente Georges Suffert, cet ancien rédacteur en chef de *Témoignage chrétien* entré à *France-Observateur* en 1958, rédacteur en chef des *Cahiers de la République*, que dirige Mendès France, et membre du comité directeur du PSU. Il est aussi l'auteur d'un livre profondément novateur, *L'Etat et le citoyen,* secrétaire du Club Jean-Moulin, ce prestigieux cercle de réflexion créé en 1958 par d'anciens résistants et des hauts fonctionnaires et qui ne cesse de prendre de l'importance par la qualité de ses questionnements sur l'avenir de la République. Georges Suffert vient de révéler dans les colonnes de *France-Observateur* que, malgré ses engagements politiques de gauche, il a voté oui au référendum. Jean-Jacques Servan-Schreiber a été impressionné par son article et le

lui dit. Il pense, comme lui, que l'élection du président de la République au suffrage universel est
une chose acquise et que la gauche doit cesser de
se battre sur ce terrain. Le prochain président de
la République sera Mendès France, déclare Jean-
Jacques Servan-Schreiber à un Georges Suffert
dubitatif, qui lui rappelle que Mendès a toujours
refusé l'idée d'arriver au pouvoir avec un tel système. En sortant du rendez-vous, JJSS dit à Jean
Ferniot : « Il faut l'engager. C'est l'homme indispensable pour renouveler notre vivier... Avec
Grumbach on finit par tourner en rond. »

Françoise Giroud rencontre ensuite Georges
Suffert pour fixer le montant de son salaire et le
champ de ses compétences. Son arrivée est prévue
le 11 février 1963. Coup de théâtre, c'est trois
jours avant cette date qu'il apprend la démission
de Philippe Grumbach. Comme celui-ci s'enquiert
du nom de son remplaçant, Jean Ferniot lui
répond en souriant : « C'est moi, car j'ai réussi à
poser mes conditions. Je reste chef du service
politique mais j'ai obtenu une nouvelle rubrique
gastronomique sous le pseudo de "Mon Oncle".
Cela me permettra d'échapper aux immondes
plateaux-repas de Jean-Jacques. » Ferniot n'a pas
tort de se moquer de cette habitude qu'avait ins-
tituée JJSS dès les débuts de faire livrer des repas
semblables à ceux qu'on sert en avion sous prétexte de gagner du temps et de l'argent... JJSS
n'aime pas la bonne cuisine et s'en moque comme
d'une guigne. Il ne se soucie guère non plus de ce
que pensent ses collaborateurs de son hygiénisme,
qui confine à l'obsession, et de son souci de la
ligne. On se demande comment Françoise Giroud
a pu endurer pendant tant d'années un homme qui

n'est pas gourmand et n'apprécie pas la gastronomie, elle qui sait et adore faire la cuisine...

Jean-Jacques Servan-Schreiber change l'organigramme.

Françoise Giroud se félicite de l'arrivée de Georges Suffert, qui travaille à ses côtés pour renouveler le journal. Il va la conforter et la protéger. Elle est son aînée (il a trente-six ans et elle quarante-sept) et, entre eux, très vite, une complicité intellectuelle et amicale va s'instituer. Trois rédacteurs en chef vont travailler avec elle : Jean Ferniot, qui couvre la politique, René Guyonnet, ancien collaborateur des *Temps modernes*, traducteur et critique cinématographique, pour superviser la partie culture, et Christiane Collange, ex-Coblence, sœur de Jean-Jacques, collaboratrice de la première heure de *L'Express*, devenue l'épouse de Jean Ferniot : elle est la première femme à accéder à ce poste, après avoir créé, en 1954, « La page au féminin », transformée en « Madame Express », véritable journal dans le journal, avec ses seize à vingt-quatre pages hebdomadaires qui apportent à *L'Express* une bonne part de ses recettes publicitaires. Alice Morgaine qui travaillait avec elle se souvient : « Nous disposions d'une liberté totale. Françoise, néanmoins, s'intéressait à ce que nous faisions et corrigeait nos textes. Elle aimait ce que nous découvrions. Je me souviens d'avoir été interviewer le bras droit de Le Corbusier, Wogenscky, et être revenue bredouille. Je lui ai demandé un délai de quatre semaines. Je suis revenue le voir. J'ai réussi à obtenir sa confiance. Françoise a accepté mon délai et m'a félicitée pour mon papier. Après elle m'a encouragée à défendre le design italien que personne ne connaissait. »

Pour Françoise Giroud, l'urgence est d'enrayer la chute des ventes. Elle commence par donner une visibilité accrue à « Madame Express » et invente une curieuse façon de la mettre en lumière : souhaitant en faire un cahier autonome, elle le colle à l'envers du journal, croyant que le lecteur pourra s'emparer ainsi de deux journaux, selon qu'il l'ouvre recto ou verso. Elle doit vite déchanter : les lecteurs se plaignent et sont déboussolés.

Comment redonner une influence politique au journal avec un leader de l'opposition qui, prudent, ne veut pas se lancer dans la bagarre deux ans avant la présidentielle ? Dix ans auparavant, *L'Express* avait lancé le « Forum » en demandant à six personnalités des analyses politiques. Un mois plus tard, la moitié d'entre eux siégeait au gouvernement. Françoise Giroud et Jean-Jacques Servan-Schreiber relancent la même opération en faisant appel à des syndicalistes, des cadres, des hauts fonctionnaires... Françoise est sur tous les fronts : de l'analyse politique, avec la coordination du forum, à l'appréciation de la situation sur le terrain, où elle se rend dès qu'elle le peut. Elle aime comprendre physiquement et psychiquement ce qui arrive. Ainsi, lorsque la grève éclate dans les houillères du Nord, avec pour motif une demande d'augmentation de 11 % pour les 70 000 mineurs, décide-t-elle de se rendre sur place en compagnie de Jacques Derogy pour tenter de nouer un dialogue avec les femmes de mineurs. Elle séjourne à Lens, Sarreguemines, Hénin-Liétard pour comprendre la misère qui ronge les damnés de la terre puis publie le 14 mars 1963 un long reportage : « De ce travail abominable, les mineurs avaient, autrefois, quelque fierté. Ils se sentaient utiles, nécessaires et même, parfois, héroïques. Ils étaient le sang et la vie de l'industrie, les soldats de la "bataille du charbon". Aujourd'hui on se souvient d'eux quand un hiver dur dérange les calculs des bureaux de Paris, cette ville lointaine, où la plupart n'ont jamais mis les pieds... Les mineurs du Nord sont aujourd'hui des hommes qui n'ont plus qu'un passé. De l'avenir, pour eux et pour leurs enfants, ils ont peur. Du présent ils savent seulement qu'il ne débouche sur rien. Ailleurs on parle d'expansion. Chez eux, on ne parle que de régression. » A chaque fois qu'elle le peut, elle délaisse le journalisme en chambre et aime s'immerger dans des situations pour construire de grands reportages. Celle que certains décrivent comme une mondaine, butineuse du moindre ragot ou soucieuse de montrer ses dernières robes, préfère en réalité comprendre le mécanisme des grèves et décrire la dignité de la classe ouvrière.

Le 20 juin 1963, le numéro 627 titre : « L'Express a dix ans ».

Dans un article de trois pages, Françoise Giroud dresse un bilan et dégage les perspectives d'avenir : « Cinq cents semaines, c'est le moment où la colonne vertébrale du journal est consolidée, mais où les dents de sagesse n'ont pas encore percé. » La grande histoire de *L'Express*, reconnaît-elle, aura été la guerre d'Algérie et elle-même n'en revient pas que le journal y ait survécu. Elle en remercie les lecteurs qui ont accordé leur confiance à la rédaction et l'ont aidée et protégée. Analysant les lignes de force de la politique internationale, axe principal du journal depuis sa création, elle en tire la leçon que nos modèles de pensée sont désormais cassés et que les références au passé ne font que scléroser notre imagination : « L'histoire ne sonne jamais deux fois. Le futur est toujours original. »

L'avenir n'est pas envisageable avec le Général, « l'homme qui gouverne le vide... et viole la Constitution ». *L'Express* se donne donc pour tâche de faire élire son successeur.

CHAPITRE XXI

Monsieur X

Depuis la fin du printemps 1963, l'obsession de Françoise Giroud et de Georges Suffert, partagée par les membres de la rédaction et le Club Jean-Moulin, est de choisir LE candidat qui pourra incarner la gauche aux futures présidentielles. Pierre Mendès France reste-t-il toujours aussi hésitant ? Françoise Giroud le teste, mais n'arrive pas à obtenir de véritable engagement. Autour d'elle, Ferniot, Suffert, Servan-Schreiber s'impatientent. Il faut combler le vide. Pourquoi ne pas lancer Defferre ou Mitterrand ?

Début juillet, un déjeuner réunit Jean-Jacques Servan-Schreiber et Pierre Mendès France. Impatient, le premier accule le second, un peu violemment, à se déclarer en le menaçant de rupture. Mais comment l'homme à principes qui n'a cessé de dénoncer cette Constitution pourrait-il prendre les habits d'un monarque qu'il a tant dénoncé ? « Je ne suis pas votre homme », finit-il par concéder à un JJSS exaspéré par tant de pusillanimité. Jean-Jacques confie alors à Françoise qu'il rompt politiquement avec lui et le fera savoir publiquement.

Le lendemain, Françoise Giroud envoie une lettre d'excuses à Pierre Mendès France :

8 juillet 1963

Cher Président,

Cette rupture avec J.J., vous en éprouvez, sans doute, aujourd'hui, de la satisfaction. En vous quittant vendredi, j'ai su que vous la souhaitiez, obscurément, peut-être, et qu'elle serait inéluctable si l'entrevue que vous exigiez se produisait. C'est pourquoi j'avais personnellement souhaité qu'elle n'ait pas lieu. Mais j'étais déjà au-delà de la discrétion en m'immisçant dans une affaire qui ne me concernait pas et à laquelle seul le hasard de notre rendez-vous m'a mêlée. Maintenant il y a une situation de fait. Est-elle bonne pour vous et pour *L'Express*, mauvaise pour vous et pour *L'Express*, bonne pour l'un, mauvaise pour l'autre, je n'en sais rien. Et que cela me fende le cœur et me désespère de toutes les manières, sentimentalement, politiquement, est sans signification pratique. Mais puisque vous m'avez parfois accordé du jugement, je vous supplie de considérer une seule remarque : quel que soit le fond d'une affaire, personne ne la connaît. Et personne ne connaîtra jamais le fond de celle-ci, parmi ceux qui dauberont demain. Alors ce qui compte, dans l'immédiat, c'est la physionomie publique que vous retirerez, vous-même et J.J., d'une rupture qui ferait beaucoup parler si elle était connue. Que dira-t-on de J.J. ? Il apparaîtra comme quelqu'un de dur, de très dur, fût-ce avec sa propre famille. C'est tout et cela n'apprendra rien à personne. Mais que l'on puisse, à votre sujet, ricaner, c'est intolérable. Et je connais assez mon Paris pour savoir comment on racontera les choses, quoi que vous fassiez, quoi que vous disiez et quoi que nous disions.

Bienveillants ou malveillants à votre égard, les commentaires sont aisés à prévoir. Vous ne pouvez pas déguiser en rupture politique ce qui n'en est pas une.

Alors je vous demande, Président, de vous garder vous-même, en gardant, pour le moment, le silence sur tout cela... Je le crois si fermement que je tape moi-même cette lettre à la machine, quelque confiance que j'aie en ma secrétaire... Faites-moi, je vous en prie, le crédit de croire que j'écris cela en pensant à vous, et seulement à vous et à tout ce que vous représentez. Je ne suis liée à personne. Mes intérêts ne sont plus rien. Il ne me reste que des amitiés de loup solitaire qui ne mènera sans doute plus de combat avec un compagnon de lutte. Celle que j'ai conservée à Jean-Jacques est très grande, elle n'est pas exclusive. Celle que j'ai pour vous demeurera aussi longtemps que vous en voudrez.

C'est elle qui me donne aujourd'hui l'audace de me mêler, encore une fois, de ce qui ne me regarde pas. (Archives Institut Pierre-Mendès-France.)

Le cœur de Jean-Jacques Servan-Schreiber va désormais à Gaston Defferre ; mais comment faire campagne sans heurter les différentes susceptibilités ? Jean Ferniot aura l'idée géniale, à la rentrée parlementaire, dans le but de ne froisser aucune des familles de la gauche, d'inventer avec la complicité active de JJSS un Monsieur X, sorte de mixte de Pierre Mendès France, Maurice Faure, François Mitterrand et Gaston Defferre. Le 19 septembre il signe un article de deux pages titré « Monsieur X contre de Gaulle ». Et, dans un geste éditorial digne des plus grands feuilletonistes du siècle précédent, le journal entretiendra, pendant des semaines, le suspense sur sa véritable identité. Le portait-robot idéal du candidat de gauche aiguise la curiosité de la classe politique et journalistique tout autant que celle du public. Mais qui est donc ce Monsieur X ? Jamais le journal ne recevra autant de courrier, d'appels téléphoniques, relançant ainsi ses ventes de manière spectaculaire. *Paris-Match* organise un concours pour dévoiler la mystérieuse identité, *Le Canard enchaîné* affirme que ce n'est autre que de Gaulle... Jean Ferniot, chaque semaine, dans les colonnes de *L'Express*, est chargé d'affiner le caractère et les orientations de cet homme qui reste sans visage. Michèle Cotta vient d'entrer au journal avec son doctorat de Sciences politiques. Elle est d'abord chargée de seconder François Erval mais, très vite, elle va être repérée pour son flair et son esprit de synthèse : « Ferniot n'arrêtait pas de me dire : "Françoise est jalouse de toi". En fait je crois qu'elle avait peur de me lâcher avec mes vingt ans dans ce milieu si machiste de la politique. A partir du moment où elle l'a assumé, elle m'a toujours protégée et donné des conseils. Et m'a mise en avant. C'est ainsi que Jean-Jacques m'a envoyée suivre Defferre en espion à Lens pour l'écouter prononcer son discours. Le lendemain je suis revenue au journal et j'ai dit : il ne se présentera pas. Jean-Jacques le forçait et exerçait un pouvoir sur lui. Il s'était même installé un temps à Marseille pour jouer en quelque sorte son coach et le persuader de ses talents. Quand Jean-Jacques voulait quelque chose il l'avait. Françoise, elle, n'y croyait qu'à moitié mais ne le disait pas haut et fort. Elle n'a d'ailleurs jamais revendiqué l'invention de ce Monsieur X. Defferre n'avait pas envie d'y aller. C'était une évidence mais personne ne voulait y croire. » A la mi-octobre, de passage à Paris,

Monsieur X donne un entretien à *L'Express*. L'étau se resserre. Le *Canard* titre : « Le masque Defferre. » Le 24 octobre, *L'Express* vend la mèche. La gauche a enfin son candidat, inventé de toute pièce par l'hebdomadaire.

La remontée des ventes va, hélas, être de courte durée et, pour recapitaliser le journal, Jean-Jacques Servan-Schreiber demande à son père de vendre *Les Echos* et propose à son frère cadet, Jean-Louis, qui vient de mettre de l'ordre dans le journal de son père et d'y introduire le management, de se rendre en mission aux Etats-Unis pour radiographier la manière dont marchent les news américains. C'est sur le paquebot *France*, quelques heures après avoir embarqué, que Jean-Louis apprendra l'assassinat de Kennedy.

Françoise Giroud part alors pour Washington afin d'y couvrir les obsèques, puis pour Dallas et, sur place, se livre à une enquête fouillée, à la Truman Capote, sur les raisons de ce drame. Elle reste là-bas plusieurs semaines et y suit les premières réunions publiques du président Johnson.

A son retour, elle prend fait et cause pour Gaston Defferre et l'accompagne dans tous ses déplacements. Elle délaisse le terrain culturel pour se vouer totalement au politique, inventant un nouveau regard sur ce monde qu'elle considère comme un univers régi non pas tant par les discours que par les passions, les affects, l'émotion, et où la manière d'apparaître compte toujours plus que l'exposé des volontés.

Pour le fréquenter assidûment et le connaître depuis longtemps, elle sait que Gaston Defferre hésite encore à se présenter, tant il est persuadé de ne pas être le meilleur des candidats. Elle l'exhorte à franchir le pas, vante ses qualités, tente de le convaincre. Ce temps de latence va être utilisé par François Mitterrand qui, le 29 avril 1964, accorde à *L'Express* un long entretien où il déclare qu'il se sent prêt à être candidat...

Il y a un lien consubstantiel entre l'état de la gauche et *L'Express* : quand la gauche se déchire, le journal décline. Jean-Jacques Servan-Schreiber le sait bien qui, avec son impatience coutumière, n'a pas attendu le retour d'Amérique du frère prodigue pour préparer une alliance avec Jean Prouvost. Il propose de céder la moitié des actions de sa famille en échange du soutien du groupe Prouvost, proposition peu appréciée par les Servan-Schreiber qui pensent qu'il fait un trop beau cadeau sans réelle contrepartie. A l'intérieur de la rédaction également ces tentatives sont violemment critiquées, y compris par l'obéissante Françoise Giroud qui n'a guère envie que le journal soit contrôlé par un ancien ministre du maréchal Pétain... Gaston Defferre ne renâcle pas moins, en faisant connaître publiquement son incompréhension. C'est finalement Jean Prouvost qui jettera l'éponge et interrompra les négociations en affirmant qu'il ne veut pas devenir l'associé « d'un beau parleur avec zéro de conduite ». Servan-Schreiber fera croire qu'il est à l'origine de cette rupture, car Prouvost aurait demandé 51 % du capital. Tout le monde fera semblant de le croire, trop content d'échapper aux griffes du grand capital.

« Jean-Jacques avait cet art de vous séduire et de vous faire croire ce qu'il voulait, confirme Michèle Cotta. En sa présence on se sentait en confiance et plus intelligent. Il possédait un art d'illuminer les gens et faisait croire à chacun de ses interlocuteurs qu'il était le meilleur. Ainsi avançait-il à la recherche de son propre désir. »

CHAPITRE XXII

Jacques Lacan

Lacan n'a pas attendu que les plaies se cicatrisent. Personne ne sait mieux que lui que le temps ne joue guère quand la souffrance est extrême. Tout au plus a-t-il observé que Françoise Giroud avait su prendre un peu de distance par rapport à son suicide manqué. Il a noté qu'elle avait lancé dans *L'Express*, le 17 octobre 1963, une enquête sur le thème : pourquoi se suicide-t-on ? Des sociologues et des médecins ont tenté d'apporter leur éclairage. Sans véritablement convaincre. Françoise a-t-elle éradiqué l'envie de recommencer ? Elle l'ignore, mais éprouve la sensation de ne plus être dans cette détresse existentielle qui l'avait éloignée de toute activité et coupée du monde.

Tous deux se connaissent, se fréquentent, s'apprécient, s'estiment... Amis ? Non, pas vraiment, mais dans la même constellation de la reconnaissance réciproque. Lacan aime les femmes belles, fortes, lancées, et il n'est pas indifférent au rôle qu'a joué *L'Express*, grâce à Madeleine Chapsal, pour le faire apparaître comme le chef de file de la psychanalyse, pour ainsi dire comme le fils héritier de Freud.

Après sa tentative de suicide à Paris ont suivi
de longs mois où Françoise Giroud ne pensait, de
nouveau, qu'à mettre fin à son existence. Dans la
maison du Midi d'Hélène Lazareff, elle passait
ses nuits à tenter de dormir, bourrée de somnifères,
en suppliant : « Mon Dieu, faites que je dorme
et que je ne me réveille jamais ! Il ne faut jamais
compter sur Dieu. Aussi bien, je n'y comptais pas,
mais quand on arrive au bout de la détresse, quelque chose de mécanique se déclenche et on dit
mon Dieu. »

On se souvient que Lacan, en 1960 à Aix-en-
Provence, après un opéra de Mozart – « Mais
Mozart même m'était indifférent. Je voulais dormir, point à la ligne », raconte-t-elle dans *On ne
peut pas être heureux tout le temps*... –, avait
accepté qu'elle entre en analyse sans lui préciser de
date. Elle savait qu'il tiendrait parole. Dans *Leçons
particulières,* elle lui fait la plus belle déclaration
d'amour et de reconnaissance qu'on puisse imaginer : elle lui attribue le fait d'avoir retrouvé goût
et sens à l'existence :

> Lacan, Jacques Lacan
> Je lui dois ce que j'ai acquis de plus précieux, la
> liberté, cet espace de liberté intérieure qu'aménage,
> à son terme, une psychanalyse bien conduite.
> Serais-je tombée entre les mains de Lacan à
> vingt-cinq ans, le cours de ma vie en eût été pro-
> fondément bouleversé. J'aurais pu me regarder
> vivre et rire doucement de moi, j'aurais été plus
> amicale à mon égard au lieu de me cravacher
> sans cesse, j'aurais aimé d'autres hommes, je
> n'aurais pas créé *L'Express*...

Je ne regrette rien, comme chante Edith Piaf, rien de rien, mais quand j'ai demandé secours à Lacan, je croulais sous le poids des mots refoulés, des cris avalés, des conduites obligées, de la face à sauver, toujours cette sacrée face, A quarante ans, un peu plus, je n'étais plus apte à vivre.

En 1964, Françoise Giroud a quarante-huit ans. Elle va considérer son analyse comme un engagement intellectuel. Elle n'attend pas, de ce cheminement qui durera trois ans, l'effacement de ses peines, mais la possible prise à bras-le-corps de son existence. Elle a conscience qu'elle a passé sa vie à méconnaître sa véritable identité, à assurer, à assumer, à traverser les différentes épreuves, d'abord comme une brave petite soldate, puis comme une valeureuse guerrière, sans jamais s'interroger sur les failles, les discontinuités, les vides, les absences. Progressivement, elle s'est construit un personnage auquel elle s'est identifiée en laissant de côté sa propre personne. Elle ressent donc la nécessité de se retrouver, de se rassembler en quelque sorte, en déconstruisant les éléments savamment agencés du puzzle. Lâcher prise. S'abandonner enfin. Lacan fera avec elle une analyse classique : allongée trois fois par semaine rue de Lille avec des séances d'une demi-heure. Quatre cents séances en tout. Pas question de se dérober. Interdiction de trouver un prétexte pour ne pas venir. Payer en liquide à la fin de chaque séance.

Lacan, à cette époque, se présente en disciple de Freud, qu'il a comparé à Champollion dans l'entretien accordé à Madeleine Chapsal. Cependant, comme le souligne Elisabeth Roudinesco dans

Jacques Lacan, esquisse d'une vie, histoire d'un système de pensée, il allait déjà plus loin que Freud et faisait de la psychanalyse « le paradigme de toutes les formes de la rébellion humaine ».

Bien que, en 1964, Lacan n'ait que très peu publié et ne soit connu que d'un cercle d'initiés, Françoise Giroud lui fait totalement confiance : elle sait qu'il est médecin clinicien, elle a suivi certains de ses enseignements à Sainte-Anne, elle est liée à lui par des amis communs.

Françoise ne manquera aucun rendez-vous. Dès le premier, elle comprend que l'association des mots fait, comme le dit Lacan lui-même, « vaciller les semblants ». Elle ne vient pas pour moins souffrir. Elle accepte même l'idée de souffrir plus pour comprendre les racines de son mal. Lacan avait, dit-elle, une curieuse façon d'interrompre les séances, juste au moment où le patient était en train, seul, de tracer un sillon sur lequel il pourrait revenir à la séance suivante... Il l'avait prévenue : tout peut voler en éclats pendant une analyse, puisqu'il s'agit du dévoilement de sa propre vérité. De certaines séances elle sortira hagarde. Sur le divan, elle apprendra et constatera l'irruption soudaine de son inconscient dans sa propre parole. Elle comprendra aussi « que quelqu'un vous marque au fer par le langage, avant même votre naissance, vous assigne à votre place, vous impose son désir que vous faites vôtre ». Progressivement, elle saisit comment la place du père a oblitéré en elle toute possibilité d'éclosion de sa propre personnalité, et de quelle manière elle a oscillé entre les deux sexes, garçon comme le voulait son père, femme vivant sans homme et gagnant sa vie comme un homme pour nourrir la nichée familiale. Etre à la hauteur du père, se surpasser pour ne pas décevoir un être qui, par définition, ne pourra jamais ni vous répondre ni vous rassurer. La cure lui fait éprouver son incomplétude et lui permet de mieux situer le type de relation qui l'unit à Jean-Jacques.

De l'amant ayant pris la place du père, elle fera insensiblement son frère.

Lacan l'avait prévenue : pendant la cure, ne prenez aucune décision. Elle lui a obéi. Françoise va traverser une crise métaphysique, mais sans pour autant, à aucun moment, verser dans le mysticisme. Elle sera sur le point d'interrompre son métier pour réaliser son rêve, enfoui depuis longtemps : entreprendre des études de médecine, mais elle se réfrénera.

« La psychanalyse est un remède contre l'ignorance. Elle est sans effet contre la connerie », lui disait Lacan. « Je ne lui demandais que de guérir mon ignorance. Et, du même coup, peut-être ma souffrance. »

Qui, des deux, a décidé d'arrêter ?

Ils continueront à se voir régulièrement et Françoise Giroud deviendra pour Lacan, comme l'atteste une correspondance, une interlocutrice privilégiée jusque dans les années 1970. Il lui enverra des textes inédits, notamment un de dix pages sur la femme en vue d'une conférence à Milan, pour savoir si ses propos sont compréhensibles du grand public. Lacan, confirme Elisabeth

Roudinesco, était coutumier du fait et demandait l'avis de quelques personnalités avant publication. Mais Françoise, manifestement, occupait une place privilégiée dans son cœur puisqu'il la relançait pour avoir des photographies d'elle dédicacées.

Alain, le fils de Françoise, puis sa fille, Caroline, iront, eux aussi, suivre une analyse rue de Lille, et Lacan sera, comme une photographie de famille l'atteste, invité au second mariage de Caroline.

CHAPITRE XXIII

Nouvelle vie

L'Express du 14 septembre 1964 montre, en couverture, le léopard, la mascotte du journal – choisie par Françoise en 1956 lorsque le quotidien est redevenu hebdomadaire –, tous crocs dehors. En titre : « L'Express bondit » par JJSS. Le journal annonce une nouvelle formule, fruit d'un rapport élaboré par Jean-Louis Servan-Schreiber sur la presse américaine et l'avenir de *L'Express*.

Celui-ci me reçoit, en février 2010, dans son bureau chaleureux où des portraits de son frère, de son père et les principales couvertures de *L'Express* sont affichés. Non sans avoir rappelé le lien indéfectible et suprêmement protecteur qu'attachait leur mère à ce fils idolâtré, Jean-Louis se souvient avec émotion de son séjour aux Etats-Unis, de la confiance que lui a accordée son frère lorsqu'il lui a remis son rapport, et de la situation d'urgence dans laquelle se trouvait alors le journal, tant sur le plan financier que quant à son positionnement dans la presse française : « Il fallait mourir ou savoir renaître. Il s'agissait de cela. *L'Express* avait inventé une forme de journalisme qui avait été copiée par les autres concurrents, puis qui s'est trouvée elle-même dépassée par certains, comme *France-Observateur*, qui allait devenir *Le Nouvel Observateur*. Le journal vieillissait. Sa clientèle aussi. Le jeune intellectuel de gauche ou la jeune femme qui travaillait ne se reconnaissaient plus dans ces pages qui ne faisaient pas toujours le tri entre les événements, privilégiaient les commentaires – écrits quelquefois dans une langue spécialisée – plutôt que les faits, s'éloignaient du contemporain, de l'incandescent, de la vie comme elle va. La concurrence et de la radio et de la télévision a aussi porté atteinte à l'image de ce journal qui devenait plus l'écho de la réalité que l'acteur de l'événement. »

Françoise Giroud a joué un rôle stratégique de persuasion et de coordination : « Son action fut indispensable à la réalisation de ce journal, même si une paroi de verre permanente entre nous embuait nos relations », atteste aujourd'hui Jean-Louis Servan-Schreiber, qui se souvient d'un état d'esprit d'insoumission dans une rédaction difficile, qui voyait des ennemis partout, et commençait à contester la légitimité de son patron, abîmé par son échec électoral, mais toujours désireux de continuer son combat politique, tout en restant le patron d'un journal indépendant. De plus, il n'acceptait que très difficilement la transparence financière. Depuis longtemps régnait une sorte d'autogestion qui dans certains secteurs confinait à l'opacité.

Pour lancer la nouvelle formule, un condensé de quatorze pages est distribué gratuitement en kiosque. Dans le dernier numéro de l'ancienne formule, Jean-Jacques Servan-Schreiber, après avoir remercié son frère pour son apport, fait son auto-critique : *L'Express* manque d'actualités inter-nationales, n'est pas équilibré dans la couverture des disciplines, sa qualité rédactionnelle est devenue « inégale, brillante souvent, quelquefois moyenne, manquant de "tonus", et son support technique dépassé ». Il faut donc sortir du cocon, élargir son horizon et savoir couvrir les quatre élections en Allemagne, en Angleterre, aux Etats-Unis, et, bien entendu, en France, où la présiden-tielle approche.

Ce jugement n'apparaît-il pas comme une atta-que en règle contre les méthodes et les idées de Françoise Giroud ? Jean-Louis Servan-Schreiber se souvient que, si elle a joué le jeu publique-ment, devant la rédaction, de l'union avec les frères Servan-Schreiber, elle a longtemps regimbé contre ce qu'elle nommait « cette américanisation du journal » et son côté lisse, son absence d'âme. Mais elle a vite compris qu'elle ne réussirait pas à faire bouger Jean-Jacques. Françoise déteste être battue et, plus encore, qu'on le sache... Elle pré-fère faire semblant d'être d'accord. Réaliste, elle sait qu'elle n'a aucune capacité, pas plus financière qu'institutionnelle, pour contrecarrer le projet, et elle fera finalement contre mauvaise fortune bon cœur. C'est dans sa maison de campagne de Gambais, au cours du week-end du 23 mai 1964, avec une poignée de fidèles – Jean Ferniot, Chris-tiane Collange, Bruno Monnier, René Guyonnet – que fut adopté et élaboré le « débarquement », nom de code de cette nouvelle formule. Le compte à rebours avait commencé le 8 juin, le déménage-ment, rue de Berri, eut lieu le 28 août et la nou-velle formule sortit le 21 septembre – date de l'anniversaire de Françoise. Hommage de Jean-Jacques ou simple coïncidence ?

L'Express paraît désormais le lundi et comporte trois grandes sections : politique, culture, vie quotidienne. Il est indépendant de tout parti politique. Il est imprimé en offset et change de format. L'hebdomadaire est fait pour être conservé un mois, l'idée du livre n'est pas loin, la pensée de la forme prégnante, le défi difficile car novateur. Françoise Giroud définit ce nouvel objet : « Il s'agit de prouver que, sans concession à la bassesse, à la vulgarité ou à la niaiserie, un hebdomadaire français peut avoir assez d'audience pour s'accorder les moyens modernes d'impression et d'information complète dont disposent, aujourd'hui, les hebdomadaires étrangers de même nature. »

Jean-Louis Servan-Schreiber évoque ce moment : « Françoise a été au charbon. Elle a introduit de l'homogénéité dans le style et rewritait quasiment tout. Avec moi, elle était distante : j'étais un jeune blanc-bec sans importance, même si j'avais déjà dirigé la rédaction des *Echos*. Il était normal qu'elle continue à prendre en charge le côté rédactionnel, mais je n'avais pas le droit de critiquer le contenu. Jean-Jacques m'avait dit : "Tu ne touches pas à l'éditorial". »

Ce premier numéro attire la curiosité et connaît plusieurs tirages, mais les ventes baissent dès le numéro suivant et, dès le troisième, la chute semble impossible à enrayer. Est-ce pure nostalgie ? Le journal semble avoir perdu de sa beauté, de son audace, de son inventivité. Où est passée son âme ? En tout cas, pour la lectrice que je suis, si souvent émerveillée, émue, époustouflée par tant et tant de numéros de *L'Express* ancienne formule, j'éprouve le sentiment que le nouvel *Express* se professionnalise en perdant du même coup ce côté insolite et singulier qui lui donnait son prix. Il s'adresse désormais à un lectorat de cadres qui veulent savoir en moins de temps qu'il n'en faut pour l'écrire ce qu'il convient de connaître de l'évolution du monde. Il conserve ses capacités de réflexion, ses engagements de gauche, sa croyance au journalisme de terrain, l'importance qu'il donne à la culture, mais le tout semble comme assagi, assaini, assujetti au modèle publicitaire.

Françoise le sait, le sent, mais ne dit mot. Elle a la tête ailleurs, tout en continuant à assumer, week-end compris, ses responsabilités. Françoise est amoureuse et elle n'en revient pas... Elle en convient dans *Leçons particulières* : c'est grâce à son analyse avec Lacan qu'elle a pu « reconstruire avec un homme une relation harmonieuse et solide sur un nouveau diapason. J'en avais fini avec mon père ».

L'heureux élu s'appelle Jerzy dans son roman *Mon très cher amour,* publié en 1994. Il est jeune, pataud, ressemble à un grand chien prêt à vous sauter à la figure. Il est effronté et a de la repartie – qualité utile pour un jeune avocat. Il a les yeux gris et un fond mélancolique, sous des dehors plutôt orgueilleux. Quand j'entre dans son bureau, en mars 2009, non loin de l'Assemblée nationale, et qu'il me reçoit avec la gentillesse, la prévenance, la volubilité dont il témoigne aujourd'hui, je regarde ses yeux : oui, ils sont gris. Il n'est plus, toutefois,

« l'avocaillon » que Françoise Giroud décrit dans
son roman, mais l'un des plus célèbres avocats de
France, celui qu'on vient chercher pour les causes
difficiles. Il a plaidé, comme dans le roman, pour
une femme qui avait de sang-froid assassiné son
amant. Le roman ne dit pas toujours la vérité.
Françoise et lui ne se sont pas rencontrés lors d'un
cocktail littéraire, mais à une réunion du Mouvement pour l'action et la coordination des intellectuels anti-fascistes. Il l'a bien abordée en lui
disant, comme dans le roman : « Vous avez une
robe transparente. » Elle a souri. Elle lui explique
qu'elle arrive des Etats-Unis. Il lui demande si elle
n'est pas fatiguée par le jet-lag. Elle lui répond :
« Pas du tout, bien au contraire. » Georges Kiejman sourit lorsqu'il évoque le souvenir de Françoise : « Elle était solaire et ressemblait à la
foudre... Oui, elle en imposait, pas seulement par
sa beauté, mais par l'autorité naturelle qui se
dégageait d'elle. Elle était crainte par une partie
de ses collaboratrices et considérée comme une
impératrice : elle n'hésitait d'ailleurs pas à user
de son pouvoir hiérarchique... Elle exerçait aussi
un pouvoir de séduction auprès des hommes que
j'admirais : François Mitterrand, Gaston Defferre
et, bien sûr, Pierre Mendès France, que j'idolâ-
trais. »

Dans le roman, inspiré par leur histoire, Françoise raconte comment sa narratrice, qui sort brisée d'une rupture amoureuse, vit seule, avec, de
temps à autre, quelques liaisons passagères plutôt
humiliantes. Elle est mue par ce désir sexuel qui
peut surgir à tout moment et qu'elle entend bien
laisser s'exprimer mais pas avec n'importe qui.
Elle a appris comment tenir à distance les hommes

dont elle ne veut pas : avec des mots durs, qui les déconcertent. La narratrice est la prédatrice. C'est elle qui choisit ses proies et en change lorsque le désir s'émousse : « Ne pas leur permettre de pousser leur offensive, tout le secret est là. Je ne redoutais que ma propre faiblesse, cette chaleur qui me montait le long des jambes lorsque l'un d'eux, qui me plaisait, m'écrasait contre lui d'un geste brusque. » Dans *Mon très cher amour*, Françoise Giroud, donc, raconte s'être amourachée d'un jeune homme lors d'un cocktail chez Gallimard. Georges Kiejman confirme : « Je la voyais pour la seconde fois. Il y avait là Sartre, Genet, Montherlant... Bref, du beau monde. Mais je n'ai vu qu'elle. Ses yeux, ses seins. On ne sait pas pourquoi on tombe amoureux. L'essentiel est de tomber amoureux. Et éprouver ce sentiment pour une jolie femme me donnait du plaisir et de l'énergie. Nous sommes partis ensemble dans sa Mercedes décapotable et elle m'a laissé au coin de l'avenue Rapp. Puis, comme dans le roman, je l'ai, le lendemain, invitée à dîner au Cercle Rive Gauche, et je lui ai raconté – je m'en souviens encore avec précision – mon amour pour Balzac – et particulièrement pour *La Femme abandonnée* et *Le Père Goriot*. »

« Je peux être très drôle et je suis très intelligent. Vous ne vous ennuierez jamais avec moi. Vous êtes-vous ennuyée ce soir ? » demande Jerzy, dans *Mon très cher amour,* à cette femme qu'il découvre.

Françoise s'est si peu ennuyée qu'elle propose à Georges de venir boire un verre chez elle – un lieu pourtant secret, son territoire où seuls les intimes ont le droit de pénétrer. Les enfants partis

(Caroline a quitté l'appartement familial dès quatorze ans et demi, et Alain de son côté vit seul à Paris), Françoise a choisi de vivre dans un appartement moderne du XVe arrondissement qu'elle a décoré avec passion d'objets design et qui est vite devenu son refuge : « Aucun homme n'y avait jamais vécu avec moi. Le désordre était mon désordre, le parfum, mon parfum. J'étais là comme un chat dans son panier. »

Dans le roman, Françoise décrit la première nuit d'amour, les caresses inventives, la manière de faire monter le plaisir et de le partager, les paroles échangées, la crudité des mots indicibles hors de l'étreinte.

Au réveil, l'héroïne se dit que cet homme est dangereux, qu'il risque de perturber l'ordre de sa vie. Elle décide donc de tenter de l'oublier en s'étourdissant dans le travail. Jerzy a laissé un mot sur l'oreiller : « Si vous ne voulez pas me revoir, vous ne me reverrez jamais. Sinon appelez au bureau. Dites que vous êtes Madame de Mortsauf, je comprendrai. »

Georges Kiejman rectifie. Françoise a inversé les rôles : « C'est moi qui devais l'appeler au journal en me faisant appeler par un pseudo. J'étais un certain Gaston. Dans ce roman, elle s'est réapproprié des fragments de notre histoire, mais elle a construit le personnage masculin : je n'étais pas ce jeune homme énamouré qu'elle évoque, mais j'étais fasciné par cette belle femme, qui dégageait à la fois une puissance intellectuelle et érotique. Elle était drôle aussi et aventurière. Un vendredi soir, elle vient me chercher au bureau et me dit : "J'ai quatre-vingt-dix chevaux sous le capot. Pourquoi ne partirait-on pas assister au tournage d'un documentaire sur un hôpital psychiatrique en Lozère ?" Pourquoi pas ? Nous voilà partis. Hélas ! un ennui technique nous a fait remonter à Paris. Mais elle était ainsi : pleine d'humour, fantasque, imprévisible. »

Très vite, entre eux, s'établit une relation de confiance. Georges lui raconte comment ses parents ont été arrêtés puis déportés ; lui, l'enfant caché dans le placard, a été élevé par la voisine. Elle lui révèle son désespoir après le départ de Jean-Jacques, ses tentatives de suicide – il y en aurait eu deux –, l'effroi et le basculement psychique dans lequel elle s'est trouvée après la mort de sa mère : « Elle insistait beaucoup là-dessus. Elle me répétait qu'elle avait perdu en peu de temps sa mère qu'elle adorait et son grand amour. Son désir d'en finir ne venait pas seulement de la rupture amoureuse. »

Dans le roman, huit à dix ans les séparent. Dans la réalité, quinze. Peu importe. Françoise rajeunit et, quand elle se découvre de nouvelles rides, elle puise dans le regard des hommes la faculté de se rassurer sur sa séduction : « Jerzy était le dernier. Allons... Je n'avais qu'à me laisser aimer. »

Georges confirme : « Notre liaison a duré deux ans. Chaque week-end, nous partions pour Gambais. J'avais quelquefois l'impression de jouer le cover-boy. Nous jouions au volley-ball avec son fils Alain, qui avait une petite maison à côté. Mais, même le week-end, elle travaillait tout le temps.

Elle se levait à six heures du matin et tapait sur sa machine et j'ai encore dans la tête le son du cliquetis et de la barre. Elle jouissait alors d'un immense pouvoir en tant que directrice de *L'Express*. Elle faisait et défaisait les réputations dans le monde politique, artistique, intellectuel. Dans son roman, la narratrice est agent littéraire et non journaliste, comme si elle refusait qu'une partie de sa séduction puisse venir de son pouvoir. Moi, je suis avocaillon comme elle dit, ce qui était la vérité, mais elle mélange les périodes puisque, à un moment, elle me fait plaider un procès qu'elle a tiré d'un fait-divers d'avant-guerre, je ne sais pourquoi... ».

Georges est ému et, comme dans le roman, ses yeux s'embuent en parlant de cette femme charmante, élégante, érotique, qui savait choisir ses porte-jarretelles et en avait toute une collection, qui ressemblait à un jeune chat, qui lui a présenté la Callas, François Mitterrand – dont il deviendra ministre trois décennies plus tard –, et surtout Pierre Mendès France : « Moi, j'étais du lumpenprolétariat, sans elle je n'aurais pas fait toutes ces rencontres qui ont été décisives dans ma vie. Je l'ai quittée pour une jeune femme ravissante de vingt-cinq ans. » Dans le roman, Jerzy est volage, maladivement : « Oui, je l'avoue, je ressemble beaucoup à Jerzy et, quand je pense à Françoise, je la revois nager, écouter un opéra, je me souviens d'une femme heureuse, accomplie. » Et, fidèle à l'ironie mordante qu'elle prête à son personnage masculin, il ajoute : « Si je suis sincère avec moi-même, la grande rencontre de ma vie, ce n'est pas Françoise Giroud, c'est Pierre Mendès France. »

CHAPITRE XXIV

François Mitterrand

Françoise Giroud doit former les nouveaux journalistes – dont, entre autres, Serge Richard, Maurice Roy, Marc Ullman et Michèle Cotta, qui sera amenée à jouer un rôle fondamental dans l'évolution de *L'Express* –, coordonner les deux conférences de rédaction instituées par Jean-Jacques Servan-Schreiber, réécrire tous les papiers sur sa petite machine Olivetti jusqu'au jeudi, jour du bouclage. Elle met en scène, fait les titrages, le déroulé, choisit les photos. Pas surprenant, donc, qu'on ne trouve guère sa signature à cette époque. Elle est plus directrice que journaliste, même si elle se garde les sujets qui lui tiennent à cœur : la défense inconditionnelle de Godard à chaque sortie de film, l'éloge de Charlie Chaplin, dont elle fera un grand portrait, et une longue et passionnante enquête qu'elle lance sous le titre : « La psychanalyse va-t-elle libérer ou asservir ? » Avec clarté et précision, elle y résume les principales thèses de Freud et définit ce qu'est pour elle une psychanalyse : « C'est ce qui permet de ne rien ignorer de soi-même, surtout ce que l'on ne veut pas savoir parce qu'on se l'interdit. »

Le journal se cherche, teste des formules, la publicité y prend de plus en plus de place – pour vanter les bienfaits du Club Med, les salles de gymnastique, les vacances au ski – et il s'adresse à un lectorat de couples bronzés, hiver comme été, sportifs, cultivés, bobos avant la lettre... *L'Express* n'est plus une famille, mais une entreprise compartimentée. Un jour, Françoise Giroud va chercher une avance au service comptabilité : la jeune femme qui la reçoit, Cécile Darmon, lui demande, en toute innocence, son nom, ses titres, son ancienneté...

Les compétences intellectuelles comptent moins que l'efficacité et la manière de s'adresser à un public plus large. Ainsi, elle livre une bagarre homérique pour conserver à la rédaction son ami François Erval, grâce à qui ont été notamment découverts Nathalie Sarraute, Robert Pinget, Alain Robbe-Grillet, mais qui avait le tort de privilégier les maisons d'édition confidentielles et d'être particulièrement désordonné : il recherchait souvent ses propres articles pendant des heures pour les retrouver, à l'heure du bouclage, dans la poubelle...

Le retrait de Gaston Defferre va encourager JJSS à s'engager une nouvelle fois en politique : « Il faut que je fasse moi-même de la politique, il faut que j'y aille. Un directeur de journal n'a aucun pouvoir, je l'ai bien vu, j'étais impuissant. C'est le pouvoir qui m'intéresse. »

Françoise Giroud est bien l'une des rares à croire en son destin politique. Dès son retour d'Algérie elle l'avait conforté dans cette voie. Elle

pense qu'il possède un charisme susceptible
d'emporter l'adhésion des foules. Sur le plan personnel, au fur et à mesure, elle a su retisser un lien.
De nouveau, tous deux, comme de vieux complices
encore un peu énamourés, ils peuvent se parler,
se confier des secrets, se chamailler.

Contrairement à lui, elle n'a jamais cru que
Defferre irait jusqu'au bout. Premier à Marseille,
oui, mais trop peu sûr de lui pour seulement imaginer devenir président. Elle le décrit comme « un
grand seigneur de province, habillé à Londres,
protestant, ombrageux, intègre, courageux de
toutes les manières, qui dissimule, sous des formes
de matamore, une réelle modestie politique ».

Grâce à Michèle Cotta, Françoise Giroud sait
que François Mitterrand se prépare à entrer en
lice pendant que Jean-Jacques Servan-Schreiber
continue à s'époumoner pour supplier Gaston.
Les femmes ont souvent une longueur d'avance
en politique, particulièrement à *L'Express,* où
Danièle Heymann, Michèle Cotta, puis Catherine
Nay, qui rejoindra la rédaction plus tard, savent
trouver les informations avant tout le monde,
écoutent les hommes politiques, qui ont aussi envie
de leur parler. Ce bataillon de jeunes femmes
aguerries et particulièrement brillantes est dévoué
corps et âme à Françoise Giroud, qui les a engagées
puis formées.

Face à Jean-Jacques Servan-Schreiber, François
Mitterrand nie avoir la volonté de se présenter à
la présidentielle, trois jours après avoir dit le
contraire à Michèle Cotta. Furieux, JJSS se refuse
à la croire et publie un éditorial annonçant, sondages à l'appui, que « François Mitterrand ne
peut être l'alternative » pour la bonne raison qu'il

n'obtiendrait, au premier tour, que 16 % des voix... Jean-Jacques perd pied. Il incite maintenant les lecteurs de *L'Express* à voter Lecanuet, président du MRP, tandis que la majorité de la rédaction soutient Mitterrand. Dans cette période difficile où le talent d'anticipation de JJSS est mis à mal, Françoise Giroud est à la manœuvre. C'est dans *L'Express* du 15 novembre 1965 que paraît un grand entretien intitulé « Qui êtes-vous, François Mitterrand ? » A trois semaines des échéances, lui sont données cinq pages où il dévoile son itinéraire, ses propositions, son engagement pour l'Europe. Un véritable lancement... Interrogé par Françoise Giroud sur la question brûlante de la régulation des naissances, il répond : « Il importe de savoir quand, dans notre société actuelle, la femme a le droit de faire des enfants. » Cette déclaration fera couler plus d'encre que tout le reste de ses propos.

Jean-Jacques Servan-Schreiber continue, dans les colonnes de son journal – étrange impression de voir des positions aussi contradictoires cohabiter – à vitupérer cet improbable candidat qui « use de généralités faciles ». Françoise Giroud est seule à défendre l'honneur de JJSS, de plus en plus ridiculisé dans sa rédaction, seule à défendre ses journalistes, que Servan-Schreiber trouve « mous » et sans inventivité, seule à répondre aux reproches de Pierre Mendès France, qui se sent maltraité par le journal, et plus particulièrement visé par des attaques de Jacques Derogy. Le ton de la lettre qu'elle lui adresse le 5 octobre 1965 montre comment elle sait protéger et défendre ses collaborateurs :

Cher Président,

Il ne m'est pas possible de laisser dire, fût-ce par vous, surtout par vous, que *L'Express* ne se conduit pas correctement avec vous sur le plan professionnel.

Vous savez qu'aujourd'hui vous êtes au centre de quelques interrogations et qu'à ces interrogations on donne, ici ou là, diverses réponses. Les reproduire sans vous en parler nous conduira forcément à des erreurs où vous verrez encore je ne sais quelle mauvaise volonté à votre égard.

Il y a un moyen très simple de les éviter : c'est d'accepter qu'on les vérifie auprès de vous. C'était la mission de Jacques Derogy, qui est sérieux et compétent. Le motif que vous avez invoqué pour ne pas le recevoir n'étant pas exact, je ne sais pas quoi en conclure. Et je ne comprends pas.

Le 8 octobre, Mendès lui répond de manière aigre-douce : oui, il persiste et signe : c'est bien parce que *L'Express* s'est mal conduit vis-à-vis de lui et « a gravement dérogé à plusieurs reprises en ce qui me concerne à la rigueur de la doctrine journalistique que j'ai pensé sans objet de recevoir Derogy ». Le journal lui a fait tenir des propos qu'il n'avait jamais tenus et, lorsqu'il l'a fait savoir : « On a prétendu tenir l'information de la meilleure source, ce qui était bien, en fait, me traiter de menteur. » Avant de conclure : « Au moins cet incident aura-t-il eu pour conséquence de me donner de vos nouvelles après bien longtemps et de me fournir l'occasion de vous répéter mes sentiments toujours les plus dévoués. »

Pierre Mendès France ne comprend pas la ligne politique du journal et soutient, avec enthousiasme, la candidature de François Mitterrand. Il s'est éloigné amicalement et politiquement de Jean-Jacques Servan-Schreiber et va rompre avec *L'Express* avant de rejoindre, grâce à Jean Daniel, l'aventure de l'*Observateur*.

L'Express a perdu son mentor, sa raison d'être, mais ne semble pas s'en apercevoir. Il n'y a plus que Françoise Giroud pour rire de ce qu'elle nomme « les enfantillages de Jean-Jacques ». Il la fait rire aux éclats. Elle le considère comme un chef de guerre, un brillant stratège, un visionnaire, même si elle trouve ses papiers alambiqués et beaucoup trop longs, si bien qu'elle ne se gêne pas pour les sabrer sans même le prévenir... Ce n'est pas la méthode qu'elle emploie avec les autres journalistes.

« Quand nous lui rendions un papier, raconte Danièle Heymann, elle nous faisait venir dans son bureau. Elle avait mis des croix sur la page. Selon le nombre de croix on pouvait sombrer dans le désespoir. Mais en vingt-cinq ans, elle ne m'a jamais humiliée. Elle détricotait avec lucidité, notait les répétitions, détestait les adjectifs. Le travail était limpide. » Alice Morgaine : « Elle mettait des croix quand je lui remettais un article. Il fallait le refaire et elle avait raison. Un jour elle m'a convoquée parce que j'avais écrit qu'un nouveau fer à repasser ultraléger venait d'être mis en vente et j'en faisais l'apologie. Elle m'a dit, d'un ton très sérieux : un vrai fer à repasser doit être lourd. Pour elle il n'y avait pas de détail. Elle avait d'ailleurs engagé au journal une "checker", une femme qui, chaque semaine, vérifiait toutes les informations que nous allions publier : ce pouvait être un traité international comme la description d'un objet ménager. Tout devait être vrai. » `

Son charme opérait. Catherine Nay se souvient de son élégance, de sa classe, mais aussi de ses exigences : « Elle mettait la barre très haut et nous avions envie d'être à la hauteur de ses exigences, de ne pas la décevoir. Sa méthode était de croire en nous. Cette fierté qu'elle nous donnait, nous devions, à notre tour, savoir en être dignes. Elle était notre modèle, y compris dans sa manière de se tenir, cette façon de mettre en valeur son buste magnifique, de croiser ses jambes sur le divan au moment crucial d'un grand entretien politique. Une féline... ».

De ce charme, elle usait aussi avec les hommes. Claude Imbert, ancien rédacteur en chef à l'AFP, avait été recruté par Jean-Jacques Servan-Schreiber au moment de la transformation du journal, après un bref entretien avec Roger Priouret et Françoise Giroud. Il se souvient : « Nous avons beaucoup travaillé tous les deux, main dans la main et, dans l'ensemble, je m'entendais très bien avec elle, même si je n'étais pas de sa formation. Elle faisait preuve d'un grand professionnalisme et était toujours d'humeur égale. Elle possédait le sens du rythme dans le papier et devinait les réactions du public. Elle était vive, simple, exigeante. Nous réécrivions beaucoup le journal tous les deux et nous nous retrouvions, chaque semaine, tard le soir, pour dîner en tête à tête chez Lipp.

« Quand j'ai fait engager Catherine Nay, elle a tout de suite reconnu ses qualités et décidé de la mettre en avant. Elle me disait d'elle : "C'est une

carrosserie suédoise avec un logiciel de polytech-
nicienne". Dans les déjeuners de la rédaction,
chaque mardi, les femmes dominaient et nous, les
hommes, nous en étions heureux. C'était une
journaliste de grande responsabilité qui avait une
fièvre de tout et une curiosité insatiable. Ce fut la
première d'entre nous à ne pas négliger les faits
de société. A cette période primait la politique,
c'était le tout du tout. Pour elle, la politique n'était
qu'une déclinaison des phénomènes de mœurs et
de culture de la société. On ne peut que lui donner
raison. »

Encore une fois, Françoise Giroud encourage
les femmes à aller voter et s'insurge contre les
résultats de l'enquête Sofres, selon laquelle 69 %
des femmes ne s'intéresseraient « pas du tout »
« ou si peu » à la politique. Elle s'oppose à l'idée,
alors répandue, que les femmes votent tradition-
nellement à droite et rappelle que 76 % d'entre
elles se sont prononcées pour le contrôle des naissances promis par François Mitterrand. Comment
alors expliquer que seules 8 % des femmes veuillent
voter pour lui ?

Françoise Giroud se bat pour Mitterrand, comme
la majorité de la rédaction, qui approuve son
programme et loue ses vertus de tribun, sa campagne qui provoque l'empathie des foules. Le
seul à ne pas donner de véritables consignes est
Servan-Schreiber, qui déclare : « Votez pour qui
vous voudrez, mais pas pour le Général », car le
passé est mort : « Il n'y a plus de 18 juin 1940, ni
de 13 mai 1958, il n'y a plus de souvenir suprême
ni de péché originel. »

Françoise, elle, choisit de regarder la campagne devant son poste de télévision. Sous le titre « Boîte à malices », elle décrit comment, à l'écran, de Gaulle n'est plus le père de la nation mais son grand-père, avec ses meurtrissures sous les yeux et son regard blessé de maréchal, alors que Mitterrand passe la rampe avec sa voix vibrante, son lyrisme et son intelligence du cœur. Elle n'exclut donc nullement que l'invraisemblable puisse se produire, et l'appelle même de ses vœux : la mise en ballottage du Général. Jean-Jacques Servan-Schreiber a prédit le contraire et, certain de sa défaite, a pris rendez-vous avec François Mitterrand pour lui proposer une grande coalition sans les communistes. Mitterrand se rend à ce rendez-vous qui a lieu chez maître Izard. Il en profite pour apostropher violemment JJSS sur ses éditoriaux agressifs à son égard et la ligne démoralisatrice pour la gauche qu'il tente d'impulser à son journal. Celui-ci revient à la charge pour sa coalition. François Mitterrand lui répond sèchement : « Ne rêvons pas. Je n'ai aucune chance sérieuse de battre de Gaulle au second tour. Plutôt que de faire un pas vers le centre, je préfère rester un homme de gauche intransigeant. »

CHAPITRE XXV

Alex Grall

C'est l'affaire Ben Barka qui va relancer *L'Express*. Mehdi Ben Barka, principal opposant socialiste au roi Hassan II et leader tiers-mondiste, est enlevé à Paris par deux policiers français, devant la brasserie Lipp, le 29 octobre 1965. On ne le reverra plus et son corps ne sera jamais retrouvé. Le service de contre-espionnage français, assisté de quelques personnages obscurs, membres de la pègre parisienne, agissant, a-t-on très vite soupçonné, sur instructions du général Oufkir – ministre marocain de l'Intérieur et chef des services secrets qui sera à son tour « suicidé » plus tard –, serait l'auteur de ce forfait, qui aujourd'hui n'est toujours pas complètement élucidé. Dès le début du mois de novembre 1965, c'est-à-dire quelques jours après la disparition de Mehdi Ben Barka, *L'Express* va mener l'enquête. Elle sera confiée à Jacques Derogy, qui connaît personnellement le leader marocain en exil, et à un nouveau venu, Jean-François Kahn, spécialiste du Maroc et du tiers-monde, tous deux inventeurs de ce qu'on n'appelle pas encore « le journalisme d'investigation ». Ils demandent à une journaliste stagiaire, Catherine Nay, entrée depuis deux jours au service politique, de les accompagner. Leurs révélations occuperont la une pendant cinq semaines d'affilée et contribueront à faire éclater le scandale. JJSS compare l'affaire Ben Barka à l'affaire Dreyfus et assigne à *L'Express* le rôle joué par *L'Aurore* à l'époque. Il est convaincu que son journal va faire vaciller le régime. Un soupçon de mégalomanie commence à apparaître dans son comportement, ainsi qu'une conception pour le moins étrange de la déontologie journalistique : ainsi, en grand secret, fait-il confectionner pour la une du 24 janvier 1966 la photographie de Roger Frey, ministre de l'Intérieur, surgissant d'un fond noir déchiré, titré : « Le fond de l'affaire. » Jean Ferniot, suivi par une partie de la rédaction, est outré par ces procédés sensationnalistes et songe à démissionner. Mais impossible de parler avec Servan-Schreiber, qui passe son temps avec des colonels détenteurs de grands secrets dans le but de publier des révélations... qui n'en sont pas.

L'Express se fourvoie quand Jean-Jacques Servan-Schreiber s'empare de cette affaire et Françoise Giroud ne prend guère de précautions oratoires pour le signifier à celui-ci : le journal bat de l'aile, le journal n'est pas homogène, le journal ne doit pas être la retranscription des états d'âme de son propriétaire. Catherine Nay le confirme : « Autant elle était encore séduite par la personne, qu'elle comparait à Robert Redford, autant elle ne lui faisait pas toujours confiance pour ses papiers et s'empressait, dès qu'il les avait rédigés, d'aller les corriger avant qu'ils ne partent pour l'imprimerie. J'ai vite compris, en écoutant mes camarades, qu'il y avait, au sommet, un drôle de type avec des éclairs de génie et qui dégageait un charme fou.

Mais il pouvait s'embarquer dans des lubies extravagantes et considérait son journal comme la
possibilité de traduire ses visions de l'avenir en
essayant de faire des coups. Le monde devait ressembler à l'idée qu'il s'en faisait. Heureusement,
Françoise était là qui veillait. C'était elle la véritable patronne. Et c'est avec et pour elle que j'ai
toujours travaillé dans une grande transparence,
avec chaleur et amitié. Elle m'a formée. Elle m'a
tout appris avec délicatesse, tact, bienveillance. Je
lui dois tout. »

Toutes les collaboratrices de Françoise Giroud
sont surprises du charme que JJSS continue à
exercer sur elle. Elle se comporte avec lui comme
une midinette. En témoigne leur correspondance :
tous deux jouent, comme au début de leur relation, à chien et chat, chacun s'efforçant d'étonner
l'autre. Ainsi cette lettre de Jean-Jacques Servan-
Schreiber, datée du 15 juin 1966, où il est question d'un papier coupé par Françoise, qui se termine ainsi : « Et j'en souffre et je vous embrasse
tendrement comme je vous aime. »

Une fois par mois, Servan-Schreiber tient une
réunion où siègent, au premier rang, sa mère, les
deux sœurs, Brigitte et Christiane, l'épouse, Sabine,
les maîtresses du moment et... Françoise, souriante,
exquise avec chacune. Ce qui ne l'empêche pas,
quand Jean-Jacques lui demande de corriger un
papier pour *Le Monde* qu'il a intitulé « L'égoïsme
sacré », de le lui renvoyer avec ce nouveau titre :
« L'égoïsme sacré de JJSS ».

Françoise Giroud, pendant cette période, se garde
bien de suivre Jean-Jacques Servan-Schreiber dans

ses charges répétées et outrancières contre le Général. Et quand elle en a vraiment assez, elle part pour les Etats-Unis. C'est son havre de paix où elle peut mettre à distance les déchirures du journal et se ressourcer. Elle veut penser par elle-même, loin des querelles idéologiques. Claude Imbert en témoigne : « Elle pensait que l'idéologie du capitalisme et du marxisme nous avait dévastés. Elle mettait en avant ses croyances personnelles et nous demandait de nous débarrasser de ce que Raymond Aron nommait "les préjugés". Elle pouvait discourir sur tout et de tout et, quelquefois, elle s'embarquait dans des théories économiques qui n'étaient fondées que sur des lectures de fragments de livres à peine terminés. C'était sa seule faille. Mais elle manifestait tant d'enthousiasme qu'elle nous donnait du même coup des idées. Moi, j'étais faiblard en économie, alors je ne pipais mot, mais j'assumais de ne pas tout savoir. Elle, elle n'aimait pas l'idée de ne pas être spécialiste de tout et elle possédait des clefs pour le temps présent. »

Le journal, à cette époque, se porte bien. Il tire à 400 000 exemplaires et dispose d'un fort taux d'abonnements. Claude Imbert tente de calmer les foucades de Jean-Jacques Servan-Schreiber, qui veut élargir son lectorat. Ainsi crée-t-il un partenariat avec l'AFP pour disposer, à travers le monde, de quatre-vingt-douze correspondants ; il augmente la pagination, engage Jean-François Revel pour la rubrique « Idées ». Françoise est désormais en charge de « La vie moderne ». Quant à lui, il se réserve la politique...

Françoise Giroud s'est emparée de « La vie moderne » pour défendre la régulation des naissances, promouvoir la pilule, rendre hommage au travail entrepris par le Planning familial. Le 16 octobre 1966, elle signe un édito qui fera date :

> La pilule enlaidit ? Allons bon... Et l'hypocrisie ? Il faudrait avoir la cruauté de reproduire dix, cent, mille photos de femmes épuisées par des maternités trop nombreuses ou trop rapprochées, détraquées par les avortements clandestins, et demander à nos bons prêcheurs : « Franchement, vous croyez que leur problème, c'est le risque d'enlaidir ? »

Le 31 octobre, elle consacre son article à l'importance de la sexualité pour l'accomplissement de soi-même et distingue l'amour de la sexualité. « Quand on aime, tout est permis. Soit. Mais quand on n'aime pas aussi. La fidélité n'est pas dans la nature humaine. Hélas – ou heureusement – on apprend aujourd'hui aux femmes qu'elle n'est pas non plus dans leur nature. Et la chasteté moins encore. » Françoise Giroud plaide donc pour moins d'hypocrisie et incite les femmes à vivre leur sexualité sans pour autant convoler. Elle fait l'éloge du sexe sans amour et pose comme principe qu'il n'y a pas de relation amoureuse sans épanouissement sexuel.

Elle n'en fait pas moins régner au journal une atmosphère de mise en concurrence. Ivan Levaï se souvient : « Elle était une patronne d'une dureté exceptionnelle et avait le don de nous rassembler les soirs de bouclage pour dire de tel papier : "Vous ne le trouvez pas tristounet ?" et tout le monde acquiesçait. L'auteur de l'article était liquidé et personne n'osait venir à sa rescousse. Françoise Giroud c'est la reine des abeilles. Elle savait à merveille faire tomber la disgrâce et celui qui la subissait était évacué de la ruche. On dit qu'elle aimait les femmes. Faux. Elle les jalousait à l'exception de certaines qu'elle mettait sous sa protection. C'était une mante religieuse. Elle avait la dent d'autant plus dure qu'elle-même n'avait pas eu une vie facile. »

Georges Kiejman reconnaît que l'élégance de Françoise, quand il l'a quittée, a été stupéfiante. Pas de scènes de jalousie, pas de récriminations. « Je continuais, de temps à autre, à sortir avec elle et, un soir, je lui ai présenté ma nouvelle amie. Elles se sont tombées dans les bras. » Albina du Boisrouvray a vingt-cinq ans, et, en cachette de sa famille, milite pour le FLN depuis l'âge de quinze ans. Elle achète *L'Express* depuis dix ans, au grand dam de ses parents, qui lui demandent de ne pas faire entrer à la maison un tel « torchon ». Françoise Giroud est son modèle. Elle sait par Georges Kiejman que si cette femme est jolie, « elle a un sourire carnassier ». Albina du Boisrouvray entreprend, au café de Flore, de la séduire. Elle y réussit en lui disant son admiration qui se transformera très vite en amitié. Georges Kiejman va de moins en moins à Gambais, en éprouve du remords et n'ignore pas que son ami l'éditeur Alex Grall fond, lui aussi, d'admiration pour Françoise dont il souhaiterait faire la connaissance. Il organise un soir un dîner pour lui présenter Alex. Albina, sa compagne d'alors, se souvient de cette première rencontre : « Alex était un homme adorable, tendre, chaleureux et sensuel. Il parlait de rugby et de foot et avait un plaisir de vivre communicatif. »

Entre Françoise et Alex naît une idylle. Fragile
au début.

Françoise se méfie de la conjugalité et, finalement, aime la solitude qu'elle s'est construite.
Alex vient de perdre son épouse adorée à la suite
d'un cancer interminable et elle le sait inconsolable. Elle veut respecter ce deuil. Léone Nora a
succédé à Monique Grall comme attachée de
presse chez Gallimard. La disparition de cette
femme affecte tout le cercle amical de Françoise.
Léone dit d'Alex : « Il était perdu à cette période.
Il était fou amoureux de sa femme et ne savait
que faire de lui. C'était un homme doux, tendre,
prévenant, très discret et immensément cultivé.
Leur relation a commencé par leur partage de
l'amour de la littérature et par la passion d'Alex :
l'art contemporain. Françoise disait qu'elle n'y
connaissait rien. Il a commencé à l'emmener dans
les galeries et Françoise a vite adoré découvrir de
nouveaux talents, grâce à et avec lui. »

Alex doit quitter Gallimard pour rejoindre
Denoël, avant de prendre la direction de Fayard.
Maurice Nadeau se souvient, avec une grande
émotion, de cette période où lui-même faisait ses
débuts dans le monde de l'édition : « C'était un
homme très cultivé, qui s'intéressait à la littérature étrangère, ce n'était pas courant à l'époque,
et, plus particulièrement, aux romans policiers
américains. Passionné par son métier, peu mon-
dain, il était fou amoureux de sa femme, dont les
talents de chargée des relations extérieures de
Gallimard étaient vantés par Albert Camus,
Henri Michaux et quelques autres du même aca-
bit. Il avait, depuis l'adolescence, une passion

pour la peinture et voulait l'apprendre. Nous allions tous les deux aux cours du soir du professeur Lapoujade. Ça crée des liens, que je n'oublie pas. Nous ne nous sommes jamais éloignés. » Leonello Brandolini, aujourd'hui à la tête des éditions Robert Laffont, se dit et se revendique comme « une créature » d'Alex Grall : « Je lui dois tout. Il m'a engagé comme stagiaire quand j'avais vingt-deux ans et que je ne savais rien faire. Il a mis une chaise en face de la sienne – c'était du temps de Hachette Littératures – et je suis devenu son assistant. Quand il est parti plus tard chez Fayard, il m'a demandé de le rejoindre. Il parlait couramment l'anglais et connaissait tous les grands éditeurs américains personnellement. N'oublions pas qu'il fut l'éditeur des *Mémoires* de Kissinger comme de Giscard, du livre de JJSS *Le Défi américain,* sans oublier *La Comédie du pouvoir,* de Françoise Giroud, qui fut un énorme succès. Il inventa également la collection historique prestigieuse de Fayard qui perdure aujourd'hui et la lança avec le livre de Paul Murray Kendall, une biographie érudite de Louis XI, auquel personne ne croyait et qui rencontra pourtant un large public. »

Alex Grall et Françoise Giroud nouent une relation intellectuelle, artistique, amicale, amoureuse qui se transformera en tendresse, soutenue par l'admiration. Alex a su la rendre heureuse. Il avait envie qu'elle soit heureuse. Il apaisait son malheur de veuf fidèle en s'occupant de Françoise, mais jamais dans la trahison ou l'oubli de son amour. De son côté, Françoise n'entendait pas, à son âge, changer ses habitudes, ni de vie ni de travail, et encombrer l'existence de cet homme qui élevait ses trois enfants. D'un commun accord, chacun resta donc chez soi. Valérie Grall a alors cinq ans, ses frères Hervé et Sébastien, quatre et huit ans. Dans son récit, publié il y a deux ans, *Latour-Maubourg,* Valérie raconte le long calvaire de sa mère, la douleur des enfants devant sa lente et inexorable transformation, leur impossibilité à comprendre la réalité de sa mort, la décision absurde de n'avoir pas été autorisés à aller à l'enterrement. Alex Grall, depuis la mort de son épouse, a fait venir sa mère à la maison et, chaque soir, rentre s'occuper de ses enfants.

Françoise Giroud habite toujours boulevard Pasteur, en haut d'un immeuble moderne. Chaque samedi, les enfants Grall y sont invités à déjeuner. Quand Valérie voit pour la première fois Françoise, elle éprouve un choc : « Françoise, c'est la copie conforme de ma mère. »

Petit à petit des rites se créent : Alex s'autorise à découcher le vendredi, pour la rejoindre, tard le soir, au bouclage du journal, rue de Berri, avant de revenir le lendemain matin boulevard La Tour-Maubourg.

Françoise refuse de s'occuper de l'éducation des enfants, mais assez vite entretient de bonnes relations avec eux, tout en respectant les relations père-enfants. Albina confirme : « C'était un père attentionné, idéal, drôle. Avec Françoise, ils vont vite se découvrir des amis communs : Jacques Sempé, Maurice Nadeau, François Erval. »

Françoise apprécie son tact, sa discrétion, son humour. Dans *On ne peut pas être heureux tout le temps,* elle confie : « Quand je l'ai connu, il n'était plus un jeune homme, il émergeait d'un deuil cruel... et il ne m'intéressait pas du tout en dépit d'une grande séduction. » Ce qui lui plaira d'abord, c'est sa démarche – Françoise a toujours pensé qu'elle marchait comme un canard et admirait ceux qui se déplaçaient avec un beau port de tête –, et puis : « Il était grand, bien vêtu, il avait une élégance de seigneur... Néanmoins je n'étais pas disposée à aliéner si vite ma liberté à un homme. Mais on dit ça et puis... ».

Il ne s'impose pas. Comme un chat, il s'approche d'elle : « Il avait le don. Quelle patience avec moi, si facilement insupportable avec le nez dans mes papiers, refusant d'habiter chez lui. »

Quand nous nous rencontrons dans un café, un jour de l'hiver 2008, ce qui me frappe d'emblée chez Valérie, c'est sa bienveillance, son côté artiste, son amour, encore intact, pour Françoise Giroud, malgré cet air qu'elle se donne de n'être jamais à la hauteur, de faire toujours des gaffes, d'être à côté de la plaque : « Elle m'impressionnait beaucoup les premières fois. Elle était toujours habillée de noir, avec des robes près du corps, comme une sirène. Elle semblait toujours impeccable et de bonne humeur. Je la surnommais Ursula Andress. Elle faisait tout pour que nous nous sentions à l'aise dans son appartement si design que nous n'osions toucher à rien. Elle nous considérait comme des grandes personnes et nous parlait comme si nous étions au même niveau qu'elle. »

Ce qu'elle endure à *L'Express,* Françoise n'en parle guère. Elle a toujours su cloisonner. En interne, elle parvient, grâce à la complicité de Claude Imbert et de Georges Suffert, à calmer les ardeurs politiques de JJSS et le convainc de ne pas se présenter aux élections législatives de mars 1967. Jean-Jacques, en effet, s'assagit, car il est pris entièrement par ce livre qu'il a en tête depuis longtemps et qu'il tarde à rédiger. Françoise profite de cette accalmie pour ressouder la rédaction. Claude Imbert se souvient : « J'ai appris d'elle à faire des éditos ni présomptueux ni magistraux, mais ouverts sur le monde, donnant des clefs à chaque lecteur. Elle-même donnait l'exemple. Elle prenait une journée entière pour rédiger le sien. Dans son bureau, qui était à côté du mien, ça crépitait toute la journée... Un jour, elle m'a avoué que l'épaisseur de la jonchée de feuilles sur le parquet était pour elle une garantie de qualité. Elle refaisait à l'infini et mettait beaucoup de labeur à ne pas être laborieuse. Elle aimait le professionnalisme. C'était une fétichiste du journalisme qui aimait le stress du bouclage, les dîners à une heure du matin chez Lipp. Jean-Jacques était délicieux, mais de plus en plus incompréhensible. Nous étions consternés par certaines de ses ambitions politiques et par ses intuitions lyriques. Je m'affrontais à lui quasi systématiquement. Il m'appelait Mister No. La vie quotidienne n'était pas commode pour Françoise et je dois dire qu'à chaque conflit, elle me donnait raison en sa présence. »

Jean-Jacques Servan-Schreiber semble de plus en plus obsédé par la politique internationale et y réagit dans les colonnes de son journal comme s'il était président de la République. Après la guerre des six jours, il entreprend de tirer les leçons de la suprématie américaine, qu'il juge inquiétante pour l'équilibre du monde. En juillet, il convoque Valéry Giscard d'Estaing – qui a réintégré à l'époque l'Inspection générale des Finances – à l'hôtel Hilton, en présence de Michel Albert, son inspirateur, pour lui faire part des thèses de son livre et, vêtu de son éternel survêtement blanc, lui annonce qu'il va changer la face du monde, bouleversement dont seul Giscard peut comprendre la portée. Il compte sur lui pour en assurer la promotion... Giscard se souvient encore de cette scène emphatique. Mais ça ne l'empêche pas de prendre le livre tout à fait au sérieux. Ce n'est pas mal vu : publié par Alex Grall, qui s'en fera le vibrant avocat en France, mais aussi outre-Atlantique, *Le Défi américain* dépassera, au bout de deux jours, les vingt-cinq mille exemplaires. Cela ne va pas assez vite au goût de Servan-Schreiber, qui demande directement aux services commerciaux de *L'Express* d'en faire la promotion, et en fait retirer, en moins d'une semaine, quarante-cinq mille exemplaires, lesquels vont, eux aussi, s'arracher. Le livre est un succès phénoménal. Il lance le véritable premier succès populaire d'un essai en France.

Toute la presse en parle. Jean-Jacques Servan-Schreiber devient un intellectuel médiatique, une autorité politique qui regagne sa virginité et sa séduction, un prophète de nos lendemains, un cartographe de l'avenir. Il prend son bâton de pèlerin – il y a, en effet, un côté un peu mystique dans sa manière d'assumer ses positions – et entreprend une véritable croisade. En fait, il transforme son succès éditorial en plébiscite d'homme politique. Le livre est vendu largement à l'étranger, ce qui lui permet de voyager. Françoise Giroud et Alex Grall – des photographies en témoignent – sillonnent eux aussi l'Europe, puis les Etats-Unis, pour vanter les vertus de l'ouvrage.

C'est donc un homme enfin reconnu dans sa dimension d'intellectuel et de patron de presse qui signe le dernier éditorial de l'année 1967 en se félicitant de l'augmentation de 48 % de son lectorat, de la bonne tenue des ventes à l'étranger et du nombre croissant de jeunes qui achètent désormais *L'Express* : la moitié des lecteurs, en effet, ont moins de trente-quatre ans.

Deux innovations sont lancées par Françoise Giroud : « *L'Express* va plus loin » – chaque semaine, en fin de journal, le regard de personnalités de différents horizons sur des sujets dans l'air du temps –, ainsi que la publication, dorénavant hebdomadaire, de documents d'histoire contemporaine. Une règle et une seule s'impose désormais : « Etre systématiquement présent partout, non seulement avec des yeux pour voir, mais avec une tête pour réfléchir avant d'écrire. »

Nous sommes tous des juifs allemands

Dès le 22 janvier 1968, *L'Express* se fait l'écho de la première grève étudiante, celle des étudiants en médecine. Le 5 février, Françoise Giroud consacre une page entière à la colère des lycéens, solidaires des étudiants de Nanterre pour soutenir leurs revendications. Les lycéens, affirme-t-elle, ont raison « de demander un droit de regard sur ce qui les concerne » dans un monde où ils n'ont aucun moyen de s'exprimer. Elle prévoit de forts risques de turbulence en banlieue et en province. Elle dénonce aussi l'amalgame, pratiqué par certains, entre contestation étudiante et délinquance juvénile et apprécie ce nouveau mouvement de société comme une prise de responsabilité d'une jeune classe d'âge et non comme une volonté de destruction d'un certain type de société. Le 19 février, elle ouvre le journal sur le scandale de l'éviction d'Henri Langlois de la Cinémathèque française, par André Malraux, et interroge, le lendemain de la manifestation de soutien organisée par Jean-Luc Godard et Claude Chabrol, où les matraques ont volé : « Police contre culture : dans quel pays sommes-nous ? ». Le 4 mars, elle s'insurge contre l'interdiction faite à l'ORTF de diffuser des émissions sur la sexualité féminine. Elle désapprouve cette fausse pudeur et affirme : « On a pu parler de cette ténèbre inviolée, du plaisir physique chez la femme… au moment où son absence commence d'être ressentie comme une frustration, un manque, voire une infirmité, il est bon d'en dire la complexité. » Sur le plan des mœurs, des mentalités, de l'actualité, Françoise Giroud est aux avant-postes.

Le 18 mars, la couverture de *L'Express* montre des étudiants discutant devant une cafétéria de Nanterre. En sous-titre : « Etre jeune, c'est pouvoir se dresser et secouer les chaînes d'une civilisation périmée. » Cinq pages, signées Jacqueline Giraud, font le point sur l'ampleur de la contestation estudiantine en Europe, et des enquêtes menées dans plusieurs campus dénoncent le paternalisme qui règne dans les cités où la libre circulation entre les sexes n'est pas autorisée. La journaliste brosse aussi un tableau kafkaïen de l'état de dégradation dans lequel se trouve la faculté de Nanterre, construite il y a seulement quatre ans : « Nanterre est déjà le tombeau des illusions perdues, noyée sous l'avalanche démographique. » Alain Touraine, professeur à Nanterre, est questionné sur la signification de cette contestation : « Nous assistons à l'entrée de la politique dans l'Université. Elle n'est plus un monde clos, mais devient un lieu de production, au même titre que l'usine. »

Françoise Giroud analyse les thèses de Marcuse, Jean-Jacques Servan-Schreiber, qui fait une tournée européenne pour son livre, couvre les manifestations en Italie, Jean-François Kahn cartographie, avec une remarquable lucidité, les lignes de tension idéologiques, sociologiques et politiques de ce mouvement international.

En interne, la rédaction est partagée après la décision de juger en commission de discipline les huit étudiants du Mouvement du 22 mars, qui ont interrompu les cours à Nanterre. Georges Suffert, rédacteur en chef adjoint, approuve cette décision et juge que « ces gauchistes ont fait de cette faculté un véritable camp retranché. J'ai été voir ce qui se passe là-bas. C'est effrayant. Les bâtiments sont saccagés, les murs couverts d'inscriptions, et les étudiants qui veulent travailler terrorisés ». Il ne croit pas à la continuation du mouvement et ajoute : « Il faudrait renvoyer ce Cohn-Bendit en Allemagne et je suis sûr que l'on aurait la paix. » C'est alors que le jeune Jean-François Bizot, qui vient d'être engagé à la rédaction, lui rétorque le soir du dîner de bouclage : « Ce que vous dites est complètement con. » Suffert reste bouche bée, Françoise engage Bizot à poursuivre : « Vous ne connaissez rien ni aux étudiants ni aux ouvriers, ajoute-t-il. J'ai passé trois mois à l'usine. Je milite chez les maos et je ne vous permettrai pas de dire de telles conneries. Quand on ne comprend pas, on se tait et on se renseigne. » Françoise Giroud a trouvé son journaliste vedette, qui couvrira 68 de manière lyrique, incantatoire, remarquable. Paix à l'âme de cet inventeur génial, emporté depuis par un cancer.

La rédaction de *L'Express* bascule en faveur de Daniel Cohn-Bendit, et particulièrement Christiane Collange et son équipe, qui veulent rencontrer cet ange révolutionnaire. Françoise Giroud demande à Jean-François Kahn de l'amener au journal. Cohn-Bendit y passera deux heures en tête à tête avec la patronne qui, à l'issue de l'entretien, confiera à la rédaction : « Ce jeune homme est très bien élevé. Et très malin. Savez-vous qu'il a réussi à me soutirer cinq cents francs pour la cause ? ».

Le 6 mai, *L'Express* titre « Nanterre la chinoise », après la fermeture de la faculté qui a précédé celle de la Sorbonne. Georges Suffert a réécrit son papier au petit matin, après avoir vécu la nuit des barricades et vu le mouvement de solidarité entre les différentes générations. Il conclut : « La jeunesse française vient de recevoir l'onde de choc des violentes angoisses d'aujourd'hui, qui secouent la jeunesse du monde. » Le personnel de *L'Express* confectionne des banderoles : « Express solidarité » et défile désormais en groupe à toutes les manifs.

La une du 13 mai montre des étudiants lançant des pavés au Quartier latin et titre : « L'Insurrection. » Une grosse partie de la rédaction est mise à contribution : Catherine Nay, Michèle Cotta, Irène Allier, Laurence Graffin, Guillemette de Véricourt – notons le bataillon féminin –, mais aussi François Gault, Jacques Derogy, Jean-François Bizot, bien sûr, le tout sous la houlette de Serge Richard. Ils livrent le récit de ces journées « où la révolte de ceux que l'avenir angoisse a été attisée par une cascade d'erreurs et d'affolements du gouvernement ». Un hommage appuyé – et justifié – est rendu au préfet Maurice Grimaud, qui fut le seul, selon *L'Express,* à prendre des risques politiques et à savoir apprécier la situation à chaque instant.

La tonalité de ces articles est sobre. Le journal ne donne ni dans l'empathie ni dans l'admiration. Et on observe que plus le mois de mai avance, plus le ton du journal se durcit envers ce mouvement qui n'est pas qualifié une seule fois de « révolution ». Sont stigmatisées les violences policières, source, pour *L'Express*, de la solidarité enseignants-ouvriers-étudiants.

Si Mai 68 traduit un changement de société, l'accouchement d'un nouveau cycle, la fin d'une manière de vivre engourdie, ce n'est pas non plus, à lire les analyses et commentaires de l'époque, un phénomène qui promet de changer durablement l'avenir et d'ébranler nos lendemains. Problème d'appréciation politique en profondeur ou vision d'une génération, alors aux commandes de la rédaction, et qui a du mal à saisir le pouls et les espérances de la jeunesse ? Claude Imbert témoigne : « J'avais trente-huit ans. Je reconnais que ce fut un moment important mais, comme bon nombre de mes camarades de *L'Express,* je n'étais pas dans la frénésie ni dans la folle admiration. J'habitais au Quartier latin, mais je n'ai jamais eu l'idée ni l'envie d'aller, une seule fois, manifester. Ce que je n'aimais pas dans ce mouvement, c'est ce jeunisme effréné, cette volonté de liquidation du vieillard, que j'ai en horreur depuis ma plus tendre enfance. Et je l'ai vu en Mai 68. Souvenons-nous de la manière dont fut traité Sartre à la Sorbonne. Je trouvais ces jeunes gens sympathiques mais un peu rêveurs, verbeux et erratiques. D'autre part, il y avait, à ce moment-là, une inflation dans la dramaturgie des événements que je ne partageais pas. Jean-Jacques, un jour de mai, me convoque dans son bureau et me dit : "Vous avez lu *Le Monde* ? Pourquoi êtes-vous résolu à ne pas voir ce que vos confrères dénoncent ?". Le journal venait, en effet, de publier une liste de personnes disparues. J'avais dîné, la veille au soir, avec l'une de ces préten-dues "disparues", une agrégée de géographie... Françoise, elle, était beaucoup plus sensible que moi à l'atmosphère de la rue et allait dans les manifs. » Danièle Heymann confirme : « Avec Françoise, on se préparait des protections en papier-journal qu'on mettait sous nos bonnets en cas de matraquage. Dès que les diffusions ont été interrompues, chacun d'entre nous avait son quartier pour aller livrer le journal au kiosque, nous touchions même des pourboires de livrai-son... Une fois, lors de la projection d'un film à la Maison de la Chimie, Françoise et moi avons été arrêtées par la police et emmenées au poste. Les flics lui ont posé des questions et demandé ses papiers d'identité. C'est ainsi que, pour la première fois, j'ai su l'âge de Françoise... Pour être opérationnelles et pratiques, nous les femmes de la rédaction, nous portions, pendant ce joli mois de mai, des pantalons pour aller manifester. C'était la première fois que nous en portions pour aller travailler... ».

Jean-Jacques Servan-Schreiber et Françoise Giroud sont sur la même longueur d'onde : pour lui aussi, « ce formidable mouvement des étu-diants et des ouvriers est une mise en question de toute forme d'autorité dont va naître une nou-velle société ». Roger Priouret témoigne de plus de lyrisme encore et se distingue en inscrivant le mouvement au Panthéon des révolutions, même s'il y eut « dans la révolte des étudiants du verbiage, de la phraséologie sentencieuse, des gestes d'irresponsables ».

Mai 68 est l'occasion pour Françoise Giroud de comprendre que l'on quitte un régime monarchique aux mœurs corsetées. Dans un article intitulé « Le sens du bonheur », elle avouera avoir vécu « avec des lunettes roses » tous ces moments où elle a ressenti collectivement ce désir des Français de ne plus se soumettre, ni moralement, ni politiquement, ni intellectuellement à cette société industrielle où toutes les énergies sont détournées vers le travail et la compétitivité.

La rédaction prédit la chute du Général, à l'exception de Claude Imbert qui envoie une note en ce sens à JJSS, lequel reste dubitatif : « Je me trouvais dans le bureau de Jean-Jacques quand eut lieu la grande manifestation gaulliste aux Champs-Elysées. Les fenêtres étaient ouvertes et on entendait des clameurs. Jean-Jacques semblait étonné et du nombre de manifestants et de l'ampleur de ce mouvement. Il me demande : "Mais qui sont donc tous ces gens qui réclament le Général ?" Bruno Monnier, qui était avec nous, l'interrompt et lui dit : "Mais Jean-Jacques, dans la foule il y a tous nos annonceurs et un bon nombre de vos lecteurs". »

Le journal ne paraît pas pendant trois semaines et deux suppléments n'ont pu être acheminés en raison de la grève des postes. Les annonceurs se désengagent et lorsque le journal reparaît, le 17 juin, il est contraint d'augmenter son prix de vente. JJSS est déprimé, égaré, et ne s'en cache guère. La gauche est divisée, la droite continue à jouer sur la peur. Le raz de marée gaulliste le laissera interdit et Françoise Giroud, encore une fois, le convaincra de ne pas revenir à ses vieilles lubies : l'antigaullisme primaire.

Jean-Jacques Servan-Schreiber fondera désormais ses espoirs en une nouvelle carrière politique sur ce constat : Mai 68 aurait dû faire exploser le gouvernement. La défaite de la gauche n'est pas pour lui accidentelle : à ses yeux elle n'a plus d'avenir. Servan-Schreiber se sent donc investi d'une nouvelle mission : incarner les espoirs du peuple français en faisant vivre le centre et, comme le dit en souriant Claude Imbert, devenir au moins le président de la République...

Françoise Giroud vivra l'après-68 dans un désenchantement profond. Tout ça pour ça ? Elle se consolera en allant écouter Lacan chaque mercredi disserter sur le thème : « D'un autre à l'Autre. » Dans *Arthur ou le bonheur de vivre*, elle tirera les leçons de 68 : « Le grand ébranlement de Mai 68, j'ai le sentiment de l'avoir ressenti presque dans mes os. Non son aspect politique, menaçant et confus, que je ne déchiffrais pas mieux qu'une autre, mais son aspect libertaire. Casser l'autorité, briser les dominations, respirer, oh, comment ne pas sentir quel puissant courant il y avait là, surtout dans le camp des femmes. »

Encore une fois, Françoise Giroud a pressenti l'avenir : de Mai 68 naîtra le Mouvement de libération des femmes.

L'*Express*, instrument de JJSS

Jean-Jacques va s'emparer du journal pour en faire l'instrument de sa propre action. Après s'être débarrassé sans aménité de sa sœur Christiane, qu'il a « vendue », sans l'en prévenir, à Pierre Lazareff, il demande à Olivier Chevrillon, maître des requêtes au Conseil d'Etat, de devenir vice-président de L'Express. Les représentants du capital ne suffisent plus à asseoir sa légitimité et, en interne, les responsables de l'hebdomadaire n'adhèrent plus à sa vision de la société : « Nous étions consternés par ses idées de retourner en politique. Je ne cessais de lui répéter que le véritable pouvoir, il l'exerçait en tant que patron de presse. Il ne m'écoutait pas. Il était parti dans ses rêves de gloire. Françoise aussi lui parlait sans détour. Mais tous deux, nous avions contre nous sa mère qui l'approuvait », explique Claude Imbert.

En mars 1969 est rédigée une nouvelle charte de L'Express qui précise que l'exercice du pouvoir par son président devra être soumis à un collège, mais qu'il conservera toujours le dernier mot... Françoise Giroud se gausse de ces nouveaux habits institutionnels. Le journal appartient à un patron, il a toujours fonctionné à l'autogestion, alors pourquoi tant de garde-fous ?

Jacques Duquesne se souvient que Françoise Giroud tentait de calmer les inquiétudes d'une rédaction de plus en plus désorientée : « Elle continuait à réécrire le journal et se montrait, contrairement à Jean-Jacques, toujours accessible et d'une bienveillance sans faille. Elle possédait un art particulier de nous encourager. Le seul jour où elle était invisible, c'était le jeudi. Elle arrivait à onze heures et s'enfermait dans son bureau jusque tard dans la nuit. Un soir, elle nous a convoqués dans son bureau et nous a montré son cendrier plein de mégots en nous disant : "Je suis dépendante. Je n'aime pas être dépendante. Je vous préviens, j'arrête. De vous le dire m'aidera à tenir." Ça c'est Françoise. Elle a tenu parole. »

En cet hiver 1969, Françoise est inquiète. Sa sœur, qui ne se plaint jamais, est hospitalisée, fin mars, à l'hôpital de Bobigny. En une semaine, sa santé décline. Djénane, qui pensait avoir une mauvaise grippe, ne peut plus se nourrir. Les médecins diagnostiquent un cancer généralisé. Françoise l'a senti. Elle l'a vue partir pour l'hôpital avec angoisse et, très vite, a compris qu'il n'y avait plus rien à faire. Djénane est partie en quinze jours. Un matin, Françoise trouve dans sa chambre trois médecins tentant de lui faire reprendre connaissance. Elle leur demande de sortir, la prend dans ses bras, lui parle, la caresse, puis lui dit au revoir et referme la porte.

Françoise Giroud, brisée, passe ses jours et ses nuits à *L'Express* où elle essuie déconvenue sur déconvenue. Elle n'est pas invitée à Veulettes, à la réunion qu'organise Jean-Jacques Servan-Schreiber pour annoncer à son frère Jean-Louis, à Bruno Monnier et à Jean Riboud, qu'il veut bien ne pas confondre ses deux casquettes, mais entend utiliser les moyens financiers de *L'Express* pour faire campagne. Claude Imbert se souvient : « Il lançait des études pour le rachat du *Quotidien de Nevers*, du *Journal du Centre* et même du *Figaro*. Plus rien ne l'arrêtait. En voulant acheter les journaux, il entendait acheter la voix de ses futurs électeurs... ».

Jean-Louis Servan-Schreiber confirme. « En fait, ajoute-t-il, il n'a pas supporté 68. Il a fait semblant d'accepter cette démocratisation dans son journal, mais il s'est senti personnellement agressé dans ses attributions. Toutes ces AG le dégoûtaient. Il avait une définition impériale de son propre pouvoir et il avait l'impression de ne plus être maître à bord. C'est aussi une des raisons pour lesquelles il a éprouvé le désir de changer de monde et d'entrer en politique. »

La défaite du général de Gaulle, le 27 avril 1969, lui donne des ailes : « Pour la première fois dans la vie d'un homme de ma génération, on peut être fier d'être français. » Françoise Giroud, elle, salue l'élégance de sa sortie. Pendant la campagne de la présidentielle, la rédaction soutient le tandem Defferre-Mendès. Pas Jean-Jacques Servan-Schreiber qui, à la stupéfaction de tous, croit à la victoire d'Alain Poher. « Je le voyais hypnotisé par ce président de substitution qui, à l'évidence, n'avait pas l'étoffe, se rappelle Claude Imbert. Il ne m'écoutait pas, il était ailleurs. »

Le résultat du premier tour accentue l'isolement de Jean-Jacques Servan-Schreiber au sein de la rédaction : certes la gauche n'a jamais fait un score aussi catastrophique – rappelons que Gaston Defferre et Pierre Mendès France ont totalisé 5 % des voix –, mais si Alain Poher se maintient au second tour, c'est sans aucune chance de l'emporter. Claude Imbert et Georges Suffert prennent position pour Georges Pompidou, Jean-Jacques Servan-Schreiber, avec obstination, tente de convaincre Françoise Giroud de voter Poher. Peine perdue. Deux jours avant le second tour, il disparaît en laissant à Françoise ce mot sibyllin : « Je pars pour quarante-huit heures. Ce que je fais n'engage que moi. »

C'est à la télévision que les membres de la rédaction de *L'Express* découvriront Jean-Jacques Servan-Schreiber au côté d'Alain Poher, qui lui cède cinq minutes de son temps de parole afin qu'il explique ses raisons de le soutenir... Consternation de Françoise Giroud, partagée par toute l'équipe. Atteinte à la déontologie ? Oui, répond la majorité des collaborateurs du journal. Non, assure Françoise Giroud, qui tient tête à l'ensemble du personnel. « C'est lui le patron. Il fait ce qu'il veut. On ne mord pas la main qui vous donne à manger. Si vous désapprouvez, partez. » Alors qu'elle ne partage aucunement ses options politiques, et encore moins ses décisions personnelles, elle reste protectrice de l'image et de l'autorité de Jean-Jacques Servan-Schreiber. La raison en est sans doute à chercher du côté de sa désaffection pour le journal tel qu'il est devenu : une grosse entreprise de plus de quatre cents personnes, gérée par des énarques. Elle déteste l'état d'esprit de certains journalistes qui passent leur temps à dénigrer leur patron.

Elle songe même à partir, entreprend des démarches en ce sens, écrit des lettres de démission, trouve une pige mensuelle dans un journal américain. Intéressant, mais pas assez lucratif. Elle renonce finalement : « Il fallait faire le saut. Je ne l'ai pas fait », avoue-t-elle dans *Arthur ou le bonheur de vivre*. Pourquoi ? Par amour de son métier, sans aucun doute, qui, après avoir été une passion, était devenu une drogue. Jacques Duquesne n'a pas rencontré, dans sa carrière, de personne plus accrochée à ce métier qu'elle avait transformé en vocation : « Exigeante avec nous, elle l'était aussi avec elle-même. Lors de cette période, elle nous convoquait dans son bureau après le bouclage et nous disait : "Je ne suis pas sûre que nous ayons fait un bon journal". On redescendait alors en salle de rédaction, on changeait une photo, un titrage, une accroche. On râlait, mais force était de constater, à chaque fois, qu'elle avait raison... Durant mes soixante ans de carrière journalistique, je n'ai jamais revu une telle attitude. »

Dès la nomination de Valéry Giscard d'Estaing comme ministre des Finances, elle ne cesse de louer ses qualités, sa jeunesse, la force de ses idées, sa vivacité, son esprit de décision, sa modernité. Elle éprouve de la sympathie envers Georges Pompidou, « un conservateur pur et simple », même si elle ne partage pas ses idées politiques, elle apprécie l'homme, féru d'art contemporain. A *contrario*, elle ne croit guère, malgré l'amitié que lui porte Simon Nora, qui vient d'être nommé son conseiller, au destin politique de Jacques Chaban-Delmas, sans doute trop proche idéologiquement de Jean-Jacques Servan-Schreiber.

Car JJSS se prépare et Françoise l'accompagnera. Il a quarante-six ans et une ambition de plus en plus dévorante : il veut transformer le parti radical en profondeur et réformer la France. Il publie le « Manifeste du parti radical », dont le rédacteur est Michel Albert avec la collaboration de Roger Priouret et d'Olivier Chevrillon après avoir demandé à Françoise de réécrire le document. Le texte, repris dans *L'Express,* sera publié sous le titre *Ciel et terre.* JJSS redevient crédible. *Le Nouvel Observateur* lui accorde sa une sous le titre : « Les ambitions de JJSS. » On change d'ère en termes de génération et de personnalisation, comme l'attestent les journaux de l'époque : Rocard est photographié sur son voilier, Giscard dévalant une piste de ski, et Servan-Schreiber, toujours aussi bronzé, soit au bord de la mer, soit au beau milieu d'un champ de neige, avec chemise ouverte et lunettes de soleil. Jean-Jacques Servan-Schreiber est photogénique, il sait prendre la lumière, aime être dans la lumière et importe une nouvelle forme de communication politique : il utilise la télévision, met en avant sa femme et ses enfants, sillonne le pays en donnant des conférences de presse à l'américaine, dédaigne la langue de bois et ne cesse d'affirmer qu'il dépense toute cette énergie pour le bien du peuple français, car il ne sollicite aucun poste, prétend ne chercher à être ni député ni ministre...

Françoise constatant
les dégâts causés dans son
appartement par un attentat
de l'OAS en 1960.

Françoise et Jean-Jacques Servan-Schreiber à
L'Express.

Françoise avec
Claude Imbert,
rédacteur en chef
de *L'Express,* en 1970.

Françoise filme aux côtés de Jean-Jacques Servan-Schreiber en vacances au Cap d'Antibes.

Michèle Cotta, François Mitterrand et Françoise en 1970.

Valéry Giscard d'Estaing, président de la République française, et Françoise Giroud, secrétaire d'Etat à la Condition féminine, avec les « Femmes de l'année », en 1975.

Françoise Giroud, secrétaire d'État à la Condition féminine de juillet 1974 à août 1976, pose avec les membres de son cabinet.

Françoise en campagne dans le XVᵉ arrondissement avant les élections municipales de 1977.

Françoise remet la Légion d'honneur à Jean Renoir en 1977.

Caroline, la fille de Françoise,
aux côtés de son père Anatole
Eliacheff (Tolia),
le 9 janvier 1971.

Françoise et Jean-Jacques
Servan-Schreiber aux Assises
de la Fédération des Réformateurs
le 14 juin 1975.

Françoise Giroud et Jean Lecanuet
au cours du débat parlementaire
sur le divorce à l'Assemblée
nationale en juin 1975.

Françoise aux côtés de
Jacques Chirac.

Françoise à l'Elysée.

Françoise et Pierre
Mendès France à Paris pour
la générale d'un spectacle
d'Yves Montand le 14 octobre 1981.

François Mitterrand, François-Marie
Banier et Françoise Giroud.

Françoise avec Jean Daniel,
lors d'un hommage à
Pierre Mendès France,
le 20 octobre 1982.

François et Françoise, complices.

Roland Dumas,
Marguerite Duras et
Françoise Giroud
soutiennent François
Mitterrand lors de la
campagne présidentielle
de 1988.

Avec son dernier compagnon,
l'éditeur Alex Grall.

Françoise, toujours
au milieu des journaux, en 1994.

Françoise et son ami
Bernard-Henri Lévy en 1993.

Page suivante :
Françoise à la radio,
au milieu des années 1970.

JJSS demande à Olivier Chevrillon de lui succéder comme président du conseil d'administration de *L'Express*, contre l'avis de Françoise Giroud, qui tente de le convaincre de ne pas passer la main en lui rappelant que Gaston Defferre est toujours patron du *Provençal* et que Georges Clemenceau, entré en politique, était resté celui de *L'Aurore*. Mais il ne l'écoute pas.

Ignorée, pour ne pas dire oubliée, Françoise prend sa revanche sur le plan éditorial et n'hésite pas à épingler la « désinvolture de JJSS » dans telle émission de télévision, donne des coups de griffe contre ce fils de famille qui croit venir en aide aux plus défavorisés et, à l'occasion d'un duel à la télévision opposant Giscard d'Estaing à Servan-Schreiber, au lieu de souligner ce qui les oppose, elle met l'accent sur ce qui les rassemble :
« Ce sont deux jeunes gens bien léchés par leurs parents, veillés, élevés, nourris, instruits, entraînés, vitaminés, protégés, munis de tout le bagage que la bonne bourgeoisie peut donner à ses fils... ».

Françoise Giroud est en voyage au Japon lorsque JJSS, sans consulter les autorités gouvernementales, fait sortir le compositeur et homme politique grec Mikis Théodorakis, auteur du premier appel à la résistance, deux jours après le coup d'Etat du 21 avril 1967 en Grèce, des geôles des colonels, qui l'avaient arrêté, emprisonné, placé en résidence surveillée, banni, puis déporté en camp de concentration. Aidé par plusieurs campagnes internationales de solidarité, Servan-Schreiber parvient finalement à ramener par jet privé Théodorakis en exil en France, où il continuera son

combat contre la dictature. Coup de poker magistral, qui connaîtra un retentissement mondial.

L'aura de Jean-Jacques Servan-Schreiber déborde
désormais largement le parti radical. Plus il est
reconnu, moins il consulte Françoise. Ce sera le
cas, notamment, quand il prendra la décision de
se présenter à Nancy à une élection législative
partielle.

Les rédactions hexagonales, mais aussi étrangères, couvrent l'événement. *L'Express* est réqui-
sitionné. Le candidat fait appel à la rédaction mais
également aux caisses de *L'Express*, au grand dam
de certains des actionnaires.
Le 28 juin 1969, Jean-Jacques Servan-Schreiber
est élu député de Nancy avec 55 % des suffrages.
C'est sa maman qui est contente.

CHAPITRE XXVIII

Le samouraï

C'est ainsi qu'on le surnomme dans les conférences de rédaction. Celui qui se présente désormais comme le député de Nancy a un ego surdimensionné. La France ne lui suffit plus. C'est l'Amérique qu'il veut conquérir par ses idées et, auparavant, il veut devenir président de l'Europe. Fou ou génial ? « Les deux à la fois, répond Claude Imbert. Délirant, exalté, il me faisait de longs discours et quand je tentais d'argumenter, il ne m'écoutait pas. C'était comme s'il avait quitté le réel qui ne l'intéressait plus guère. Il avait l'air habité, d'être ailleurs. Je lui ai dit que j'allais lui donner ma démission, car il y avait pour moi trop de confusion : comment le secrétaire général du parti radical pouvait-il avoir été le patron de *L'Express* ? Et il ne m'a pas cru. »

Son voyage aux Etats-Unis a renforcé sa conviction de pouvoir incarner un leader charismatique et d'avoir une stature internationale. De plus il est le chouchou des médias. On le sait, le syndrome Kennedy l'habite depuis longtemps.

Difficile d'exister en permanence sur la scène politique. Quand il ne se passe rien, JJSS invente un coup médiatique. Ainsi naîtra l'idée, pour le moins étrange, de quitter Nancy pour se présenter à... Bordeaux. Et c'est, bien sûr, à *L'Express* qu'il réserve les raisons de sa candidature-surprise face au Premier ministre, Jacques Chaban-Delmas, mis dans l'obligation de se présenter en raison du décès de son suppléant : « L'opération est audacieuse et sans doute hasardeuse. Mais ce qui est certain, c'est qu'elle servira à transformer une compétition sans histoires en un affrontement d'une portée nationale. »

Jean-Jacques en fait trop, confie Françoise Giroud à sa garde rapprochée de *L'Express*. Jean-Jacques fait n'importe quoi, répondent en chœur ses amies journalistes. Catherine Nay témoigne : « Nous nous demandions quelle mouche l'avait piqué et quelle était la cohérence de son comportement. Nous étions abasourdies. » Danièle Heymann confirme : « Nous étions étonnés de voir le grand patron de *L'Express* brûler ainsi ses ailes sans réfléchir en croyant réinventer la politique. Il ne suffit pas d'apparaître à la télévision en survêtement blanc, de mettre une croix de Lorraine sur un avion privé et de citer des propos laudatifs de Mauriac à son égard pour sortir la France de sa léthargie. Comment pouvait-il le croire ? ». Jean-Jacques Servan-Schreiber se prend pour une star. Est-il pour autant un homme politique ? Est-ce un clown ou un visionnaire ?

Pendant ces turbulences, Françoise, prudente, décide de demander à Georges Suffert de commenter les faits et gestes de JJSS. Elle préfère

investir son énergie dans les pages « Littérature »
et rendre un vibrant hommage à François Mauriac qui vient de mourir : « Pour avoir bien connu
François Mauriac, autant que l'on peut connaître
un homme déjà saisi par la gloire, pour l'avoir,
attentivement, aimé, lu, écouté au long d'innombrables soirées où nous fûmes à la fois si distants
et si proches, pour l'avoir vu travailler au fil des
années, collaborateur de cinq cents numéros de
L'Express sur les mille qui s'achèvent aujourd'hui,
j'ose dire que le trait le plus attachant de François Mauriac était le naturel. Achevé, abouti. »
Elle ne cache pas qu'ils se sont tous deux beaucoup accrochés sur leur vision respective du général de Gaulle. Sa mort ne la fait pas changer
d'avis : pourquoi donc Mauriac est-il resté si
révérencieux et l'a-t-il traité, non comme un chef
d'Etat, mais comme un monarque ? L'important
n'est pas là : son chagrin est si grand qu'elle
admet : « Le suprême hommage eût été peut-être
d'écrire seulement : "François Mauriac est mort".
C'est trop difficile d'écrire après lui, sur lui, et
dans ce journal. »

C'est au moment de publier son millième
numéro que *L'Express* traverse sa crise la plus
grave.

Jean-Jacques Servan-Schreiber s'obstine. Il ne
craint pas les petits accommodements avec la
vérité, alors que Françoise Giroud, elle, se bat
pour celle-ci. Ainsi lorsque, en pleine campagne
électorale, il affirme haut et fort que le Premier
ministre a exercé des pressions pour que soit
implantée une usine dans son hypothétique future
circonscription, Françoise confie l'enquête à Robert

Franc. Ses conclusions démentent les affirmations du patron du journal. Elle le dit à Servan-Schreiber, qui s'obstine et nie. Françoise Giroud publie tout de même l'article de Robert Franc.

Le départ annoncé de Claude Imbert met Françoise Giroud en difficulté. Elle juge, comme l'ensemble des collaborateurs du journal, incompréhensible et suicidaire le comportement de JJSS. Le seul à prendre la situation avec humour est Georges Suffert, qui écrit : « Après tout que risque-t-il ? Le ridicule ? En politique, il n'existe pas... ».

Jacques Chaban-Delmas sera élu au premier tour. JJSS ne recueillera que 15 % des voix.

Servan-Schreiber est rendu fou de rage par l'attitude de son journal, qu'il rend en partie responsable de sa défaite, et il le fait savoir à Françoise Giroud. Celle-ci prend la défense de sa rédaction, qui n'a fait que son métier et n'a jamais considéré être « à la botte » de qui que ce fût. Elle fait remarquer qu'en tant que leader politique, il aurait dû s'attendre à trouver son journal « injuste », « inamical », « tiède ». Elle lui rappelle que lui-même a souhaité couper le cordon ombilical en quittant la présidence. Elle n'a donc pas de leçons à recevoir. Il peut, pour autant, être assuré du professionnalisme de chacun, dont elle se porte garante. Du reste, elle s'engage à ce que « son entreprise politique, comme elle l'a été et doit être, soit toujours rapportée, analysée ici avec autant d'honnêteté et de sang-froid... ». Elle conclut, avec panache : « Au moment où JJSS n'est pas précisément accablé d'hommages, on nous permettra de lui rendre celui-ci. »

Si Claude Imbert s'apprête à quitter le journal, c'est pour des raisons déontologiques maintes fois expliquées à Servan-Schreiber. « Il a tout fait pour me retenir, confie-t-il aujourd'hui. J'avais une proposition de fonder ce qui allait devenir *Le Point*. J'ai appris qu'il avait appelé Jean Prouvost pour lui dire : "Méfiez-vous d'Imbert, c'est un canard sauvage. Il ne peut voler qu'en bande". C'est faux. Je suis parti sans l'idée d'entraîner qui que ce soit. Contrairement à ce qu'il a pu affirmer, ce sont mes camarades qui ont voulu quitter le radeau. »

Jean-Jacques Servan-Schreiber se sent trahi. Il ne fait même plus confiance à son propre frère, accusé de détourner *L'Express* de sa véritable identité en maintenant étanche la gestion du journal et ses ambitions politiques. Il se sent abandonné par ses amis journalistes, qui vont lui faire concurrence, ainsi que par certains de ses amis politiques – François Mitterrand particulièrement, qui ne lui prédit publiquement aucun destin en politique. Jean-Louis Servan-Schreiber en témoigne aujourd'hui : « Il se sentait agressé par chacun d'entre nous. Il voyait des ennemis partout. Le départ de Claude Imbert a accéléré le processus de réappropriation du journal. Françoise se battait calmement, mais fermement. Toute la journée, elle lui répétait : "C'est impossible". »

Après le départ de Claude Imbert avec qui elle formait un tandem exceptionnel, Françoise Giroud va incarner le rôle de gardienne du temple de la ligne éditoriale. Ses articles l'attestent. Elle se bat contre l'interdiction de *La Cause du peuple*, propose un grand entretien avec François Jacob, salue l'arrivée de Salvador Allende au Chili, mène des enquêtes sur l'état des prisons, face à une rédaction déchirée et à un JJSS pressant jusqu'au harcèlement pour faire passer ses propres messages. Comme elle le dira un peu plus tard, en se référant à cette période : « Il y avait toujours une casserole qui brûlait dans ce sacré journal... ».

En novembre 1970, malgré les conseils de tous ses amis, JJSS repart en campagne et décide, au nom du parti radical, de présenter ses propres listes contre celles de la majorité aux prochaines élections municipales. Il fait parvenir à l'ensemble du personnel politique, aux militants et aux journalistes, une brochure de 78 pages intitulée *Forcer le destin*, où sont résumées ses intentions. Dans *L'Express*, Georges Suffert juge l'ensemble « brillant, enlevé dans sa forme, impressionnant par les propos qu'il cite, décourageant par l'excès de dramatisation qu'il contient et dont, finalement, les propositions laissent le lecteur séduit mais indécis ».

JJSS s'en prend alors à Georges Pompidou et lui demande de créer des assemblées régionales élues au suffrage universel. Atteinte à la sûreté de l'Etat, tonne Sanguinetti. JJSS, ravi par tant de publicité, continue à faire ses conférences avec, derrière lui, la bannière de Lorraine et le drapeau de l'Europe.

Françoise Giroud délaisse ce cirque hexagonal et préfère mettre en exergue le geste, ô combien symbolique, de Willy Brandt qui seul, un matin, est venu s'agenouiller devant le mémorial des victimes du ghetto de Varsovie.

CHAPITRE XXIX

La femme de tête

« JJSS n'est pas un homme politique au sens traditionnel du terme, ce n'est pas non plus un journaliste, bien que l'écriture soit, le plus souvent, l'arme de son combat et que certains de ses livres aient atteint une diffusion fabuleuse. C'est un agitateur », écrit Françoise Giroud dans *Leçons particulières*. C'est aussi un homme d'affaires, comme le prouvent les événements qui vont alors se succéder. Jean-Louis Servan-Schreiber veut introduire le titre en Bourse. Jean-Jacques s'y oppose avec la complicité de Françoise Giroud et de Bruno Monnier, qui s'inquiètent que soient mises sur la place publique les sommes d'argent faramineuses engagées par JJSS pour ses opérations politiques.

Le couple Françoise Giroud-Jean-Jacques Servan-Schreiber se ressoude, et c'est... Jean-Louis qui sera contraint de partir : meurtri, humilié, il en rejette aujourd'hui la responsabilité sur son frère : « Françoise s'est comportée comme l'exige le sens de la discipline d'une soldate. Elle avait toujours pensé que c'était son journal à lui et qu'il en ferait ce qu'il voudrait. Quitte à le tuer.

C'était un homme intraitable. C'est cela qui faisait son charme et qui lui a permis d'accomplir son destin. »

Françoise Giroud sait qu'elle est minoritaire dans la rédaction. Pour continuer à asseoir sa légitimité, elle négocie avec Jean-Jacques Servan-Schreiber : ses articles seront désormais précédés de la mention : « Le député de Lorraine exprime ici librement son opinion personnelle. » En échange de cette charte de transparence, il lui est aussi demandé de démissionner du conseil de surveillance. Pour régler les problèmes de financement occulte et de confusion des caisses, un arrangement à l'amiable est trouvé : Jean-Jacques Servan-Schreiber peut prendre jusqu'à trois millions de francs sous forme de salaires, charges sociales et frais dans la trésorerie de *L'Express*, à condition d'en rendre compte au comité éditorial.

En janvier 1971, Servan-Schreiber prend l'initiative d'un grand dîner de réconciliation rassemblant les collaborateurs de *L'Express*, à la suite duquel il est convaincu que les problèmes se trouvent désormais aplanis. Françoise Giroud n'est pas de cet avis. Elle n'a pas tort : ils ne font que commencer.

A l'approche d'un débat parlementaire sur l'interruption de grossesse, Françoise Giroud lance une grande enquête sur ce sujet qui lui tient à cœur et qu'elle n'hésite pas à mettre en une : « Avortement oui ou non ? » Des femmes humiliées révèlent dans quelles circonstances elles ont subi des avortements clandestins. L'enjeu, à ses yeux, est l'éducation sexuelle à l'école et l'avenir de la contraception.

Le 22 février, JJSS réapparaît avec sa photographie et son titre de député de Lorraine : il parle de tout et de rien, de l'Allemagne qui s'enroue, de l'Amérique qui serait à feu et à sang, comme s'il était à la tête de la planète. Il va jusqu'à parler de lui à la troisième personne. Françoise Giroud, sans broncher ni corriger son papier, le publie en faisant la sourde oreille aux propos acerbes de la rédaction. Elle préfère, dès qu'elle le peut, s'échapper en Amérique avec son amoureux, qui va y signer des contrats et dénicher de nouveaux talents. Une photographie les montre enlacés, dans une rue de New York, sous la neige, visiblement heureux. Alex Grall aime tout ce qui procure du bonheur : l'éblouissement devant un tableau, la lecture d'un roman, la fidélité en amitié. Françoise se sent de plus en plus protégée par cet homme qui l'admire sans empiéter sur son territoire. Elle réussit à amadouer ses trois enfants, sans en faire trop, mais en s'approchant d'eux avec des gestes délicats et en créant des rites, comme la confection, chaque samedi, de sa mousse au chocolat – car Françoise Giroud est une excellente cuisinière : l'une de ses spécialités est le foie gras, qu'elle prépare chaque année début décembre, avec son amie Micheline Pelletier ; sa blanquette de veau aussi est célèbre.

Cette autre vie avec Alex Grall – même s'ils n'habitent pas ensemble, sauf pendant les vacances dans la maison qu'a achetée Françoise à Antibes – constitue pour elle non seulement une gangue protectrice, mais une source de réassurance. Ses enfants passent la voir. Caroline s'est séparée de Robert Hossein, a élevé son fils Nicolas, a tenu ses promesses et exerce la médecine. Elle se rapproche alors de sa mère, et est systématiquement invitée par Françoise à tous les repas qu'elle organise. Alain, après avoir raté plusieurs fois son baccalauréat, a beaucoup tâtonné, beaucoup hésité, mais il vient de trouver sa voie et se lance à son tour dans des études de médecine. Il vit seul.

Pour la rédaction, les dépassements de frais de JJSS, dès le premier trimestre de 1971, constituent la démonstration qu'il instrumentalise son journal, tout en faisant semblant d'avoir coupé les ponts. Certains le prennent pour un danger public qui met en péril l'identité du journal et lui en interdisent l'accès. Des motions de défiance sont rédigées pour le rappeler à ses responsabilités. Françoise Giroud écoute les doléances des uns et des autres, mais ne dit mot et se garde bien de prendre parti. Elle souffre intérieurement – elle l'avouera plus tard –, mais affiche son imperturbable sourire pour coordonner l'équipe et faire sortir, chaque semaine, un journal qui demeure d'une indéniable qualité.

Elle est invitée sur le premier vol du Concorde, dont elle rapporte un article vibrant, dédié à l'éloge de la vitesse.

Au même moment elle prend l'initiative d'une grande enquête sur la toxicomanie chez les jeunes. Elle est convaincue que la division de la rédaction nuit à la stabilité du magazine, mais que son identité, malgré tout, perdure puisque seul importe le contenu.

Elle sera toutefois rattrapée par la violence de la crise.

Le 21 juin, elle signe l'édito suivant :

> Tempêtes, orages et gouvernail, victoire, défaite
> et assaut... Les métaphores militaro-maritimes
> me sont aussi étrangères que les sentiments
> qu'elles traduisent. *L'Express* n'est ni un cuirassé
> ni un bastion : c'est un journal, c'est-à-dire quel-
> que chose d'important en soi.
> Les responsabilités ne m'effraient pas. Le tra-
> vail non plus. La crise qui s'est ouverte à
> *L'Express* le 13 juin accroît mes responsabilités.
> Soit. Mais un journal est un réseau vivant qu'il
> faut sans cesse irriguer et où quelques mailles
> ont filé. J'ai donc eu et je vais avoir beaucoup
> de travail. Trop pour écrire plus longuement.
> D'ailleurs, puisque JJSS est aux sources de la
> crise, à lui de dire comment il l'a vécue.

Françoise Giroud, une fois encore, va sortir
gagnante de ces luttes intestines, quelquefois d'une
grande violence, qui auront duré cinq semaines :
responsable de la rédaction, elle est nommée
présidente de la société, c'est-à-dire de surcroît
responsable de la gestion, de la diffusion, de
l'administration et de la publicité du journal. C'est
Jean-Jacques Servan-Schreiber qui lui confie ces
nouvelles charges. Il attribue la crise à l'augmentation de la technostructure dans le développement
de ce petit empire qu'est devenu *L'Express*. Selon
son analyse, des cadres supérieurs, payés trois à
cinq fois plus que ceux qui font fonctionner le
cœur de la machine, ont tenté de s'emparer de la
ligne éditoriale pour transformer le journal en
organe révérencieux à l'égard du pouvoir en place
et faire ainsi plaisir à ceux qui les invitent, chaque
soir, « à des dîners parisiens corrupteurs ». Mais,
il le rappelle, *L'Express* demeure, comme depuis

le début de son aventure, un organe irrévérencieux et indépendant, dirigé par deux personnes : Françoise Giroud et lui, car « ce n'est pas seulement une direction ni une rédaction, pas non plus une simple entreprise, et, évidemment, ce n'est pas moi. C'est une sorte de personne morale... dont la vie dépend d'un contrat à chaque instant renouvelé avec ses lecteurs... une personne vulnérable, et dont la raison d'être est la vigilance caustique, sans aucune restriction, envers toutes les formes de pouvoirs établis ». « Je vois bien, conclut-il, qu'on ne peut pas toucher le cordon qui lie cette Personne à Françoise et à moi. »

Jean-Jacques Servan-Schreiber a déjà sacrifié sa sœur Christiane Collange puis son frère Jean-Louis, qui n'avaient pas démérité. Pourquoi garde-t-il Françoise Giroud ? Leurs relations se sont distendues, mais Françoise est sans doute la seule qui peut lui dire la vérité, toutes les vérités, y compris quand elles sont dérangeantes. Elle le rabroue, le critique, corrige ses papiers sans même lui en parler. Elle ne s'en cache pas auprès de ses amies journalistes, comme Danièle Heymann, à qui elle confie : « Il faut que je remonte au marbre corriger le papier de Jean-Jacques. Allez savoir encore quelles fantaisies il nous réserve... ».

Jean-Jacques sait que Françoise est la seule capable de continuer à diriger le journal en lui restant fidèle. Il sait qu'elle sait : les dérives financières, la confusion des rôles. Mais elle pense qu'il a le droit de faire ce qu'il veut de son argent et n'éprouve que mépris pour les journalistes qui s'érigent en juges de moralité après avoir ample-

ment profité du système salarial de *L'Express*
qu'il avait mis en place.

Ils sont nombreux à partir : Georges Suffert,
Pierre Billard, Jacques Duquesne, Marc Ullmann,
Jean-Noël Gurgand, d'autres encore... Jacques
Duquesne se souvient : « Il piquait dans la caisse.
Cela relevait de l'abus de biens sociaux. A l'époque, il voulait revenir au journal et rejouer au
patron. Quand j'ai décidé de partir et que Françoise a réalisé que nous étions plusieurs, elle nous
a reçus les uns après les autres et, de manière
fort courtoise et élégante, a demandé à chacun :
trois d'entre vous pourraient-ils, temporairement,
m'aider à assumer la transition ? J'ai décidé de
rester. Mais le lendemain, nous apprenions qu'elle
venait de licencier l'un de nous sans le prévenir.
Nous avons forcé sa porte et lui avons dit : "Si
vous en virez un, nous partons tous". Elle a tenu
bon. Le jour même, Prouvost nous a contactés en
nous disant : "Je vous engage tous. Je suis un
vieux monsieur. Je pars me reposer en Sologne.
Je reviens le 15 août et, à mon retour, je vous don-
nerai votre affectation." Il nous a tous, en effet,
dispersés avant que nous ne fondions, ensemble,
Le Point, que Françoise attaquera vigoureusement,
à chaque fois qu'elle le pourra, dans ses éditoriaux. »

Françoise Giroud, à cinquante-cinq ans, remplace au pied levé Olivier Chevrillon, Claude
Imbert et onze rédacteurs en chef. Elle devient en
outre patronne d'une entreprise de quatre cent
cinquante salariés et de cent vingt journalistes. La
psychanalyse l'a rendue sereine. Elle se sent à la
hauteur de ses nouvelles responsabilités, encouragée

par Jacques Lacan, avec qui elle parle au télé-phone presque chaque jour et qui la couvre de bouquets de fleurs.

Le 28 juin, dans son édito, avec une ironie grinçante, elle relativise la « dite crise » : « Quand on me demande : "Et vous, que pensez-vous de ce qui s'est produit à *L'Express* ?", j'ai envie de répondre : "De quoi me parlez-vous ? Du passé ? je n'ai pas d'intérêt pour le passé. Ni pour le plus récent ni pour le plus ancien. D'ailleurs je n'en ai guère le temps : cet accident où quelques bons journalistes sont partis me donne un surcroît de travail". » Elle rappelle qu'après le départ fracas-sant de François Mauriac, *L'Express* a enregistré huit désabonnements... Elle veut remuscler le jour-nal et dit « ne plus avoir la disponibilité d'esprit nécessaire pour [se] livrer au plaisir égoïste de la réflexion personnelle, sans laquelle un éditorial hebdomadaire n'est plus qu'un exercice de style ».

Elle ne tiendra pas parole et publiera, chaque semaine, son article sur l'air du temps, la politique étant confiée à Jean-François Revel et l'économie à Roger Priouret. Servan-schreiber prend ses aises et se redéploie dans une double page, sans le ban-deau « député de Lorraine », mais sous un nouvel intitulé, « La tribune de JJSS ».

Françoise Giroud tirera la leçon de cette période vingt-six ans plus tard, en donnant rai-son, contre vents et marées, à Jean-Jacques Servan-Schreiber : « C'est alors qu'éclata la crise, mani-gancée de longue date, qui tendait à exproprier moralement de son journal JJSS. Les auteurs du complot étaient des serpents qu'il réchauffait dans

son sein avec une absence de psychologie manifeste. Des hommes de son âge, que ses succès
exaspéraient, que ses générosités humiliaient et
qui avaient décidé de s'emparer du journal pendant qu'il caracolait en Lorraine... Des serpents,
vraiment. »

Légitimiste ou encore profondément liée à
Jean-Jacques Servan-Schreiber ? Les deux certainement, mais la véritable raison tient peut-être à
ce qu'enfin une reconnaissance lui est manifes-
tée : elle est seule pour la première fois de sa vie
à détenir le pouvoir. Elle aime le pouvoir, elle est
une femme de pouvoir, lequel non seulement ne
lui fait pas peur mais l'excite.

Au cours de ce sale été 1971, elle a reçu un
coup de téléphone alarmant de son ancien rédacteur en chef adjoint et ami, Jacques Boetsch,
envoyé spécial à Washington, lui annonçant qu'il
était obligé d'être rapatrié pour raisons médicales.
Il sera emporté en trois mois par un cancer de la
mâchoire. Françoise ira lui rendre visite, chaque
jour, à l'hôpital, puis il lui reviendra de prononcer son éloge funèbre : « Courageux, rigoureux,
rugueux et tendre, c'était un journaliste de classe
et un homme de qualité. Je l'aimais. Nous
l'aimions. Nous l'avons vu se détruire mais jamais
se défaire. Jacques est sorti de la vie à quarante-
trois ans, en se tenant droit comme il a vécu. »
Elle ajoutera en conclusion : « Cependant que
d'autres me trahissaient, lui m'a fait don de ses
dernières forces. »

La bataille pour la présidence du parti radical
justifiera deux couvertures de *L'Express* assorties

d'entretiens. Maurice Faure n'hésite pas à attaquer frontalement son adversaire : « On peut se demander si Jean-Jacques Servan-Schreiber réussit sa mue de journaliste talentueux en chef de parti... L'imprévisibilité et l'incohérence de ses déclarations et de ses attitudes, le manque de continuité de ses vues, une agitation qui traduit un penchant vers le spectaculaire et l'excessif, une propension à l'apothéose wagnérienne permettent d'en douter ». Servan-Schreiber, lui, prétend incarner l'union de la gauche, engager des chantiers politiques et économiques qui vont réformer l'Etat et permettre la redistribution des richesses.

Le 25 octobre, *L'Express* met en une le nouveau président du parti radical, avec en exergue cette citation de Joseph de Maistre : « Il y a bien moins de difficultés à résoudre un problème qu'à le poser. » Françoise, fine mouche, ne fera allusion ni au parti radical ni à la victoire de JJSS.

CHAPITRE XXX

Que Dieu protège les enfants
dont la mère a pleuré la naissance

Françoise Giroud part de nouveau une semaine à New York, en janvier 1972, avec Alex Grall. Elle en revient avec un éditorial acide sur le futur destin de Jacques Chaban-Delmas, empêtré dans sa feuille d'impôts et dont elle juge la crédibilité ternie et la légitimité politique entachée : « Emane de lui un parfum de défaite. C'est ce qui pouvait lui arriver de plus fâcheux. Le problème va être maintenant, pour le président de la République, particulièrement ardu : comment trouver, dans la majorité, un Premier ministre qui ne bénéficie pas de l'avoir fiscal ?. » Quand la Panthère fait ses griffes, les hommes politiques n'en sortent pas indemnes. Elle est redoutée et redoutable. Elle sait sentir, voire devancer, et même fabriquer, l'opinion publique.

Quand l'affaire Klaus Barbie, le chef de la Gestapo de Lyon démasqué en Bolivie, est relancée par Beate Klarsfeld malgré toutes les protections dont il bénéficie, Françoise Giroud écrit qu'elle se souvient de ce professeur d'archéologie de Stuttgart, si distingué, qui arrachait les ongles pendant la guerre, au siège de la Gestapo, quand elle y séjourna. Oublier est difficile, pardonner est pour elle impensable. Mais que faire de Barbie, alors que tant d'années ont passé, se demande-t-elle le 21 février 1972 ? Barbie, pour elle, c'est un rat : « un rat dont le bateau a coulé, il y a vingt-sept ans. Si on nous le rend, nous devrions le mettre en cage avec un morceau de fromage. Ce sont toujours les bateaux qu'il faut essayer de couler. Les rats ne comptent pas. »

Le 5 mars, Françoise Giroud a bien du mal à boucler son édito, consacré à l'importance de l'amour chez les jeunes, à l'occasion d'une enquête qu'elle a commandée à la Sofres et qui a recueilli l'avis de mille jeunes. Elle demande donc à Colette Ellinger, sa fidèle assistante, qu'on ne la dérange sous aucun prétexte. Mais celle-ci ne peut suivre ses consignes quand un correspondant, au téléphone, se fait insistant en précisant : « Dites-lui que c'est au sujet de son fils. »

« Votre fils a disparu. Comment cela, disparu ? » Ainsi commence *Arthur ou le bonheur de vivre*. Et l'homme d'expliquer qu'Alain a été vu la veille, à quatre heures de l'après-midi, skiant hors piste et que, depuis, nul n'a retrouvé sa trace. « Madame, vous m'entendez ? On a commencé les recherches, mais si vous pouviez alerter les autorités, on aurait davantage de moyens, il faut aller vite, vite. »

Françoise n'y croit pas. Alain est un excellent skieur et connaît cette station depuis l'adolescence. Caroline Eliacheff confirme : son frère est parti seul, dès son arrivée à Val-d'Isère, skier sur des pistes qu'il connaît par cœur. Alain est un jeune homme imprudent, mais de là à imaginer un accident...

> Alain, mon petit, mon garçon, c'est une blague, hein ? Une méchante blague que tu me fais, une de plus pour te rendre intéressant, pour me déchirer le cœur, mais qu'est-ce que j'ai fait pour que tu me punisses, depuis vingt-cinq ans, d'être ta mère ?

D'Alain, toutes celles et tous ceux qui l'ont connu ont brossé le portrait d'un petit garçon charmeur qui savait dessiner, aimait lire et écoutait beaucoup de musique. A Caroline il a appris, quand elle était toute petite, à distinguer les compositeurs en mimant les chefs d'orchestre. On peut voir sa photographie, à plusieurs reprises, dans les débuts de *Elle,* en culottes courtes, un corps fragile, des yeux étonnés. Enfant rachitique, il est élevé par sa grand-mère qui l'entoure de son affection et s'occupe de son éducation, ainsi que par une nurse dont Françoise Giroud dira dans *Arthur ou le bonheur de vivre* qu'elle était une femme merveilleuse. Mais la coupable, c'est elle. L'enfant, c'est elle. Trop jeune pour éprouver le désir d'attendre un enfant. Coupable de ne pas l'avoir désiré. Coupable d'avoir tenté d'avorter. Puis, dès sa tendre enfance, coupable de ne pas s'en être occupée : « Quand je rentrais, le soir, il se jetait dans mes bras comme s'il avait passé la journée au coin de la rue, abandonné. » Alain la bouscule, lui demande sans cesse des comptes, les relations sont toujours difficiles. La tentative de suicide, à l'apprentissage de l'adolescence, n'a pas arrangé les rapports complexes qu'il entretient avec sa mère. Combien de fois ne l'a-t-elle pas cherché à l'école dont il était renvoyé, au commissariat de police où on l'avait ramassé après une fugue ? Il demandait de l'amour comme une sollicitation impérieuse, « un peu comme si on vous suçait le sang », dit Françoise Giroud dans *On ne peut pas être heureux tout le temps.* Elle souffre de ne pas s'occuper de lui. Françoise a la sensation qu'avec lui elle n'est jamais à la hauteur. Françoise, ce sinistre jour où elle était persuadée de mourir, avait pris soin de laisser une lettre à son fils pour lui dévoiler l'identité de son père. Comme si elle mettait les choses en ordre Les choses sont nouées entre eux de manière passionnelle et les secrets sont lourds. Alain harcelait sa mère pour connaître le nom de son père. Alain s'appelle Danis, patronyme d'un camarade de cinéma de Françoise qui l'a adopté. Mais il a toujours su, par sa mère, que cet homme n'était pas son père. Lors de la convalescence de sa mère, il se met en quête de son véritable père : il connaît son nom, Elie Nahmias. En quelques jours, il le retrouvera : son père tissera une relation régulière et tendre avec ce fils à qui il versera une pension mensuelle tout en ne voulant pas dévoiler à ses proches l'existence de « cet enfant caché ». Françoise Giroud a été tenue à l'écart de cette relation par son fils mais a su que le père s'était bien conduit et que leurs liens étaient devenus étroits. Alain devient pourtant un adolescent tourmenté qui rencontre des difficultés scolaires. Sa mère l'inscrit dans plusieurs institutions dont il se fait systématiquement renvoyer. Dans l'avant-dernière, Saint-Louis-de-Gonzague, un collège de jésuites, le directeur ne veut pas le garder pour lui faire passer son baccalauréat. Sa

mère confiera : « Cette fois j'étais accablée ; avec
ce collège, je l'avais cru tiré d'affaire, du moins
en matières d'études. J'ai mal mené les choses.
C'est aux Etats-Unis que j'aurais dû l'envoyer.
Mais là, vraiment, c'était hors de mes moyens. »
Françoise, quoi qu'elle fasse avec son fils, se sent
toujours coupable. Alain en abuse et joue de cette
peur qu'il provoque. Alain entend que sa mère lui
rende des comptes : ainsi décidera-t-il de ne plus
lui parler lorsqu'elle vendra sa maison de campagne de Gambais sans l'en informer. Alain entre
en analyse chez Lacan et sa mère estimera que
cette cure fut décisive. Finalement il réussira à
passer le bac et réalisera un rêve : entreprendre –
comme sa sœur, mais aussi comme sa mère
l'aurait souhaité – des études de médecine. Non
seulement le père et le fils se sont « reconnus »,
mais Alain entretient aussi avec Tolia, le père de
Caroline, des rapports de tendresse et le considère comme un ami proche – depuis qu'il a passé
une année chez lui à Rome – avec qui il aime passer des soirées. Il cultive le goût de l'amitié et a
autour de lui un cercle de proches. Bref, ce n'est
pas un loup solitaire, même si, par moments, et
particulièrement avec sa mère, il aime bien évoquer ses obsessions mortifères. Albina du Boisrouvray témoigne : « Il avait le visage de sa mère.
Il se coiffait les cheveux en arrière et portait toujours une écharpe. Il était élégant et avait un côté
dandy. Il voulait se fabriquer un personnage,
mais c'était un être fragile, d'une grande culture.
Il éprouvait une passion pour l'œuvre de Bresson.
Il avait enfin trouvé sa voie et disait qu'il allait
devenir psychanalyste. Ce début de week-end, il
rejoignait mon cousin qui l'attendait. Mais cet
après-midi-là, Alain est parti seul skier. »

Depuis quelques mois, en effet, les relations avec sa mère se sont pacifiées : Alain est en troisième année de médecine, se sent réconcilié avec lui-même, invite sa mère le soir : « Nous avions même des explosions de gaieté, il m'emmenait danser le be-bop comme une jeune fille, j'étais fière de mon beau cavalier. »

Puis vient le jour maudit.

Françoise Giroud téléphone à Jean-Jacques Servan-schreiber, qui appelle Valéry Giscard d'Estaing, qui va déclencher les secours. L'attente sera insoutenable. J'ai pu retrouver dans *France-Soir* et *Paris-Presse* des articles se faisant l'écho de cette disparition. Des journalistes y disent leur amitié, leur solidarité, mais aussi l'immense respect que leur inspire l'attitude de cette femme qui continue à venir chaque jour au bureau – elle n'en sera absente que deux jours – et refuse de parler de l'épreuve qu'elle traverse ou même qu'on puisse avoir à son endroit un geste de tendresse. Elle ne se laisse pas approcher.

Chaque jour qui passe est une torture.

Françoise croit un moment que son fils est vivant. Plus exactement, elle dit ne pas pouvoir penser sa disparition. Donc, elle attend qu'il revienne. Et reste sourde à ce que cet homme lui dit soudain au téléphone : « Les recherches sont suspendues. C'est fini. Vous ne le reverrez pas, madame. »

Le 13 mars, *L'Express* publie l'encart suivant :
« Françoise Giroud n'écrira pas cette semaine.
Elle remercie tous ceux qui se sont inquiétés de
son fils, disparu en montagne le 5 mars. Après
trois jours et deux nuits de recherche, il n'a pas
été retrouvé. »

Le 20 mars, elle reprend la plume et publie son
éditorial sur la dernière conférence de presse de
Georges Pompidou.

Deux mois. Il a fallu attendre encore deux mois,
c'est-à-dire l'arrivée du printemps et la fonte des
neiges, pour que la montagne restitue le corps
intact d'Alain. Caroline est allée seule le reconnaître. Puis Françoise a organisé la cérémonie.
Colette Ellinger se souvient avec beaucoup d'émotion de ce moment où, avec Caroline, un dernier
hommage lui a été rendu dans un cimetière de
campagne.

Françoise écrira, vingt ans après la disparition
de son fils :

> C'est une expérience inhumaine. Ce sont vos
> enfants qui doivent vous fermer les yeux. De
> toutes les épreuves de ma vie, qui en a été fertile,
> c'est celle dont j'ai émergé avec le plus de peine,
> mâchant et remâchant ma culpabilité. On devient
> comme un grand brûlé qui ne supporte plus aucun
> contact avec autrui. Ceux qui vous marquent de
> la compassion ? Odieux : ils ne savent pas de quoi
> ils parlent. Ceux qui feignent la bonne humeur
> pour vous remonter le moral ? Indécents.

Françoise ne s'abandonnera pas à sa douleur
publiquement. Danièle Heymann se souvient :

« Deux jours après l'enterrement, j'avais un papier à lui faire corriger. J'étais en larmes. Elle a fait semblant de ne pas le voir. Je me suis approchée d'elle pour la prendre dans mes bras. Elle m'a dit, en me regardant droit dans les yeux : "Travaillez, travaillez, repartez vous aussi travailler, Danièle". » Alice Morgaine : « Nous avons attendu avec elle dans ce climat d'angoisse. Chaque jour semblait interminable. Elle venait au travail et ne trahissait rien. Elle faisait comme si de rien n'était. Elle aurait détesté le moindre geste de compassion. Donc j'étais pétrifiée. Je n'osais aller vers elle. »

Le travail la sauve. En tout cas, temporairement. Il lui donne des rites, des repères, des contraintes pour qu'elle ne dérive pas à nouveau. Mais le temps ne fait rien à l'affaire et, même si la douleur s'apprivoise, cette présence-absence constitue désormais votre être au monde. Elle n'est plus en révolte contre sa propre vie, elle est dans une situation d'abandon vis-à-vis de la vie. Elle intériorise cette mort et ne comprend pas pourquoi c'est elle qui est encore en vie. Elle se sépare de certains amis, devient indifférente aux vanités du monde, aux apparences, à la vie matérielle. Elle est ailleurs. Elle a perdu à tout jamais l'insouciance et un voile noir vient obscurcir son rapport au monde. « La vie est la plus forte. La douleur qui demeure devient comme une bête apprivoisée aux griffes rognées mais, aujourd'hui encore, j'ai du mal à dire "mon fils" sans que ma gorge se noue. »

CHAPITRE XXXI

Femme de commando

Françoise Giroud continue à diriger le journal d'une main de fer et à tenir sa ligne politique et artistique : dénonciation des responsabilités du général Massu quant aux pratiques de la torture pendant la guerre d'Algérie ; soutien inconditionnel au général de Bollardière, dénonciation des essais nucléaires. Parallèlement, abolissant la distinction entre la politique politicienne, celle des palais, et la manière dont les Français la ressentent, en privilégiant un regard sociologique, elle lance toute une série d'enquêtes approfondies en province, et dans chaque numéro une place toujours aussi grande est accordée à la science, la philosophie et la littérature.

Angelo Rinaldi se souvient : « C'était une vraie patronne. Elle relisait chacun de nos papiers et nous convoquait en nous disant : "Si vous commenciez à la septième ligne, votre papier serait meilleur." » On pouvait me démontrer que mon article n'était pas bon, je ne pouvais le croire, car j'avais eu l'imprimatur de Françoise. Pour un angoissé comme moi, cela n'avait pas de prix. Avec Jean-François Revel et Françoise Giroud,

j'ai connu mes plus grandes joies professionnelles. Précisons qu'elle était implacable, de manière
bénéfique et bienveillante. Et toujours dans la
pensée du mieux faire, du perfectionnement inces-
sant. Je me souviens d'un soir où nous étions à
l'Opéra. En sortant, elle me dit : "J'ai pensé pendant toute la dernière partie à la manière dont je
pouvais récrire mon édito. Je retourne au journal." »

Insensiblement, *L'Express* s'éloigne politiquement de la gauche, ne traite que de manière
anecdotique des prises de position de François
Mitterrand, critique son rapprochement avec les
communistes, rejette avec force ses idées et soigne
particulièrement la stature et l'aura du ministre
des Finances, VGE, en soulignant sa modernité et
son ouverture intellectuelle. Ainsi *L'Express* rendra compte du colloque organisé à l'Unesco par
Giscard d'Estaing sur le thème de la modernisation de la croissance, en présence de John Ken-
neth Galbraith et Herbert Marcuse.

Les couteaux s'affûtent à l'approche de la présidentielle. Françoise Giroud, encore une fois,
donne l'orientation en interpellant la rédaction :
non à l'immobilisme et au conservatisme de
Georges Pompidou, dont elle résume ainsi la philosophie : à quoi bon résoudre des problèmes,
puisque les solutions font naître de nouveaux
problèmes...

Elle est bouleversée par la mort de Pierre Lazareff, à qui elle rend un vibrant hommage. Cet
homme ne possédait rien à l'exception de son
royaume de papier. Il était l'incarnation de l'indé-

pendance et avait inventé une forme de journalisme dont elle se veut l'héritière : se mettre toujours à la place du lecteur, être ses yeux, ses oreilles, son cœur. Celui qu'elle nomme « le petit homme tendre et chétif au visage de vieux poulbot privé de vacances » accordait peu d'importance à sa propre personne et « donnait toujours l'impression d'attendre l'huissier qui enlèverait les meubles après les fêtes qu'il venait de donner ».

Avec lui une forme de journalisme disparaît. Et si c'était la définition même de ce mot qui était en train de se transformer ? Et si *L'Express*, son enfant, était en train de devenir une grosse mécanique institutionnelle bénéficiaire, organe ciblé pour un certain type de clientèle et non plus brûlot de transmission du désir de transformer le monde... Le journal tourne et s'embourgeoise. Elle veut prendre du recul et profiter de la vie. Elle accepte donc la proposition émise par Jean-Jacques Servan-Schreiber de réengager Philippe Grumbach, l'ami-ennemi, qui souhaite réveiller la rédaction et agencer de manière nouvelle les énergies. Elle approuve ce diagnostic et mènera elle-même les négociations pour fixer les conditions de son champ de compétences. Elle ne souhaite plus être en première ligne en permanence et prendre tous les coups, et elle le précise dans une lettre à Philippe Grumbach : « Diriger *L'Express* est une fonction usante et mortelle pour la vie privée. Elle n'a donc de sens pour moi que si ma vie professionnelle m'apporte plus de plaisir que de conflits. J'ai horreur de vivre dans le drame. La tension féconde d'accord, le drame, non. Donc je me refuserai à le vivre. S'il surgit, je m'en irai. »

Dans une correspondance inédite, Françoise Giroud livre à Jean-Jacques Servan-Schreiber son sentiment : « Le choix de Philippe Grumbach est le nôtre. Il me donne le droit pour moi de quitter *L'Express* dans les mêmes conditions que si on m'en priait. Cela ne signifie nullement que je veux m'en aller, mais que je veux pouvoir m'en aller et que mes raisons soient transparentes. » Dans *Arthur ou le bonheur de vivre*, elle explique : « *L'Express* est devenu une institution et je suis plutôt meilleure dans les actions de commando. La routine s'y était infiltrée et je n'avais plus de dragon à qui couper la tête. »

La mort de son fils Alain l'a laissée engourdie et les petites querelles de l'UDR et de l'UDF, les facéties de Jean-Jacques l'agacent de plus en plus. Le narcissisme du président du parti radical et la pression qu'il exerce sur la rédaction l'insupportent tout autant. Elle accepte sans mot dire, mais le trouve de plus en plus délirant. C'est aussi l'avis de Catherine Nay : « Nous ne comprenions pas ses déclarations. Nous n'avions pas beaucoup de considération pour ses papiers publiés chaque semaine. Ce type qui administrait des leçons en permanence à tout le monde en se prenant pour un leader mondial nous faisait plutôt sourire, nous, la jeune génération. Nous avions de l'admiration pour son passé, mais sa manière d'occuper la scène politique nous affligeait... D'autre part, nous savions qu'il utilisait *L'Express*, que nous considérions comme notre journal, comme sa vache à lait. »

Jean Daniel, qui avait quitté le journal, se montre plus nuancé sur le personnage avec le recul : « Il inventait un genre : la politique devait passer par l'amplification médiatique, c'est-à-dire, d'abord, par la presse écrite, puis aussi par la télévision. C'était un mélange de Bernard-Henri Lévy, Jacques Séguéla et Orson Welles. »

Dans les papiers personnels de Françoise Giroud, cette lettre dont on ignore le destinataire :

JJSS m'a toujours fait penser à une Ferrari dont le moteur tournerait à plein régime en permanence. Quand il voit un obstacle, il n'en fait jamais le tour : il passe. De sorte que ses ailes en sont quelquefois froissées.

Il en fait autant quand il est sur ses skis.

Son trait dominant c'est le courage joint à l'imagination et à la force de caractère. Il réfléchit seul en marchant. Lorsque sa conviction est faite, et il l'a faite lentement, il est inébranlable. Il sécrète une sorte de cuirasse, impénétrable aussi bien à la hargne de ses adversaires qu'aux arguments de ceux qui essayent de lui montrer où serait son intérêt.

Son intérêt, ça ne l'intéresse pas.

Je ne lui connais que trois passions, exclusives de toutes autres : sa mère, ses quatre fils, et les affaires de l'Etat. Je dirais même la France, si ce n'était un peu grandiloquent. Sa mère lui a donné une idée impérieuse de ce qu'un homme doit être selon elle : et il s'y contraint impitoyablement. Il se contraint à marcher toujours sur ses propres traces. Quand on veut le suivre, il arrive que ce soit fatigant. Ses fils sont ses souverains, les seuls auxquels il accepte d'être subordonné. S'il vous dit, le front soucieux : « Mon fils a la grippe » et que vous lui répondiez : « Le mien aussi », il vous regardera avec incrédulité et même avec stupeur. Comment pouvez-vous établir une symétrie entre la grippe de l'un de ses fils, événement capital, et celle du vôtre, petit incident domestique ? Il faut que ces quatre garçons soient de bons garçons pour qu'il ne les ait pas rendus insupportables à force de dévotion. Curieusement, ils ne le sont pas. Pas du tout.

Jean-Jacques Servan-Schreiber est généreux, il aime qu'autour de lui on soit heureux. Pour cela aussi, il est capable d'imagination, et de la plus délicate.

Mais le bonheur n'est pas son affaire. Je le soupçonne même de le croire coupable, le bonheur, lorsqu'il se prolonge au-delà d'une flambée d'autant plus intense qu'elle sera brève.

La France enfin, ou plutôt les Frances, font l'objet constant de ses préoccupations. Rien ni personne ne saurait durablement l'en distraire.

La plus déroutante de ses contradictions, c'est qu'il met un tempérament d'extrémiste au service d'idées qui sont sages, modérées, réalistes.

C'est par quoi il est incommode. Parce qu'il est inclassable. Certains le disent insupportable. Il l'est parfois.

Moi je dirai, en bref, qu'il appartient à l'espèce la plus singulière. Jean-Jacques Servan-Schreiber est un modéré irréductible.

Si elle prend ses distances avec la politique politicienne, Françoise Giroud se positionne encore et toujours pour la libération des femmes : mise en cause des tabous chrétiens, encouragement aux plaisirs de l'amour à partir de quinze ans, éducation sexuelle à l'école. Son militantisme n'est pas apprécié par une partie... masculine du lectorat, comme ce lecteur de Gap, qui lui écrit : « Dommage que vous affichiez un féminisme sau-

vage, agressif et stupide. Déformation professionnelle aidant, vous sentez-vous supérieure à vos
congénères en oubliant ce que vous devez à ceux
qui vous ont acceptée ? ». Ce genre de machisme
l'encourage à redoubler d'ardeur : elle demande à
Michèle Cotta de réaliser une enquête sur les
femmes vues par les hommes, d'où il ressort que
les hommes ont beaucoup plus peur de vivre avec
des épouses qui gagnent plus qu'eux qu'avec des
femmes qui disposent de leur liberté sexuelle.

Le procès de Bobigny, où la jeune Marie-
Claire C., défendue par Gisèle Halimi, est incul-
pée pour avortement, l'autorise à stigmatiser
ceux qui pensent que l'avortement est un crime
de pauvres et qu'il suffit d'un peu d'argent pour
se débarrasser d'un enfant non désiré : « Bientôt
on nous expliquera que, au-delà d'un certain
salaire, l'avortement est une véritable partie de
plaisir. Quelque chose comme l'occasion de faire
du tourisme. » Marie-Claire ne sera pas condamnée. C'est une incontestable victoire. Il faudra
attendre la loi Veil pour que l'avortement soit
dépénalisé.

CHAPITRE XXXII

Changement de cap

Françoise Giroud est une femme de cœur et de conviction. A la suite de la condamnation, le 29 juin 1972, de Roger Bontemps et Claude Buffet, « les assassins de Clairvaux », jugés coupables d'avoir assassiné l'infirmière et le surveillant de leur établissement pénitentiaire au cours d'une prise d'otages, elle engage *L'Express* dans une campagne contre la peine de mort. Les deux hommes sont exécutés le 28 novembre 1972 et, dès le 4 décembre, le magazine met en couverture la fenêtre de la cellule de Clairvaux où Buffet attendait son exécution.

Robert Badinter, défenseur de Bontemps, rappelle que Françoise Giroud était une véritable militante abolitionniste. « Elle en parlait souvent. Jean-Jacques se moquait d'elle. Elle avait été outrée par l'instrumentalisation des sondages sur ce sujet à des fins politiques – 63 % des Français s'étaient déclarés favorables à la peine capitale –, et s'était passionnée pour le procès qu'elle avait suivi de bout en bout. Elle a souhaité que les lecteurs de *L'Express* puissent savoir comment se déroulait une exécution capitale, au XXe siècle, en plein Paris, et elle a écrit un éditorial remarquable

qui a entraîné des poursuites. » Il commence ainsi :
« L'aube se lève et blanchit à travers les barreaux
de leur cellule – mais voient-ils le ciel ? Ils respi-
rent. Ceux que la justice des hommes a condamnés
à mort parce qu'ils ont donné la mort reprennent
espoir. Mais, quand l'aube se lève, l'angoisse
revient au cœur de celui qui peut les gracier. »

Ce que la modestie de Robert Badinter l'empêche de dire, c'est qu'il a publié dans le même
numéro une page intitulée « L'alibi ». « Toute
l'expérience des pays abolitionnistes l'a confirmé,
y écrit-il : la peine de mort ne sert à rien. Alors,
pourquoi, seule en Europe occidentale, la France
la maintient-elle ? »

Jacques Derogy assiste à cette cérémonie funèbre. Il décrit, minute par minute, ce qui s'est
passé jusqu'au réveil de Buffet et Bontemps. La
lecture de ce compte rendu est insoutenable. Le
premier, au moment de mourir, s'en remet à Thérèse de Lisieux, le second cite des extraits de
Molloy de Beckett. Les gardiens les réveillent à
quatre heures. A cinq heures vingt les témoins de
l'exécution sortent de la cour d'honneur où les
aides-bourreaux nettoient les flaques de sang.
Ce sera la dernière exécution à Paris ; quatre
condamnés seront encore guillotinés en France,
avant que Robert Badinter, devenu ministre de la
Justice en 1981, fasse voter l'abolition de la peine
de mort.

A l'intérieur du journal, Jean-Jacques Servan-
Schreiber tape sur le gouvernement chaque semaine
et prend maintenant pour cible son ancien ami
Valéry Giscard d'Estaing, qu'il traite d'« homme

le plus néfaste de la Vᵉ république ». Non seulement il éructe, mais il n'hésite pas désormais à demander à des notables de publier des articles qui peuvent faciliter sa carrière politique. La gestion devient de plus en plus opaque, malgré les nombreux avertissements de Françoise Giroud et de certains des actionnaires. Simon Nora, Jean Riboud, René Seydoux menacent de porter plainte pour abus de bien social. L'ambiance, au sein de la rédaction, devient de plus en plus malsaine.

Ne parvenant pas à faire entendre raison à Servan-Schreiber, Françoise Giroud se résout à lui envoyer une énième note confidentielle – il y en a déjà eu de nombreuses laissées sans réponse – où l'on peut lire notamment :

> Vos relations avec le journal, qui paraissent vous tourmenter, ne justifient nullement, me semble-t-il, que vous en fassiez un problème. Elles n'en posent pas. Il ne tient qu'à vous de les resserrer si vous en avez le désir, d'exercer une direction et une animation effectives, dans tous les secteurs, si vous en avez envie ou si vous croyez que c'est nécessaire (ce qui est bien possible). Personne ne vous en conteste le droit ni le talent. Si vous jugez que cela doit être évident dans les formes, et que vous voulez reprendre la présidence de la Société, vous savez que ce n'est pas moi qui vous ferai des difficultés : je trouverai une sortie honorable.
> Si cela doit s'accompagner, de votre part, d'une action politique directe personnelle, ou plus exactement d'actions extérieures au journal, il serait probablement plus sain de constituer une rédaction réellement solidaire de ces actions. Et je dirai même : de votre personne. On ne fait pas

un journal de combat avec des gens qui ne veulent pas combattre, ou qui ne veulent pas de ce combat-là. Ou plutôt on le fait avec difficulté, en étant malheureux. Surtout, il ne faut pas attendre qu'ils soient solidaires de quelqu'un qu'ils ne voient jamais, que la plupart ne connaissent même pas.

Tout le monde, à droite et à gauche, se donne un mal fou pour s'acquérir l'appui, l'adhésion des gens de *L'Express*. De Michel Debré à Edmond Maire, en passant par Giscard, Mitterrand et Roland Leroy. Tout le monde sauf vous... Pour ceux qui sont influençables (et qui n'est pas influençable ?), c'est rude. Et on ne délègue pas son influence. Là je crois que vous faites parfois erreur. On délègue des pouvoirs. L'influence c'est un poids strictement personnel, une densité personnelle, un rayonnement autonome. Ça ne se confond pas avec l'autorité hiérarchique. Après tout *L'Express* a survécu. Je veux dire que la décision vous appartient et qu'il n'y a pas de montagnes à soulever. Plutôt une analyse correcte de ce que ce journal représente pour vous et ce que vous voulez en faire. Le parti radical, ça me paraît plus compliqué. Je ne suis pas orfèvre.

L'échec en politique, je ne sais pas ce que ça veut dire. Ou plutôt : c'est quelque chose qui suit automatiquement, à plus ou moins brève échéance, le succès. Je ne crois pas que vous soyez par nature « un homme de parti » ni d'appareil, c'est-à-dire de compromis, de concessions, de ruse, de patience et d'écoute. Vous êtes fait pour le gouvernement « militaire » et autoritaire des choses, et des gens. Pour le commandement. je ne sais pas à quel niveau on commande, en politique, mais à part l'Elysée... Vous pouvez reprendre les ailes une à une si vous voulez gouverner un parti. Mais le voulez-vous, compte tenu du type de vie et de rapports humains que cela suppose ? de la soumission au « charabia ». C'est un choix majeur que personne ne peut vous aider à faire. Mais on ne peut pas être « agitateur » et chef de parti : c'est antinomique...

Françoise Giroud est donc prête à partir définitivement. Elle encourage JJSS à viser plutôt la présidentielle – en misant sur le fait que Jean Lecanuet, je la cite, « est un homme bête » et qu'un boulevard peut s'ouvrir si Jean-Jacques ne perd pas son temps à s'embourber dans les luttes intestines médiocres du parti radical. Ou à reprendre son journal et à le transformer. Pour autant, elle ne cache plus sa déception. Dans *Arthur ou le bonheur de vivre,* elle écrit : « *L'Express* n'était plus un journal de combat à proprement parler ; j'avais encore de quoi faire mes griffes dans mon éditorial mais pas de but, pas d'objectif nouveau à attendre, pas de défi nouveau à relever. Oui, je m'ennuyais. »

C'est l'Inde qui va la sortir de la torpeur qui l'habite, cette sorte d'état somnambulique dans lequel elle se trouve depuis la mort de son fils. Par l'intermédiaire de Jean Riboud, elle a rencontré Indira Gandhi qui lui a accordé un long entretien pour le journal et qui l'invite à présent à découvrir son pays en voyage officiel pendant trois semaines en 1973. Elle accepte immédiatement et propose à Caroline de l'accompagner. Le voyage sera un enchantement pour la fille et pour la mère : « J'ai beaucoup voyagé. L'Inde ne ressemble à rien. Dans ce pays qui ne distingue pas le profane du sacré, on glisse comme dans de l'eau tiède, on se laisse capturer, bientôt on n'a plus envie de rentrer. »

Elle dira son admiration pour « la reine non couronnée des vingt-trois Etats de l'Inde », témoignant d'une sorte d'humilité devant tant de complexité et l'approche d'une forme de beauté qui lui procure une sensation d'apaisement : « Là, j'ai réentendu un silence oublié. Silence des campagnes immobiles, de la paix du soir après le labeur. Cascades violentes de bougainvilliers, vert frais des rizières, allées de pierre rouge, silence... Un chien aboie, une grenouille rit. C'est le bout du monde... La nuit est douce... ».

Oui, Françoise Giroud est aspirée par l'Inde. Elle s'abandonne enfin à la contemplation, à la méditation. Elle ressent l'écoulement du temps, elle qui a tenté toute sa vie de le maîtriser. Dans *Arthur ou le bonheur de vivre,* elle n'hésite pas à dire qu'elle a éprouvé alors quelque chose de vertigineux, proche d'une extase mystique.

Plus dure sera la chute... L'atmosphère délétère de l'approche des législatives la dégoûte. Politiquement, elle est en train de changer de cap et de s'éloigner de la gauche prônée par François Mitterrand, celle du programme commun. Et, avec lui, pour la première fois, elle oublie de faire preuve de tendresse : « Changer la vie : c'est la version nouvelle des lendemains qui chantent, le miel et la rose enfin répandus lorsque le jour viendra sur les damnés de la terre. Mitterrand défend son programme avec les accents de Victor Hugo dans *Les Misérables* qui nous feraient venir les larmes. Ce prétendu Machiavel est le dernier romantique. »

De plus en plus, Valéry Giscard d'Estaing a le vent en poupe. Françoise Giroud salue ce tacticien subtil, certes un peu condescendant, qui a « l'air d'un James Stewart sorti premier des grandes écoles » et semble être, en puissance, un concurrent sérieux pour la présidentielle.

Car, secret de polichinelle, la rumeur enfle au sujet de l'état critique du président. Françoise Giroud en aura la primeur mais se refusera à la dévoiler.

JJSS va trahir Jean Lecanuet en jouant Matignon pour essayer de sauver son siège. Mais il a la faculté d'oublier ses défaites, de les relativiser et, quand la politique ne lui sourit plus, de revenir à *L'Express* comme si de rien n'était, alors qu'il n'y exerce plus aucune fonction officielle. Il s'ennuie vite. Heureusement, les expériences nucléaires dans le Pacifique deviendront son nouveau combat, qu'il entend faire résonner... grâce à *L'Express*. Françoise, la soldate – elle sait que l'opinion française ne s'y intéresse guère – rédige tout de même des éditos enflammés sur le sujet.

Giroud et JJSS signeront leur seul article commun le 7 mai 1973, pour fêter le vingtième anniversaire du journal – deux cent trente-six pages pour la circonstance et une diffusion de sept cent mille exemplaires.

CHAPITRE XXXIII

Femme de pouvoir

Dès le 21 janvier 1974, *L'Express* titre : « Du nouveau pour Matignon ». Michèle Cotta croit savoir que Valéry Giscard d'Estaing va remplacer Pierre Messmer au poste de Premier ministre. JJSS pressent l'accélération de l'agenda et demande à Philippe Grumbach de lui ménager un rendez-vous avec Giscard. Oubliées, manifestement, les petites phrases assassines sur ce ministre qui, selon leur auteur, ne cessait de dénaturer le sens de la République... JJSS veut du pouvoir, le pouvoir, n'importe lequel.

La « grippe » du président Pompidou fait monter les enchères et déjà les instituts de sondage publient des enquêtes indiquant que les Français attendent la nomination d'un vice-président. Françoise Giroud s'insurge contre ce qui ressemble à un hallali et demande qu'on respecte la paix de cet homme qui souffre. Le 8 avril, elle stigmatise l'absence de courage de la droite, qui traite les citoyens comme des enfants incapables d'affronter la vérité, et dénonce ses querelles de famille où l'on se dispute l'héritage avant même l'enterrement du défunt. De telles phrases pourraient

s'appliquer à JJSS lui-même, qui se fait interviewer dans les colonnes de son propre journal
par ses principaux collaborateurs : Philippe
Grumbach, Jean-François Revel, Roger Priouret
et Françoise Giroud qu'on voit à côté de lui, de
celui qui, chaussures enlevées, manches retrous-
sées, se prêtant au jeu des questions, ou plutôt
des réponses, apparaît en majesté et ne peut être
que l'arbitre de l'avenir de la France. JJSS président ? Personne, dans la rédaction, n'ose lui poser
la question. Ses collaborateurs savent qu'il en
rêve, mais qu'il ne dispose pas des forces nécessaires. A l'exception de Philippe Grumbach, personne ne sait encore qu'il a choisi Giscard en
pensant devenir ministre.

Françoise lance un nouveau sondage sur les
femmes et la politique, d'où il ressort que leur candidat est François Mitterrand, qui arrive en tête
avec 38 % d'intentions de vote, suivi de Jacques
Chaban-Delmas avec 29 %, puis de Valéry
Giscard d'Estaing, crédité de 27 % de suffrages
favorables. Françoise Giroud accélérera la chute
politique de Chaban-Delmas en lançant la formule, restée célèbre : « On ne tire pas sur une
ambulance. »

A *L'Express*, on se situe à gauche. Comment,
dès lors, accepter les attaques de JJSS contre les
communistes ? De quelle manière assurer la cohérence éditoriale du journal ? Jean-Jacques Servan-
Schreiber convoque la rédaction et promet qu'il
ne s'engagera pas. En échange, il demande aux
journalistes de ne pas prendre position.

Dix jours avant le premier tour, les sondages enregistrent une forte hausse pour le candidat de gauche. Guy Claisse, dans les colonnes de *L'Express*, n'exclut pas qu'il puisse passer dès le premier tour. Servan-Schreiber demande un rendez-vous à François Mitterrand. Georges Dayan et Roland Dumas l'invitent à préciser par écrit les conditions de son ralliement. Il le fera, mais n'obtiendra jamais de rendez-vous. Giscard, lui, le recevra avant le premier tour.

Françoise Giroud a toujours affirmé qu'elle avait voté Mitterrand aux deux tours. Cela ne l'empêche pas, dès le 6 mai, quand les sondages rendent sa victoire impossible – il lui manque une réserve de 700 à 800 000 voix – d'écrire dans son édito que si la gauche, après seize ans d'exil, reste encore à la porte du pouvoir, c'est parce qu'elle est incapable d'en franchir le seuil. Elle dénonce l'entrée possible de ministres communistes dans le gouvernement, le programme des nationalisations et le mépris qu'affiche le candidat de gauche envers la petite bourgeoisie. Deux jours plus tard, la rédaction de *L'Express* apprend que JJSS s'engage, avec son parti, en faveur de Giscard d'Estaing. Guy Claisse et Michèle Cotta rédigent une déclaration de soutien à François Mitterrand qu'ils font signer par la rédaction et qu'ils vont porter aux autres journaux. A *L'Express* ils recueillent cent vingt signatures sur cent quarante journalistes. Le texte sera publié dans *Le Monde* le 10 mai. Le 17 mai, Françoise Giroud explique dans *Le Provençal* les raisons pour lesquelles elle votera Mitterrand dès le premier tour : « D'un côté on est – de naissance en quelque sorte - propriétaire du pouvoir de décision politique et économique – même si l'on est disposé à l'exercer avec une meilleure intelligence de la société française d'aujourd'hui De l'autre, on est écarté du pouvoir politique et économique, même si, individuellement, certains peuvent y accéder. C'est cette nuance-là qui emportera mon vote. »

Souvenons-nous du beau film de Raymond Depardon, *1974, Une partie de campagne,* qui montre l'attente interminable de Giscard, le 19 mai, dans son bureau de la rue de Rivoli : il ne quitte pas des yeux la télévision, retiré dans une solitude glacée, vaguement égayée par quelques coups de téléphone. Il ne l'emportera que de 400 000 voix. Le 27 mai, Jacques Chirac devient Premier ministre et le 29, le gouvernement est constitué : les réformateurs y entrent en force et JJSS figure en cinquième position, à la tête d'un ministère créé à son intention : le ministère des Réformes.

Mai 2010. Valéry Giscard d'Estaing a accepté de me recevoir. Il m'a donné rendez-vous dans son hôtel particulier de la rue Bénouville, gardé par un car de CRS. On entre comme dans un moulin, mais sitôt la porte franchie, un jeune homme vérifie mon identité et me fait entrer dans un vaste salon orné de tableaux de maîtres et de meubles anciens sur lesquels sont posés des bibelots précieux. Le soleil est caché par de lourdes tentures. Atmosphère feutrée, silence absolu. On se croirait dans une de ces demeures de province admirablement décrites par Balzac. J'attends cet entretien depuis deux ans. Giscard me reçoit dans son bureau qui donne sur un jardin et me fait d'abord longuement admirer les dernières créations horticoles de son épouse, Anne-Aymone. Je sais qu'il a longtemps hésité avant de me recevoir. Il nous faudra plus d'une demi-heure pour entrer dans le vif du sujet. « Jean-Jacques, je l'aimais bien, confie l'ancien président. Je le connaissais depuis longtemps. Nous sommes des polytechniciens tous les deux et nous nous sommes toujours fréquentés. C'était un clan, les Servan-Schreiber. Nous allions presque tous les week-ends à Veulettes-sur-Mer, en Normandie. A l'époque, il n'y avait pas de limitation de vitesse, pas d'autoroute et nous roulions à cent soixante. Jean-Jacques était un jeune homme à la mode depuis son retour des Etats-Unis, avec cet article dans *Le Monde* qui avait fait sensation. Puis il y eut la naissance de *L'Express*, ce qui, en soi, fut une révolution. J'ai connu Françoise par Jean-Jacques et je savais son importance dont il ne se cachait pas, bien au contraire.

« Jean-Jacques est devenu un politico-journaliste, genre qui n'existait pas et qui n'existe plus. Personne ne comprenait mieux les choses que lui. Nous nous entendions bien. Pendant longtemps, il a travaillé dans l'équipe de Mendès où il exerçait une forte influence. Moi j'étais cantonné à un rôle beaucoup plus technique, confiné dans les questions budgétaires. Mais si nous n'avions pas les mêmes idées politiques, nous faisions partie du même milieu social. On dînait souvent ensemble. Françoise était toujours là. Il l'admirait, et moi aussi.

« Je me souviens de la première fois où je l'ai vue. C'était à un dîner de douze personnes. Tout de suite, j'ai remarqué sa forte personnalité, ainsi que le charme qui émanait d'elle. Puis je les ai moins vus quand ils étaient ensemble. Moi, j'étais plutôt du côté de Madeleine. Mais, d'ailleurs, n'ont-ils pas formé un trio ? »

J'interromps les supputations sentimentales de l'ex-Président pour qu'il me dise les tractations qui ont permis l'entrée de JJSS au gouvernement. « Jean-Jacques avait, tout d'abord, fortement participé à ma campagne en amont, rappelle-t-il. Il faisait partie de mon équipe. Il était mon politologue, il donnait des conseils, il s'occupait des sondages. Il souhaitait ardemment mon succès et y a fortement contribué en se dépensant sans compter. Quand je suis élu je le nomme, non en tant que symbole de l'"ouverture", selon l'acception actuelle du terme, car il était entendu entre nous qu'il se ralliait à nos idées, mais en gardant son originalité, tout en respectant son devoir de réserve. La suite prouvera qu'hélas il n'en était pas capable. »

La courte victoire de Giscard l'autorisera-t-il à promouvoir le changement ou à le retenir ? s'interroge alors Michèle Cotta dans *L'Express,* dès la formation du gouvernement. L'avenir se situe-t-il au centre ? JJSS le croit et tente de persuader la rédaction du magazine de critiquer Jacques Chirac, qu'il trouve hostile à l'idée même de réforme.

A quel moment Françoise Giroud a-t-elle su que Giscard pensait à elle pour devenir secrétaire d'Etat à la Condition féminine ? Manifestement très vite, peu de jours après son élection, et par JJSS.

J'avais déjà, lorsque j'étais ministre des Finances, le projet de légiférer sur le statut des femmes que je trouvais scandaleusement désobligeant et injustement inférieur sur bien des plans, rappelle Valéry Giscard d'Estaing. On ne leur reconnaissait pas pleinement certains droits civils, quant à la politique... C'était une injustice, doublée d'une erreur. J'avais vu que les femmes sans ressources souffraient encore plus. J'avais constaté, parmi mes amis, que le divorce continuait à être une comédie où il fallait encore s'acharner à trouver des torts. Si les gens ne veulent plus vivre ensemble, est-ce un crime ? La gestion de leur propre patrimoine était encore placée sous l'autorité du mari. Je souhaitais aussi rapidement m'engager sur la modernisation de la législation de l'avortement. Ces chantiers étaient pour moi d'une importance capitale. Je me suis demandé qui pouvait prendre en charge tous ces dossiers. Une femme, évidemment. Capable et intelligente. J'ai tout de suite pensé à Françoise. C'était mon idée. J'en ai fait part au Premier ministre qui y était opposé. Le Premier ministre propose... Le problème était, selon lui, politique. Je lui ai dit que je mettrais comme condition qu'elle accepte d'intégrer notre majorité, non au sens électoral du terme, mais dans son adhésion à notre positionnement. J'en ai parlé à Jean-Jacques qui m'a fait savoir qu'elle acceptait mes conditions. Je l'ai convoquée. Je lui ai demandé de s'associer à cette nouvelle phase. Elle m'a dit oui.

Françoise Giroud, dans l'édition de *L'Express* datée du 8 juin 1974, explique qu'elle a été pressentie pour être secrétaire d'Etat à la Condition féminine. Mais ensuite, silence radio.

Autant sera attendue la nomination de Françoise Giroud, autant sera bref le mandat de
ministre de JJSS (du 27 mai au 9 juin 1974). Le
constat s'explique d'ailleurs sans doute par un
rapport de cause à effet. Car Jacques Chirac, le
Premier ministre, n'entendait pas nommer dans
son gouvernement Françoise Giroud et Jean-
Jacques Servan-Schreiber en même temps. JJSS lui
a facilité la tâche en ne respectant pas son devoir
de réserve. S'exprimant, en effet, sur les explosions nucléaires dans le Pacifique, celui que Chirac surnomme « le Turlupin » sera contraint, au
bout d'une semaine, de quitter ses nouvelles fonctions. Ministre une semaine. Qui fait mieux ?

Giscard en sourit encore : « Jean-Jacques avait
de véritables convictions libérales, et c'était un
vrai démocrate, mais il pensait que tout devait
passer par lui, par sa propre personne. Quand je
l'ai récupéré, il était au plus bas dans les coteries
politiques et cet inexplicable épisode de sa candidature à Bordeaux n'avait pas été effacé de son
image et l'avait ridiculisé. Mais j'éprouvais de
l'amitié envers lui, de l'estime aussi, même si je
m'étais opposé à lui à Nancy. En politique, il faut
savoir utiliser tous les talents. D'autre part, il
voulait, à tout prix, être ministre. Je savais qu'il
avait du mal à se contrôler et je trouvais malheureux de me priver de ses talents de modernisa-
teur. Il voulait un grand ministère. Pas question,
lui ai-je dit. Il a insisté. Le nommer était pour
l'UDR une provocation. J'ai donc inventé ce
ministère des Réformes. L'idée lui a plu. Cinq jours
plus tard, il a éprouvé le besoin de faire ces déclarations sur les essais nucléaires. Je l'ai convoqué
et lui ai dit : "Tu ne peux pas rester au gouverne-

ment ". Il l'a reconnu. Il m'a dit qu'il avait eu tort et il est parti sans se faire prier. »

Mais non sans éclat, puisque, sous le titre « La Bataille inachevée », il explique dans *L'Express* du 11 juin les pressions exercées sur lui par le Premier ministre, son opposition aux positions de Jacques Chirac, sa croyance en une « civilisation du silence nucléaire » et la confiance qu'il conserve envers Valéry Giscard d'Estaing.

Entre Françoise Giroud et Jacques Chirac, les rapports ne sont pas tendres. Elle ne l'a jamais épargné dans ses éditoriaux et les journalistes de *L'Express* ont diligenté plusieurs enquêtes sur ses méthodes opaques de financement politique. Faisant traîner les choses, Chirac se fait prier pour nommer Françoise après l'éviction de JJSS. Devant l'insistance du Président, il se décide à lui proposer un poste de déléguée. Ce qu'elle refuse. Giscard a accepté que Françoise conserve ses activités de journaliste, Chirac trouve les deux fonctions incompatibles. Les rapports se tendent. Françoise n'y croit plus et confie à Alex Grall et à quelques amis qu'il en est bien mieux ainsi. La page est tournée. L'histoire aura duré quelques semaines. Elle part en vacances et résume sa mésaventure, le 17 juin, dans son éditorial de *L'Express* : « J'ai accepté définitivement la tâche que le chef de l'Etat me proposait en lui demandant seulement de conserver le droit d'écrire. Je ne sollicitais pas un privilège, un droit exorbitant, et je crus comprendre que le chef de l'Etat en était d'accord. Ai-je mal compris ? Sans doute, puisque, samedi, le Premier ministre me dit le contraire et me propose de transformer le secrétariat d'Etat en délégation. J'ai soudain l'impression d'être un mouchoir rouge que l'on craint d'agiter devant de vieux taureaux blessés, un mouchoir que Chirac aimerait garder dans sa poche. Dans quinze jours, il va me demander d'installer mon bureau dans les cuisines de Matignon et de faire du café pour ces messieurs de l'UDR. »

Françoise Giroud jette l'éponge. Dans une missive amère, elle écrit à Jean-Jacques Servan-Schreiber : « Il me faut donc accepter que la réflexion collective du gouvernement englobe l'avenir des anciens combattants mais pas celui des femmes. » Finalement, le 16 juillet, elle est nommée secrétaire d'Etat à la Condition féminine. Ce long suspense marque une défaite pour Jacques Chirac, qui va lui faire la vie dure. Pour elle, qui reste directrice de *L'Express,* c'est un succès.

Valéry Giscard d'Estaing confirme : « J'avais tout de suite accepté, car je ne pouvais lui promettre une carrière politique longue, et cela me paraissait normal qu'elle puisse, un jour, revenir au journalisme. Je précise qu'elle a commencé à travailler tout de suite et avec une toute petite équipe très motivée, contrairement à d'autres ministres qui voulaient des cabinets pléthoriques ».

Le 16 juin, elle a déclaré : « A y réfléchir, il est heureux que je ne sois pas secrétaire d'Etat à la Condition féminine. » Un mois plus tard, elle dira : « J'ai accepté avec le sentiment de faire quelque chose d'utile. »

C'est donc une femme bronzée, en tailleur-pantalon bleu ciel, qui reçoit les journalistes. Candidate repêchée ? Elle rejette l'insinuation. Personnalité qui retourne sa veste, elle qui a voté Mitterrand ? Elle nie farouchement. Elle a pourtant dit oui à Giscard. Pierre Mendès France ne le lui pardonnera jamais, Mitterrand le prendra très mal et Gaston Defferre lui fera des reproches. Elle, elle n'a pas l'impression d'avoir trahi son camp. Certaines de ses amies, comme Léone Nora, n'ont pas compris son geste : « J'ai été très surprise qu'elle accepte. Qu'avait-elle donc à prouver ? Le pouvoir, elle l'avait depuis bien longtemps. »

Le fait qu'elle ait rendu publiques ses négociations avec le Président et qu'elle ait exposé ses différends avec le Premier ministre entache un peu sa nomination. Certes, personne ne lui dénie son engagement pour la cause des femmes, sa grande capacité de travail, sa connaissance du monde politique. Mais commenter les mœurs de ce monde si particulier pour traverser le miroir sans y être préparée et sans bénéficier d'aucune assise ni d'aucun relais politique, à l'exception du bon vouloir du Président, n'est pas tâche facile... et peut facilement vous isoler.

Elle n'entend pas, dit-elle, faire de la décoration : « Deux grands ordres de problèmes m'attendent : des petites filles de la maternelle aux femmes adultes qui travaillent. »

Elle emménage au 72 rue de Varenne, en lieu et place d'un ministre qui vient d'être évincé : Jean-Jacques Servan-Schreiber...

L'Express du 22 juillet annonce la nomination de Françoise Giroud avec une photo d'elle, rayonnante, assortie de cette légende : « Le pouvoir des femmes. » Une photographie du Conseil des ministres figure également en bonne place, accompagnée de cette sorte de profession de foi de Françoise : « Ce n'est pas de mon propre sort qu'il s'agit, je ne suis pas une vedette engagée pour tenir un rôle... Ma meilleure qualification, mon seul titre est d'être, si je puis dire, agrégée ès vie, c'est-à-dire d'avoir appris, et parfois durement, ce que signifie être une femme – et vouloir le demeurer – dans un monde d'hommes. »

Interrogée sur Europe 1 par Etienne Mougeotte, elle affirme n'avoir pas fait acte d'allégeance mais être chargée d'une tâche précise. Elle admet que sa situation est un peu ambiguë et qu'elle ne connaît pas encore son budget. Le pouvoir pour le pouvoir ? Non, le pouvoir pour les femmes. Mais comment faire devant l'ampleur de la tâche, qui requiert de connaître les méandres de l'administration et les subtilités de ce qui relève de l'interministériel ? Elle avouera à Bruno Frappat, du *Monde*, que les premiers jours furent « difficiles » et qu'elle se sentait « bien seule ».

De ses faiblesses, elle saura faire une force et sera bien inspirée en nommant Yves Sabouret, trente-huit ans, directeur de son cabinet. Cet inspecteur des Finances était encore numéro deux au cabinet de Pierre Messmer six mois auparavant et connaît parfaitement la classe politique et le fonctionnement du cœur du pouvoir. C'est lui qui, en 1971, a mis en place le Comité du travail féminin, puis jeté les bases de ce qui deviendra le projet de loi sur l'égalité des salaires. Mais comment proposer à un grand commis de l'Etat ce qui peut

lui apparaître comme un déclassement ? Yves
Sabouret répond aujourd'hui : « Je l'avais rencontrée six ans auparavant grâce à Simon Nora.
J'étais fatigué par deux années épuisantes à Matignon et je m'étais déjà engagé auprès de Jean-Luc
Lagardère à retravailler après un congé sabbati-
que bien mérité. Françoise m'a convaincu. Elle
savait que je ne serais pas auprès d'elle pendant
longtemps mais il était amusant, après la grosse
machine de Matignon, de commencer à partir de
rien. Françoise Giroud m'impressionnait. La
cause qu'elle avait à défendre me passionnait.
J'étais donc prêt à mettre mes compétences à son
service. Très vite, j'ai vu et compris qu'elle avait
envie d'apprendre, de comprendre, et nous avons
eu, tout de suite, une manière fort efficace de
fonctionner ensemble. Elle travaillait du matin au
soir et faisait tout. Elle avait une forte capacité de
séduction et savait en user. Elle a détourné les
règles du politiquement correct peut-être sans le
savoir. Ainsi, contrairement à beaucoup, elle voulait tout faire par elle-même et vérifiait le devenir
de ce que nous engagions. Elle tapait elle-même
ses discours sur sa propre machine, qu'elle avait
apportée à l'hôtel de Castries. Elle n'aimait pas
apparaître, être sous les lumières, faire des discours. Elle se débrouillait mal d'ailleurs dans ce
genre d'exercice. Elle aimait agir. J'ai gardé de
cette période l'image d'une femme humble, qui
voulait faire tout ce qui était en son pouvoir pour
améliorer le sort des femmes et à qui la politique
n'a pas tourné la tête. Elle interdisait toute forme
de proximité. Alex, pendant cette période, l'a beaucoup soutenue. Jean-Jacques, aussi, était présent.
C'était l'opposé d'Alex, d'une vanité incroyable,
toujours persuadé d'avoir raison. Je le lui faisais

remarquer. Elle me répondait d'un air attristé : "Oui, je sais qu'il a tort. C'est pour cette raison que j'essaie de l'aider. » Au fond, c'était une femme timide, qui le cachait par une absence de familiarité et l'étude des dossiers et qui n'aimait pas les excès. Je me souviens qu'elle avait été outrée par les propos de Betty Friedan, féministe radicale qui s'était fait connaître par son pamphlet *The Feminine Mystique*, et ceux de Kate Millett, auteur de *Sexual Politics*, lors d'un voyage aux Etats-Unis. »

Elle passera sa première semaine à répondre aux deux mille lettres reçues et fera sa première sortie dans une usine moderne de la région parisienne.

Alice Morgaine se souvient : « Elle nous convoquait vers neuf heures du soir et nous demandait notre avis sur les lois qu'elle voulait engager. Elle nous écoutait. A côté de son bureau il y avait, sur une petite table, sa machine à écrire qu'elle avait prise avec elle, et elle tapait, tapait ce que nous lui disions. »

Elle se met en congé du journal, mais enverra, dès qu'elle en aura le temps, « des cartes postales » de cette *terra incognita* qu'elle découvre avec le désir sincère d'apprendre et d'agir, mais aussi le regard de la journaliste déjà décidée à apporter son témoignage le moment venu.

La vingt-deuxième secrétaire d'Etat – et la première à occuper ce poste dans l'histoire de la Ve République – a cinquante-huit ans et sait que, contrairement à bien d'autres, ce portefeuille est temporaire et non le tremplin d'une nouvelle carrière...

Dans le *curriculum vitae* communiqué à la presse, elle précise qu'elle est titulaire de la médaille de la Résistance.

Dans *L'Express,* Michèle Cotta cartographie la situation des femmes en France en 1974. Elle se révèle désastreuse sur bien des plans : inégalité des salaires – la moitié des femmes qui travaillent ont un salaire inférieur à 1 300 francs par mois ; discrimination à l'embauche ; inégalité des chances à l'école – une fille sur deux peut espérer suivre le même enseignement qu'un garçon ; 1 % des femmes sont cadres et 60 % employées ; 50 % des femmes, dans quatorze régions, sont à cette date au chômage. Les lois qui les protègent ne sont pas appliquées. Ce sont donc les esprits plus que les textes qui sont à changer.

Cinq personnes constituent le cabinet de la secrétaire d'Etat : quatre femmes et Yves Sabouret. Parmi les femmes, Martine Boivin-Champaux, petite-fille de Paul Valéry et juriste avertie, et Sylvie Pierre-Brossolette, dont le grand-père est héros de la Résistance et le père occupe à cette époque la fonction de secrétaire général de la présidence de la République. « Je débarquais de Sciences Po, se souvient Sylvie Pierre-Brossolette, j'étais très jeune et j'ai été happée dans cette aventure, avec cette femme que j'admirais et qui a pris très à cœur son nouveau métier. Nous étions une petite équipe très solidaire et nous travaillions sans discontinuer. Je me souviens d'une femme battante, organisée, qui croyait dur comme

fer à la cause des femmes et qui nous entraînait
par sa vitalité et son courage. C'était à la fois
exaltant et difficile. Nous nous heurtions, à chaque proposition, à un tir de barrage de Chirac.
A chaque fois, pour l'emporter, il fallait user de
l'arbitrage du Président. Ayant un père à l'Elysée,
c'était moi qui étais désignée pour tenter de plaider notre cause... »

Françoise Giroud, juste avant son entrée au
gouvernement, avait déclaré à *L'Aurore* : « Chirac est un homme grand, qui a du coffre et une
force vitale débordante. Je me mets donc en
boule pour offrir le moins de surface possible à
cette force. » Une fois nommée au gouvernement,
elle change de méthode et essaie de le contourner. A
Jean Lecanuet, gardien de la loi qui interdit la
discrimination raciale, elle demande : « Vous
rajouterez le sexe. » A Jean-Pierre Fourcade, en
charge des feuilles d'impôts, elle pose la question : « Pouvez-vous aussi demander aux épouses
de les cosigner ?. » Tous deux souriront, mais
s'exécuteront. « Elle ne connaissait pas les règles,
les rites, les codes et n'entendait pas les apprendre, confirme Yves Sabouret. Ce qu'elle voulait
c'était avancer et boucler ses dossiers. Elle avait
compris que l'appareil administratif était lent,
quelquefois pour masquer sa volonté de ne rien
faire. Sa manière directe d'aborder les problèmes
décontenançait certains ministres. D'autre part il
était de notoriété publique qu'elle avait l'appui du
Président. » « Il n'y avait pas de week-end, pas de
temps mort, se souvient Sylvie Pierre-Brossolette.
L'apparence physique faisait, selon elle, partie du
job. Il fallait toujours être correcte. Je me souviens
d'un samedi matin où j'ai débarqué chez elle

pour l'emmener dans une réunion et où, après m'avoir regardée, elle m'a dit qu'elle allait repasser mon pantalon qu'elle trouvait trop froissé. Elle l'a fait devant moi. Elle qui excellait dans le bricolage, la cuisine, et même le repassage m'a tout de suite rendu ce petit service. J'en étais touchée. Elle trouvait cela naturel. Elle ne détestait pas se faire entourer et arriver dans les réunions interministérielles avec la petite-fille de Valéry et celle d'un grand résistant. »

Les photographies publiées dans la presse à ce moment-là montrent qu'elle change de « look », elle aussi. Celle qui recevait chemise ouverte, les pieds repliés sur son fauteuil, charmeuse et souriante, celle qui semblait si décontractée et que le journal *Combat*, en guise de compliment, qualifiait « de seule membre du gouvernement à ne pas faire ministre », porte au bout de trois mois des tailleurs Cerruti classiques et ne se sépare jamais d'un gros cartable.

Elle se bat pour faire avancer ses dossiers et prend régulièrement rendez-vous avec le président de la République. « Elle a fait toute une série d'actions, se souvient Valéry Giscard d'Estaing. Elle possédait une méthode : prendre les dossiers un par un et ne pas lâcher. Elle s'est attaquée avec méthode et rigueur aux problèmes de l'emploi et de la rémunération. Il fallait faire beaucoup de textes de lois pour modifier la condition des femmes, et il reste de son action un impressionnant corpus de textes et de décrets. »

Trois mois après sa prise de fonction, elle confie aux lecteurs de *L'Express* qu'elle a « le sentiment d'être une sorte d'affreux jojo auquel des précepteurs soucieux cherchent à enseigner les bonnes manières. » Elle ne cache pas que ce métier est difficile, usant, rarement amusant, et qu'elle éprouve l'impression souvent de se battre contre une muraille d'entrelacs de lois, règlements, décrets, circulaires... Comment réussir à transformer la vie ? demande-t-elle.

Pourtant, dès le 7 octobre, elle fait passer en Conseil des ministres une série de mesures sur l'emploi des femmes. Elle écrit, dans *L'Express,* que lors des Conseils des ministres elle se sent protégée par la présence de Simone Veil, ministre de la Santé, l'une des seules femmes avec elle à faire partie de ce gouvernement. « Seule la présence, dense, de Simone Veil, que j'appelle cérémonieusement, tout au long de telles réunions, madame la Ministre de la Santé, m'a protégée de penser qu'il était déplacé d'entretenir des membres du gouvernement de sujets comme les grossesses à risque par exemple... »

Et pourtant la loi sur l'avortement les éloignera. Certains ont glosé sur l'opposition, voire la concurrence qui se serait installée entre ces deux femmes. C'était mal les connaître. Non, elles ne se sont pas disputées le dossier de l'avortement. Ce sont des raisons politiques qui ont conduit le Président à le confier à Simone Veil. « C'est Lecanuet, ministre de la Justice, qui aurait dû le prendre en charge, mais il y était violemment opposé, rappelle Valéry Giscard d'Estaing. Je l'ai donc confié à la ministre de la Santé. »

Giscard n'a pas songé à le donner à Françoise Giroud et ne lui en a même pas parlé. On sait pourtant qu'elle se battait depuis plus de vingt ans en faveur de la libéralisation de l'avortement. Sylvie Pierre-Brossolette se souvient qu'elle n'a pas pris, sur le moment, ombrage de cette décision, tant elle respectait Simone Veil. Mais l'admirait-elle ou affectait-elle de la respecter ?

Le 25 octobre, le Président organise un conseil restreint sur le sujet. Y sont conviés, outre le Premier ministre, Jacques Chirac, le ministre de la Justice, Jean Lecanuet, ainsi que Simone Veil et Françoise Giroud. Simone Veil parle pendant une heure. Elle a élaboré seule le projet de loi. Le 29, dans le bureau du Président, se tient une nouvelle réunion, plus politique, au cours de laquelle les partisans de la libéralisation réussissent à convaincre les opposants. Françoise Giroud est intervenue en rappelant que la majorité silencieuse veut qu'on en finisse avec cette hypocrisie et qu'elle avait publié dans *L'Express*, le 6 mai 1974, un sondage qui donnait 70 % d'avis favorables. De toute façon les jeux sont faits : le Président est déterminé, Simone Veil s'est préparée à la bataille, mais est loin de se douter de ce qu'elle va endurer. Le projet de loi doit être discuté le 28 novembre. *L'Express* du 25 met en couverture la photo de Simone Veil. Alors qu'elle se trouve déjà dans l'hémicycle, en proie à la vive opposition d'une partie de la droite conservatrice et catholique, l'article prend un ton léger et ironique pour dire qu'elle « possède de bons atouts : l'amitié vigilante du Premier ministre qui l'aime beaucoup et l'embrasse sur les deux joues, celle de Jean Foyer, grande figure du gaullisme, ancien garde des Sceaux et ministre de la Santé, dont elle a été la collaboratrice, et qui, même s'il demeure hostile au projet, déclare : "Si elle fait passer cette loi, je ne lui adresserai plus la parole. Enfin, pendant six mois…" ». *L'Express* loue la rigueur de l'argumentation de Simone Veil, qui sait ne pas s'emporter, mais préfère expliquer et justifier.

Le lendemain soir, après trois heures de débats houleux, Françoise Giroud est appelée à exprimer sa solidarité. Elle le fait avec des mots simples et en rappelant son propre trajet. Elle n'est pas une bonne oratrice et son discours, s'il ne rencontre guère de contestation, ne vient qu'en appoint de celui que s'apprête à prononcer la ministre.

Le 28 novembre 1974 Simone Veil s'avance, seule, dans l'hémicycle. En juin 2010, elle a conservé intacte la mémoire de ce moment : « Les attaques étaient tellement nominales qu'il était impossible de ne pas les prendre à titre personnel. Il y avait eu, auparavant, cet énorme courrier qui continuait à arriver tous les matins dans le hall de mon immeuble, des croix gammées à l'intérieur de l'ascenseur, des inscriptions obscènes sur la carrosserie de ma voiture. Quand je sortais de chez moi, les gens m'abordaient en me mettant sous le nez leur chapelet et en me faisant des signes, comme au Moyen Age, pour me désigner comme sorcière. Dans le courrier, beaucoup de lettres menaçaient mes enfants de l'enfer. Sans oublier l'accusation de génocide. Ils m'apostrophaient en me disant : "Comment osez-vous parler d'Auschwitz, vous qui allez faire pire ?" ».

Simone Veil se souvient aussi de l'attitude de certains parlementaires, de l'hostilité physique qu'ils lui manifestaient : « C'était tellement odieux que je crois qu'ils n'auraient jamais osé faire cela à aucune femme. Certains étaient d'une grossièreté allant jusqu'à l'obscénité. J'étais depuis des heures en séance et j'avais besoin de me dégourdir les jambes. Je suis sortie cinq minutes. La personne qui était à la tribune a demandé si je sortais pour satisfaire mes besoins personnels. »

Aujourd'hui, on la remercie dans la rue. Simone Veil reconnaît que Giscard croyait en ce dossier et l'a soutenue à chaque instant. Elle est même persuadée que le Président l'a choisie pour soutenir cette cause qui faisait scandale depuis longtemps dans le monde de la magistrature, dont elle était issue. Elle conteste que Françoise Giroud ait pu, de près ou de loin, participer à l'élaboration de cette loi : « C'était tout de même très technique. Je n'ai jamais pensé qu'elle en avait la compétence. Et je ne me souviens pas de l'avoir vue dans l'hémicycle lors des séances interminables, mais décisives, de la nuit. » Sylvie Pierre-Brossolette se rappelle que Simone Veil se serait opposée à la présence de Françoise Giroud à ces séances. L'ex-ministre, aujourd'hui, n'en a pas gardé le souvenir. « Ou alors, peut-être, ai-je fait savoir que le combat allait se jouer à la droite de la droite et, comme elle était très marquée politiquement, sa présence n'était pas forcément un atout. Mais tout de suite après, je lui ai proposé de travailler sur un dossier commun concernant les enfants. Elle a refusé avec violence. Elle me considérait avec un certain mépris. »

Pour Simone Veil, en politique, le problème des femmes est l'expression de leur autorité : « Souvent mises en cause, elles sont prises entre le désir de devenir plus autoritaires que nécessaire et la crainte de ne pas être écoutées. »

Sur ce plan, les deux femmes d'exception que sont Simone Veil et Françoise Giroud sont d'accord. Lors d'une enquête menée en 1992 sur les femmes et la politique, Françoise Giroud m'avait confié : « On entre alors dans un univers mystérieux avec des codes, des rites. C'est tellement rigide, tellement clos que les gens nouveaux qui y arrivent, même s'ils veulent changer quelque chose, ne le peuvent pas. La machine est là, terriblement puissante, organisée, avec des gens qui se trouvent là depuis trente ans. Je suis sûre que même le président de la République, s'il lui en prenait l'envie, aurait du mal à modifier les règles du protocole. » Et elle tenait à le souligner : « Je n'aurais jamais rien pu faire sans Giscard. Les ministres savaient que je le voyais et certains d'entre eux essayaient de me faire plaisir. » Sylvie Pierre-Brossolette le confirme : « Pour faire avancer les cent une mesures, j'étais contrainte d'aller chercher sans cesse l'arbitrage à l'Elysée après avoir essuyé le silence ou l'immobilisme de Matignon. »

Françoise Giroud fait un voyage aux Etats-Unis où elle est reçue comme une reine. En octobre 1974, elle est la personnalité du gouvernement la plus aimée des Français avec 74 % d'opinions favorables.

Pour la première fois dans l'histoire des femmes en France, elle réalise un remarquable travail législatif pour leur permettre d'accéder à leurs droits. Ce travail, austère et technique, n'a pas été mis en lumière par les médias : la conversion des fonds de pension, le droit à l'héritage, les allocations familiales y figurent parmi tant d'autres,

autant de lois sous lesquelles nous vivons désormais sans savoir que c'est à elle que nous les
devons...

Le 8 octobre, *L'Express* revient sur l'affaire
Dega qui mettait en cause l'intégrité de Jacques
Chirac. En 1971, Jacques Derogy avait flairé un
gros scandale et avait réussi à remonter les fils de
l'enquête qui le conduisaient jusqu'à Jacques Chirac, alors ministre de l'Agriculture, accusé d'avoir
pris Dega comme prête-nom pour couvrir des
fonds illicites. Dega ayant été arrêté, Derogy avait
entamé, début 1973, une campagne dans *L'Express*
en accusant Chirac. Celui-ci avait porté plainte en
diffamation contre le journal, et Françoise Giroud
endossé automatiquement la responsabilité de ce
qu'écrivaient ses journalistes. Le temps ayant
passé, Dega a été libéré, Jacques Chirac est devenu
Premier ministre et Françoise est sous son autorité. Mais la justice n'a pas oublié et la plainte de
Chirac resurgit. Le procès est prévu pour octobre,
et malgré les efforts des avocats il a été impossible de disjoindre le cas du journaliste de celui de
la directrice de publication. C'est en lisant son
propre journal que Derogy découvre que Grumbach a signé un papier pour disculper, faute de
preuves, le Premier ministre. « C'est dégueulasse,
dit Derogy à Grumbach. J'ai l'air d'un con. En
plus on ne m'a même pas tenu au courant. » Il
menace de démissionner. Demande de Françoise ?
Non, mais ordre de JJSS de régler cette histoire à
l'amiable au château. Avec la complicité de Françoise ? On l'ignore. En tout cas le résultat ne se
fait pas attendre : Chirac retire sa plainte et se
déclare satisfait de la tonalité de l'article. Le slo-
gan inventé en 1971 pour promouvoir le journal

paraît pour le moins... décalé : « Les moyens de savoir, le courage de dire. » Cela n'empêche pas la majorité de la rédaction de démontrer qu'elle entend conserver son indépendance rédactionnelle vis-à-vis du Premier ministre, critiqué pour sa tentative de museler la presse et sa mauvaise gestion des conflits syndicaux.

Le 9 décembre, *L'Express* publie un sondage selon lequel 85 % des Français éprouvent un sentiment d'inquiétude. Les prix augmentent, l'emploi diminue. La France, assure *L'Express*, entre dans une économie de guerre. Sur ce fond de crise naissante, Françoise Giroud – qui n'a guère abusé de sa possibilité de s'exprimer dans les colonnes de son journal – publie une double page intitulée « Les voleuses d'emploi » : ce n'est pas parce que le chômage augmente, y lit-on, que les femmes qui travaillent doivent rentrer à la maison. Au contraire. En période de récession, les travailleuses sont plus que jamais indispensables à l'économie : « C'est à elles et aux plus mal payées d'entre elles qu'est due une bonne part de l'expansion des belles années. »

Le 1ᵉʳ mars 1975, Françoise Giroud devient membre du parti radical. Deux jours plus tard, devant deux mille congressistes de la fédération des réformateurs, elle affirme qu'elle a voté François Mitterrand aux deux tours et qu'elle ne renie pas ce choix. Elle en profite pour dénoncer le comportement de Chirac, qui avait attaqué Mitterrand violemment, et insiste : « Je n'accepte pas que l'on dise de la moitié des Français qu'ils ont été des criminels alors qu'ils obéissaient à un élan profond de révolte, à un espoir fragile, à un espoir tremblant. Cracher sur l'opposition est peut-être habile, mais insupportable. »

Le lendemain, Giscard d'Estaing prononce un discours à l'approche de la Journée des femmes où il reprend les arguments de Françoise Giroud, tout en se félicitant de l'avancée des femmes dans la sphère du politique. Ces envolées se heurtent aux chiffres : les femmes forment 53 % du corps électoral et n'occupent que 2 % des sièges au Parlement.

Françoise Giroud se bat de plus en plus contre l'administration et se sent de plus en plus isolée. Début août, elle prend rendez-vous avec le Président.

CHAPITRE XXXIV

La secrétaire d'État à la Culture

Il existe deux versions du départ de Françoise Giroud du gouvernement. Voici celle de Valéry Giscard d'Estaing : « Elle a pris effectivement rendez-vous avec moi début août sans m'en donner la raison. Nous nous voyions régulièrement et je pensais qu'elle venait me parler de ses dossiers. Très vite elle m'a dit : "J'ai fait ce que j'avais à faire, tout ce que je pouvais faire. Vous pouvez mettre un terme à ma fonction". Au contraire de bien d'autres qui s'accrochent, elle m'a répété : "Je veux en rester là". » La presse, intriguée par ce rendez-vous en pleine canicule, l'interroge : « Nous avons parlé de l'avenir », répond-elle aux journalistes sur le perron de l'Elysée, l'air un peu égaré. Au micro de France Inter, le lendemain matin, elle déclare : « Il n'y eut pour moi aucun motif de déception ou de désappointement dans cette conversation. Si j'avais l'air désenchantée hier, c'était à cause de la chaleur », tout en ajoutant que son secrétariat d'Etat n'était pas « éternel ».

Voici la version qu'elle m'a donnée le 6 novembre 1991 : « J'avais voulu dresser avec lui le bilan de mon action et lui demander des moyens supplémentaires. "Ce n'est pas possible", m'a-t-il répondu. Je peux donc m'en aller ? lui ai-je demandé. "Non", m'a-t-il répondu. » C'était donc un quitte ou double. Françoise Giroud pense qu'elle va gagner cette manche. Dans un entretien publié par *Le Monde,* le 8 août 1975, elle affirme regretter de n'avoir pu réaliser entièrement le plan qu'elle s'était fixé et tient à déclarer que, contrairement à certaines informations, elle n'avait jamais songé à quitter le secrétariat d'Etat, et qu'en aucun cas elle n'en est démissionnaire. Elle se déclare même prête à envisager une autre fonction ministérielle.

Malgré les promesses de le faire durer trois à six mois, le secrétariat d'Etat sera supprimé. Revanche de Jacques Chirac, à qui Valéry Giscard d'Estaing donnera finalement satisfaction pour des raisons politiques ? Ce secrétariat d'Etat à la Condition féminine était-il un secrétariat d'Etat à la condition de Françoise Giroud ? s'interroge la presse. « Que vont devenir ces millions de femmes que la défection de notre éminente consœur a privées de sa vigilante attention ? » demande *La Nation.* A gauche également on déplore la disparition de ce secrétariat d'Etat et on rend hommage à une femme qui s'est valeureusement battue contre une administration traditionaliste.

Françoise Giroud quitte le gouvernement déçue, mais sans ressentiment, avec la certitude d'avoir rempli 80 % de sa mission et que le reste sera mis en œuvre par d'autres ministères. « Le calme d'un bureau aux lambris dorés où Stendhal avait écrit ne suffisait pas à me retenir. Je n'allais pas faire de la figuration au gouvernement alors que *L'Express* m'attendait », écrit-elle dans *Arthur ou le bonheur de vivre*.

Elle sait pourtant qu'elle n'est plus persona grata à *L'Express*, où la mise sous le boisseau de l'affaire Dega a jeté le soupçon sur son indépendance. Une femme ministre peut-elle rejoindre une rédaction et redevenir directrice d'un journal indépendant ? Le retour à la case départ est difficile à gérer.

De plus l'« affaire d'*Histoire d'O* » l'avait éloignée de Jean-Jacques : toujours à la recherche de coups médiatiques, JJSS avait préparé, en grand secret, avec la complicité de Madeleine Chapsal, un numéro entièrement consacré à *Histoire d'O*, le film de Just Jaeckin, tiré du livre publié en 1954 par Jean-Jacques Pauvert sous le pseudonyme de Pauline Réage, qui se révélera être Dominique Aury. Le réalisateur d'*Emmanuelle* veut faire scandale et *L'Express* accompagne sa démarche : couverture, cahier couleurs du film, texte initial. Succès en kiosque : le journal fait l'objet d'un retirage à plus de cinquante mille exemplaires, mais les dégâts collatéraux sont importants : deux mille lecteurs se désabonnent, des filles du MLF envahissent la rédaction, fouet à la main, en scandant « JJSS maquereau, *Express* journal machiste ». Françoise Giroud, encore secrétaire d'Etat à ce moment-là, avait été outrée et avait demandé à JJSS d'enlever son nom de l'ours du journal, ne bénéficiant plus que du titre « directrice en congé ». Difficile, donc, de revenir dans de telles conditions. Que faire ? Il l'encourage à s'engager pleinement dans la politique en s'investissant davantage dans son propre parti. Françoise Giroud ne refuse pas, mais elle a besoin de prendre le temps de la réflexion.

C'est à ce moment-là que Jacques Chirac démissionne de ses fonctions de Premier ministre et est remplacé par Raymond Barre, qui propose à Françoise de devenir secrétaire d'Etat à la Culture. Cette fois, elle n'a nul besoin de délai de réflexion : elle accepte aussitôt la proposition, croyant qu'elle a été choisie par Raymond Barre avec qui elle entretient les meilleurs rapports. En fait, c'est à Valéry Giscard d'Estaing que l'idée revient : « J'avais nommé Michel Guy à la Culture. Il était très bon, d'une grande intelligence, capable de gérer le patrimoine tout en ouvrant sur la création et l'art contemporain. Je m'entendais très bien avec lui, mais Raymond Barre lui reprochait une très mauvaise gestion de son ministère et me harcelait pour qu'il s'en aille. Un jour, exaspéré, Barre me dit : "Je ne veux plus travailler avec lui". J'ai eu le tort de lui céder. Mais Françoise avait mis fin à ses fonctions. Elle était admirée dans toutes sortes de milieux. Et puis c'était une femme. »

Françoise Giroud conviendra que cette proposition était « irrésistible ». « Un vrai ministère, des services, la liberté d'action, pour autant qu'un ministre en dispose, un budget... » Elle reconstitue donc la petite tribu de la condition féminine avec Christine Charet, Martine Boivin-Champaux, Anne-Marie Rezette et Sylvie Pierre-Brossolette.

Sa marge de manœuvre va se révéler étroite : le Président, qui la soutient, est déjà en mauvaise posture, coincé entre une gauche qui reprend tonus

et légitimité et un RPR qui lui mord les mollets.
Raymond Barre subit l'impopularité qui résulte
de la défense du franc, le chômage augmente,
l'inflation galope. Françoise Giroud s'installe dans
un ministère déjà rodé, avec ses personnels et ses
habitudes, contrairement à la Condition féminine
où elle partait de rien. Comment faire une politique de la culture quand on dispose d'un budget
de misère, justifié par ces temps de rigueur ?

Françoise se cherche, cherche aussi comment
elle peut exister et demande conseil à André
Malraux qui lui dit : « Il faut que vous trouviez
un truc. Moi, j'avais fait blanchir les monuments
de Paris. » Elle ne trouve pas l'inspiration. Alors
elle assure, fait ce qu'elle peut, reçoit les artistes,
défend la création du Centre Pompidou courageu-
sement, et fait un discours maladroit le jour de
l'inauguration, qui commence par : « Nobles
dames et seigneurs »...

Sylvie Pierre-Brossolette rappelle aujourd'hui
sa timidité, que personne ne soupçonnait, qui
pouvait être interprétée comme de la gaucherie et
contrarier son désir de bien faire. Elle prend pour
modèle André Malraux qu'elle consulte souvent :
« Je me souviens d'une visite qu'elle a faite à Ver-
rières où je l'accompagnais. Elle était très émue et
faisait parler Malraux du temps où il était ministre.
Nous faisions tout ce que nous pouvions dans
cette petite équipe pour assumer toutes les tâches,
tout en sachant qu'il était difficile d'inventer,
mais avec le sentiment du devoir bien fait dans
un contexte budgétaire difficile où Raymond Barre
a toujours été d'une loyauté exemplaire. »

Michèle Cotta ajoute : « J'étais heureuse et fière qu'elle entre au gouvernement. N'oublions pas qu'elle est une femme. Quand on demande aujourd'hui à Christine Lagarde si elle peut devenir Premier ministre, elle répond qu'elle ne saurait pas. Jamais un homme politique ne raisonne ainsi. Son bilan est plutôt bon comparé à celui de Renaud Donnadieu de Vabres ou de Frédéric Mitterrand. Elle a fait ce qu'elle a pu. Il lui aurait fallu plus de temps pour inscrire sa marque dans l'histoire de la République en tant que secrétaire d'Etat à la Culture, mais pour la Condition féminine, aujourd'hui encore, certaines lois qu'elle a fait voter continuent à protéger les femmes. »

En 1991, Françoise Giroud me confiait : « Je n'ai aucun regret. C'était une aventure intéressante... Même les ministres rêvent d'être utiles et c'est difficile... Ce n'est pas plus dur qu'un journal, mais c'est plutôt une activité de représentation. C'est lourd et cela paraît tellement superflu. Moi j'ai fait le désespoir d'un certain nombre de préfets, parce que j'étais d'une exactitude implacable, et quand on disait que le ministre serait à Melun à onze heures, j'étais là à 10 h 59 et le préfet n'était pas levé. Quelques-uns se souviennent que je leur ai joué de mauvais tours. »

Très vite, Françoise Giroud essaie de sortir des carcans de la politique traditionnelle, refuse les pressions pour les décorations, et réfléchit à ce que signifie une politique culturelle. Dans ses archives personnelles on retrouve un long mémo où elle analyse comment la culture populaire, collective, qui s'exprime par le conte, la fête, la chanson, a été tuée par le développement de la

société industrielle. Comment retrouver ou donner le goût de la culture à tout le monde, pour
tout le monde, dans une ère complètement domi-
née par la télévision ? « Je n'ai pas de recette
magique à proposer, mais ce qu'il y a de plus
important à viser, c'est cette reconstitution d'une
culture dont chacun est à la fois le spectateur,
l'auteur et le véhicule. »

Elle fréquente beaucoup le monde du cinéma et
des arts plastiques, se rend au festival de Cannes,
fait de nombreux voyages à l'étranger, notamment à Los Angeles, où elle a la grande émotion
de décorer son ancien patron : Jean Renoir. Elle
prononcera les formules d'usage, bouleversée par
cet homme épuisé qui lui a tant donné : « La vie
se retirait de Jean Renoir et j'en tenais le flam-
beau avant que mon tour vienne de le passer. »

A son retour elle pense que le moment est venu
de réexaminer le système des subventions et de
repenser le rapport public-privé. Elle n'en aura
pas le temps. Valéry Giscard d'Estaing témoigne :
« Elle ne s'est pas sentie à l'aise dans ce ministère. Elle a dû subir des contraintes budgétaires
lourdes. Elle ne s'entendait pas avec Barre. Elle a
mal géré la mort de Malraux. Je ne l'ai jamais
critiquée, car c'était une grande travailleuse, pas
exaltée, et qui traitait ces questions de façon rai-
sonnable, mais je m'en suis toujours voulu d'avoir
cédé à Barre et de ne pas avoir gardé Michel
Guy. »
En réalité elle s'entendait à merveille avec Raymond Barre, quant à la mort de Malraux elle
aurait souhaité écrire un discours. L'Elysée l'en a

empêchée. Du coup elle a écrit dans la nuit un article pour *L'Express*.

Giscard assure ne pas se souvenir de l'épisode de la candidature de Françoise Giroud aux municipales de 1977 dans le XVᵉ arrondissement de Paris. Ce sera pourtant la cause de son départ du gouvernement. Il préfère donner une autre version de la rupture : « Disons qu'il y a eu une désaffection de la fonction. Elle est partie. J'ai conservé avec elle de bons rapports, même si elle m'égratignait dans ses livres. »

Elle aurait rêvé de rester dans ce ministère qu'elle aimait beaucoup. Elle en a été congédiée.

CHAPITRE XXXV

Le piège

Mars 1977. Pour la première fois depuis cent ans, la capitale va élire son maire. Giscard demande à Françoise Giroud de se présenter. Elle hésite. Il insiste. Elle choisit le XVe arrondissement où elle habite et où elle s'opposera à Nicole de Hauteclocque, pour qui elle éprouve de la considération et qui jouit d'un bon bilan. A plusieurs reprises, elle fait valoir ces arguments au Président, qui les balaie d'un revers de main. Il a besoin de sa notoriété. Sylvie Pierre-Brossolette confirme :

> Il l'a appelée au moins cinq fois en ma présence. Elle argumentait et ne sentait pas la situation. Il lui promettait que, même en cas de situation malheureuse, il la reconduirait au gouvernement. Il en faisait même une condition. Jean-Jacques Servan-Schreiber, lui aussi, la harcelait pour qu'elle défende les couleurs de son parti.

D'un côté Giscard, de l'autre JJSS. Deux fois otage... Mais pourquoi donc s'est-elle encartée ? Elle qui affirme ne pas avoir connu « cette enflure de la tête, cette dilatation du moi, cette hypertrophie de l'ego, si promptes à affecter quiconque dispose d'un poste ministériel parce que tout concourt à lui faire perdre le sens des réalités », se ment-elle à elle-même ? Je crois surtout qu'à ce moment-là, quoi qu'elle en dise, elle se sent portée par la politique et promise à un destin plus grand. *L'Express* n'est plus un refuge d'où elle pourra rebondir et elle le sait.

Acculée, donc. Et du coup, consentante à ce qu'elle avait dénoncé par-dessus tout : la politique politicienne. Prise au piège. Déterminée à se battre en utilisant sa notoriété dont elle n'est pas peu fière.

Le 7 mars 1977, elle est interrogée par *Le Monde* sur les raisons qui justifient un tel choix, qui est aussi un retournement politique. Elle utilise la langue de bois tout en faisant savoir qu'elle est ouverte à toutes les propositions du RPR...

Pour mener sa campagne, elle utilise *L'Express*, qui couvre le moindre de ses déplacements dans le XVe et vante ses mérites. Un tiré à part à 75 000 exemplaires est distribué dans les boîtes aux lettres de cet arrondissement. La candidate se présente ainsi : « Secrétaire d'Etat à la Culture, médaille de la Résistance, deux enfants, deux petits-enfants, habitant le quartier Necker. »

La campagne sera brève. A la suite de sa lecture du tiré à part, Maurice Bayrou, sénateur RPR, compagnon de la Libération et médaillé de la Résistance, adresse une lettre au président des médaillés de la Résistance dans laquelle il s'étonne de ne pas voir le nom de Françoise Giroud dans le livre des médaillés. Le président lui répond qu'il n'a pas trouvé trace du décret mentionnant l'attribution de la médaille à Françoise Giroud, mais précise qu'il a retrouvé le décret pour Djénane. Quatre jours plus tard, un certain nombre de résistants déposent une plainte pour usage irrégulier de titre de médaillé de la Résistance. Les chiens sont lâchés : dans les tracts qui circulent, les rumeurs vont bon train. Sur certains tracts qui émanent du RPR sont mentionnées les origines juives de Françoise Giroud. Il est aussi précisé qu'elle a changé de nom.

Les coups bas pleuvent.

Mais pourquoi avoir appâté les électeurs avec cette histoire de médaille de la Résistance ? Et comment expliquer la réponse de celle qui est attaquée : « Agent de liaison, arrêtée par la Gestapo en mars 1944 et incarcérée à Fresnes, j'ai reçu, en septembre 1945, la médaille de la Résistance en même temps que ma sœur, rentrée de déportation. Puisque justice il y a, elle appréciera. » Françoise Giroud, avec le recul, reconstruit-elle son histoire ? Ce ne serait pas la première fois qu'un personnage public gomme ses zones d'ombre et lisse son passé. Les fantômes de Mitterrand sont toujours présents dans nos mémoires. A-t-elle confondu son histoire avec celle de sa sœur ? Je ne le crois pas, tant était vive son admiration à son égard. A-t-elle vraiment cru qu'elle avait reçu, comme sa sœur, cette distinction ? Angelo Rinaldi se souvient d'un soir au marbre à *L'Express* pendant cette période : « Elle était impassible et calme et me dit : "Je voudrais publier la lettre que j'ai reçue en 1945 et qui m'innocente". Elle sort une lettre avec le timbre-poste de l'époque et me regarde : "Jamais les gens ne croiront à un document si ancien". En lisant la lettre, nous décidons de la publier. Elle nous disait que la loi avait été votée mais que le décret n'était jamais passé au *Journal officiel*. Elle était persuadée d'avoir obtenu cette médaille. »

Françoise cherche dans ses papiers. Elle trouve une première lettre sur papier à en-tête du ministère de la Guerre, datée du 23 mars 1945, signée du lieutenant-colonel Brunetière, sous-chef du 5ᵉ bureau de l'état-major de l'armée. Elle certifie que Djénane est entrée dans la Résistance dès septembre 1942 et que Françoise Gourdji a travaillé pendant l'occupation pour l'Armée secrète avant d'être arrêtée par la Gestapo, mais aucune allusion à l'attribution de la médaille.

Elle fouille et retourne toutes ses archives (Françoise gardait tout) et trouve une seconde lettre, datée du 18 septembre 1945, aujourd'hui introuvable mais qu'elle a reproduite dans le numéro de *L'Express* daté du 11 avril 1977, celle-là même dont se souvient Angelo Rinaldi.

Cette lettre, adressée à la mère de Françoise, écrite sur papier à en-tête du ministère de l'Intérieur, Direction générale de la Sûreté, annonce à Elda Gourdji :

> Chère Madame,
> J'ai le plaisir de vous informer que les décrets portant attribution de la médaille de la Résistance à vos filles ont été signés.
> Ainsi Djénane et Françoise seront-elles unies dans l'hommage de la nation comme elles le furent dans la Résistance à l'occupant.
> Agréez, je vous prie, chère Madame, mes respectueux hommages.

L'affaire juridique avait commencé le mois précédent, dès le 15 mars, devant la Vᵉ section du parquet du tribunal. Françoise Giroud a réussi à retrouver l'auteur de la première lettre. Le premier témoin entendu est donc le professeur Aron-Brunetière, ancien chef du 2ᵉ bureau de l'état-major des FFI, lequel, après sa déposition, déclare à la presse : « J'ai confirmé l'attestation que j'avais délivrée à Françoise Giroud. J'ai souligné qu'en 1945, il régnait dans l'administration, à tous les niveaux, un désordre certain. Je me souviens qu'en septembre ou octobre 1945, Françoise Giroud a reçu notification de l'attribution de la médaille, mais elle ne retrouve pas cette notification. L'attribution à Françoise Giroud de cette médaille n'a rien de surprenant, car elle a été une résistante authentique. J'ai été son patron en Auvergne jusqu'en 1943, puis elle a travaillé sous les ordres de Pierre de Jussieu-Pontcarral, puis de Jean Chappat, aujourd'hui décédé. C'est lui qui l'a proposée pour la médaille en rentrant de déportation. »

Marie-Madeleine Fourcade et Jacqueline Rochette protestent : on ne prouve pas par témoin, disent-elles. D'autre part, il ne régnait pas un si grand désordre en 1945.

Rappelons que la médaille de la Résistance a été créée par une ordonnance du général de Gaulle, le 9 février 1943. Elle est administrée par la grande chancellerie de l'ordre de la Libération. L'attribution de cette médaille se fait par décret paraissant au *Journal officiel*. Quarante-neuf mille médailles ont été décernées. Quatorze mille de leurs titulaires, en 1976, sont encore vivants.

Le port illégal de la décoration constitue une infraction au Code pénal.

L'affaire de la médaille de Françoise Giroud enfle. François Mitterrand prend sa défense et qualifie ce procès de « procédé de bas étage ». « En s'attaquant ainsi à Françoise Giroud on s'attaque aussi à son honneur. » Gilbert Grandval, ancien ministre, affirme ne rien savoir de cette histoire de médaille, mais assure que Françoise Giroud, de toute façon, l'a bien méritée. Ce genre de déclarations révulse au plus haut point certains résistants médaillés, bien décidés à ne pas lâcher, tant ils se sentent déshonorés.

Françoise est blessée dans son honneur mais, pas une seconde, ne donne l'impression d'avoir voulu usurper la mémoire de la Résistance. Elle aurait pu la détenir si elle avait accompli les formalités administratives en temps et en heure. Djénane non plus n'a pas été chercher sa médaille. Toujours est-il que son action dans la Résistance n'explique pas cette distinction compréhensible uniquement parce qu'elle est la sœur de Djénane qui, elle, a pris des risques considérables. La violence dont elle fait l'objet pendant cette campagne s'explique aussi par un règlement de compte politique.

Elle déclare à Antenne 2 : « Je ne suis pas là pour gémir ou pleurer. Je parle comme quelqu'un qui a été blessé. Mais les blessures personnelles sont sans importance. »
Quand on revoit le document on est impressionné par son calme et sa dignité.

Elle participe à un meeting, à Montmartre, en présence de Michel d'Ornano, où elle harangue la foule : « Le chef du RPR attaque le secrétaire d'Etat à la Culture et le fait huer par personnes interposées. J'ai honte pour ceux qui éprouvent la haine et ne l'expriment pas franchement. » Puis elle termine son discours, devant une assistance qui se lève, en s'écriant : « Voulez-vous porter Marchais au pouvoir ? » Non, répond celle-ci d'une seule voix.

« Voulez-vous porter Chirac à la mairie de Paris ? » Non, rugit la foule.

Giscard d'Estaing, interrogé sur sa ministre en difficulté, déclare : « La bassesse me surprend toujours. C'est sans doute pourquoi on me considère comme un naïf. » On peut dire que le soutien est tiède. Michel Jobert tente de déminer la dramatisation et ironise : « Des décorations, à condition de se comporter normalement dans la vie, on en a. Alors portons-les le moins possible. Moralité : ne mettez pas vos décorations sur les affiches électorales. »

Françoise sent que son propre camp ne la soutient guère. Elle va donc elle-même solliciter des témoignages pour les apporter au tribunal. Ainsi celui de Robert Chapouet, directeur d'information du ministère des Déportés, qui déclare : « Je me souviens très précisément avoir vu passer sur une carte des médaillés de la Résistance le nom de Françoise Giroud et de sa sœur. Et j'ai même ajouté : pendant qu'ils y étaient, ils auraient pu décorer toute la famille. »

Elle joint à la lettre de Robert Chapouet l'attestation du général Dejussieu, la lettre de Gilbert Grandval, grand résistant, qui précise n'avoir jamais reçu aucune distinction, ainsi qu'un extrait du livre de Maurice Buckmaster citant Françoise Giroud comme ayant été décorée sur proposition de son beau-frère, le colonel Chappat. Mais plus elle apporte de documents, plus elle donne l'impression de se débattre et de tenter, vainement, de se justifier. Face aux caméras de TF1, elle se dit submergée de tristesse devant de tels procédés. Sur le mur de son immeuble, on a inscrit : « Françoise Giroud en prison. » La bataille UDF-RPR se focalise sur sa personne et les sondages donnent Nicole de Hauteclocque gagnante. Elle se sent encerclée par la haine, considère que les hommes de main du RPR sont des voyous – c'est le terme qu'elle utilisera pour les désigner dans son roman *La Comédie du pouvoir* – et songe à jeter l'éponge. Elle prend rendez-vous avec le Président et lui fait part de sa décision. Giscard refuse et réitère ses promesses de la garder au gouvernement en cas d'échec. Il ne les tiendra pas.

Au premier tour du scrutin, Nicole de Hauteclocque distance de six mille voix sa concurrente. Françoise Giroud, sans consulter qui que ce soit, se retire. Elle sera la seule secrétaire d'Etat à avoir perdu son poste après les élections.

Quelques semaines après son départ, Françoise Giroud écrit dans *L'Express* : « La Résistance a eu ses héros et ses martyrs. Nul n'ignore qu'elle a eu ensuite ses commerçants. Je ne savais pas que ceux-ci tenaient encore boutique. »

Résistante, oui. Médaillée de la Résistance, non. Pourquoi avoir joué avec le feu en déclarant l'être ? Parce que si elle ne l'a pas été c'est en fait par négligence administrative. La plainte suivra son cours. Elle sera classée sans suite en 1979 : « Puisqu'il n'apparaissait pas que Madame Giroud avait agi de mauvaise foi. »

Dans *La Comédie du pouvoir*, elle dira son éternel remords de ne pas avoir vérifié, en 1945, que son attestation l'attendait au ministère de la Guerre et conclut : « J'ai connu de plus grands malheurs. Les mœurs politiques ont fait de plus grands blessés. »

CHAPITRE XXXVI

La traversée du désert

Curieusement, Françoise Giroud n'en voudra ni à Valéry Giscard d'Estaing ni à Michel d'Ornano. Elle n'éprouvera pas de regrets et considérera cette période politique comme une expérience philosophique des apparences. Alice de la politique, elle en a traversé le miroir, tout en reconnaissant qu'un journaliste politique de haut vol a plus de pouvoir qu'un ministre. Elle me confia, plus tard, que les choses avaient changé et que les femmes, désormais, entraient plus facilement dans la sphère politique : « Elles sont assez bonnes, excepté cette malheureuse Edith Cresson... Marie-France Garaud, épouvantable bonne femme. Manipulatrice. Femme du temps où les femmes ne pouvaient jamais espérer se trouver au premier plan. C'est la duchesse de Chevreuse, Garaud. Mais les femmes sont moins attirées par la puissance du politique, ce n'est pas qu'elles ne l'éprouvent pas mais, curieusement, elles ne sont pas dupes des apparences. Moi, je me souviens, je ne risquais pas de décoller parce que j'avais eu quasiment autant de pouvoir à *L'Express* que j'en avais à ce moment-là au gouvernement. J'avais l'habitude d'avoir une certaine forme de pouvoir. L'égalité sera acquise lorsqu'il y aura des femmes médiocres à des postes importants. »

Il va falloir déchanter. Il avait été dûment paraphé entre Jean-Jacques Servan-Schreiber et Françoise Giroud qu'elle était « en congé » de *L'Express*. Elle a vécu cette courte phase « politique » de sa vie en se disant qu'elle pouvait en partir à tout moment pour revenir à son refuge. Son bureau l'attendait. Du moins le croyait-elle. Quand elle revient rue de Berri, force lui est de constater que personne ne l'attend. Très vite, elle va même comprendre qu'elle est indésirable. Malgré, dira-t-elle, « mon envie frénétique de reprendre le journalisme là où je l'avais laissé, de retrouver ma liberté de parole, d'action, de critique – bref mon indépendance », elle va se heurter au nouveau propriétaire du magazine, Jimmy Goldsmith.

Car JJSS vient de vendre *L'Express*. Sans prévenir Françoise Giroud. A quinze jours près, selon elle, ce ne serait pas arrivé : « Je l'aurais retenu, je l'aurais empêché... Je n'ai d'ailleurs jamais compris les raisons profondes de son geste. Une folie. C'est la seule chose que je ne lui ai jamais pardonnée », affirme-t-elle dans *Arthur ou le bonheur de vivre*.

En fait, les négociations ont commencé dès août 1976 avec le P-DG de la Générale occidentale, qui exige, pour entrer dans le capital, que le management du journal lui soit confié. Personne à *L'Express* n'en est tenu au courant. Le 17 mars 1977, une filiale de la Générale occidentale achète 45 % des actions du groupe Express. Jean-Jacques Servan-Schreiber cède son mandat de

P-DG à sa mère et disparaît sans autres explications. Sir James Goldsmith devient vice-président du groupe.

Sylvie Pierre-Brossolette évoque aujourd'hui cet épisode douloureux : « Gentiment elle me fait embaucher à *L'Express*. Quant à elle, elle revient dans le beau bureau qui lui a été préparé pour son retour. Tous ses cartons du ministère sont stockés à *L'Express* – Mais elle n'aura pas le temps de les défaire car quinze jours plus tard, Raymond Aron met "le marché" entre les mains de Jimmy Goldsmith et lui dit sans ambages : « Jimmy, vous choisissez, c'est elle ou moi. » « C'était un patron très dur, se souvient Angelo Rinaldi. Il a eu, en face de lui, une femme avec une force de conviction et un sens de la bagarre qui l'ont surpris. Il a dû négocier. » Un bras de fer s'engage. Françoise Giroud, au même moment, continue à discuter avec Giscard qui lui fait des propositions : la direction d'Antenne 2, qu'elle refuse, car elle sait qu'à un an des législatives elle ne jouirait d'aucune indépendance, puis l'ambassade de France près l'Unesco : un placard, estime-t-elle... Elle préfère attendre. Elle a un peu d'argent de côté et peut voir venir. Elle a aussi besoin de temps pour retranscrire son expérience politique. Elle commence à rédiger *La Comédie du pouvoir*, tout en demandant à Goldsmith de respecter son contrat, qui précise qu'elle peut écrire dans le journal des éditoriaux.

Une correspondance inédite entre Françoise Giroud et Raymond Aron permet de reconstituer la chronologie des événements.

En mai 1977, à l'initiative de JJSS, au moment des transactions avec Jimmy Goldsmith, Françoise Giroud écrit à Raymond Aron : « J'ai été financièrement dédommagée, si je puis dire, de la vente du journal que nous avons fondé ensemble. Je n'approuvais pas cette vente, quel que soit l'acheteur, mais j'avais réintégré physiquement le journal trop tard pour pouvoir détourner Jean-Jacques de sa décision ou, tout du moins, essayer. »

En juin, Jimmy Goldsmith lui demande solennellement de revenir au journal. Elle veut un délai de réflexion et souhaite revenir en décembre. Elle fait connaître sa décision officiellement au comité éditorial. Jimmy Goldsmith se garde bien d'informer Raymond Aron de ses tractations avec Françoise Giroud. Le lendemain de cette annonce, Aron écrit à celle-ci : « Vous avez exprimé au comité éditorial votre retour. Rien ne m'a été dit de votre accord antérieur avec Jimmy Goldsmith. J'ai fait valoir qu'ayant été directrice de *L'Express*, il était extrêmement difficile pour vous d'y tenir un rôle secondaire. De plus, la ligne politique de vos éditoriaux, à savoir le soutien de la majorité (non sans critique), créerait à nous et à vous des difficultés supplémentaires. » La messe est dite…

Raymond Aron lui fait en outre remarquer qu'elle part avec de l'argent… dont la somme obtenue pour le contentieux.

Elle lui répond par retour du courrier : « Je n'ai jamais reçu de contentieux. J'ai écrit une lettre dans ce sens à Goldsmith qui m'en a chaleureusement remerciée. Jean-Jacques a réglé lui-même de sa propre initiative, et sans que j'aie jamais demandé quoi que ce soit, les conditions jugées, par lui, décentes de mon "dégagement" de la direction de *L'Express*. On a imprimé bien des choses à mon sujet sans que je prenne jamais la peine d'en rectifier une seule... mais si, Monsieur, je vous pardonne la brève irritation que j'ai éprouvée lorsque je fus déclarée indésirable à *L'Express*, cela tient davantage à la forme lamentable qu'au fond. »

Ainsi s'achève de cette manière pitoyable l'aventure de Françoise Giroud à *L'Express*. Nous sommes en 1977. Elle n'ouvrira plus jamais ce journal.

CHAPITRE XXXVII

Je n'irai plus au bois,
les lauriers sont coupés

La Comédie du pouvoir se lit encore aujourd'hui comme un roman policier. Qualité de l'intrigue, sens du suspense, rebondissements en cascades, écriture acérée : ce livre n'est pas un texte de circonstance, même si Giroud en profite pour régler certains comptes. N'affleure aucun ressentiment. Plutôt un regard froid et impitoyable sur un milieu qu'elle a voulu intégrer et qui n'a pas voulu d'elle. C'est un voyage intérieur au pays d'où l'on ne ressort pas indemne. C'est aussi un traité de sociologie sur les modes de fonctionnement d'une Ve République déjà fortement sclérosée. Françoise Giroud a raison de souligner que nous vivons toujours sous le régime monarchique avec des apparences républicaines : les Français aiment les rois à condition qu'ils puissent leur couper la tête. Elle sait qu'elle joue gros avec ce livre et risque de se fâcher avec un monde qu'elle fréquente depuis quarante ans. Ce n'est pas un hasard si elle met en exergue cet extrait de lettre de Catherine II, adressée à Diderot : « N'oubliez pas que je n'écris pas sur des livres mais sur la peau de mes sujets. » Elle ne respecte pas le devoir de réserve – aujourd'hui, c'est monnaie courante, mais, à l'époque, elle innove et en explique les raisons en stigmatisant les petits jeux des personnalités politiques en disgrâce qui espèrent toujours revenir aux affaires : « En est-on ? On se tait, par force. En sait-on ? On se tait par espoir d'y retrouver un rôle. Ou par crainte des représailles. En tout cas, il y a connivence, donc silence... ».

D'ailleurs, elle ne s'exclut pas de ce groupe si particulier : « J'ai joué et vu jouer la comédie du pouvoir. Celle que l'on donne et celle que l'on se donne. J'avoue n'avoir jamais pris part à la politique du gouvernement, mais doute qu'aucun des membres n'ait, non plus, changé le cours des choses. Tout échappe : les rapports, les choses, et l'on ne gouverne pas des gens alphabétisés depuis quatre générations. Alors que fait-on quand on est au pouvoir ? On fait semblant ? Non, on fait croire, on ment, on joue à des stratégies. Et, après les six premières semaines de grâce, on se répète. »

La Comédie du pouvoir est un portrait-charge de Matignon et de l'Elysée, décryptés avec subtilité, esprit de repartie et sens de la psychologie. Par exemple, cette réflexion sur Jacques Chirac : « Chirac n'est pas un homme de réflexion. D'autres réfléchissent pour lui. » Le texte se veut moins critique sur Giscard : « C'est toujours par le prisme de l'intelligence qu'il appréhende une situation et par la raison qu'il entend résoudre les problèmes » – même si elle ironise sur le côté grand dadais bourgeois, fier d'appartenir à une caste où l'on ne se voit qu'entre soi : « dans le château

familial, l'été, les femmes font la vaisselle avant
de partir pour Venise passer quelques jours chez
ceux qui ont su garder leur fortune. »

Françoise a écrit ce texte dans le bonheur,
encouragée et protégée en permanence par Alex.
Elle qui était dans la lumière et dans l'action n'est
plus rien ni personne. Mais pour lui elle est tout.
Elle va s'appuyer sur la force de cet amour pour
ne pas sombrer dans la nostalgie ou le ressentiment. Faisant contre mauvaise fortune bon cœur,
elle profite de sa nouvelle liberté. Au lieu de se
lamenter – fidèle en cela aux préceptes de sa
mère –, elle décide de tirer les conséquences de sa
situation nouvelle : comme elle le dit elle-même,
plus ministre, plus transbahutée comme le saint
sacrement, plus directrice d'un journal, elle va
enfin pouvoir souffler, prendre son temps, écouter de la musique, aller dans les galeries d'art
contemporain avec Alex, regarder les matchs de
foot à la télévision, passion qu'il lui a incul-
quée... et même prendre l'avion pour les suivre
en Europe. Plus de bureau, plus de salaire, plus
d'horaire, plus de secrétaire : bref une nouvelle
vie. Elle commence par déménager et s'installe
dans l'immeuble voisin de son professeur de bonheur. Elle largue les amarres côté politique, en se
délestant de son poste de vice-présidente de
l'UDF, tant elle est écœurée par la médiocrité des
débats.
Autant n'être rien, ne pas avoir de titre
ronflant, plutôt que de faire semblant d'être
quelqu'un qui... Autant aller au Parc des Princes
soutenir le Paris-Saint-Germain, ou faire un saut
à Madrid pour assister au Mundial, en compagnie de Kissinger.

La Comédie du pouvoir sera un grand succès.
De quoi se refaire le moral et les finances par-
dessus le marché. Seule note discordante : l'article
de Philippe Tesson dans *Le Canard enchaîné,* qui
regrette que l'auteur, avec une certaine vulgarité,
crache dans la soupe et lâche ce qu'elle aurait pu
garder pour elle. La réponse à cet article ne se
fait pas attendre : Philippe Tesson est convoqué
chez elle. Il se souvient avec précision de ces deux
heures où elle a joué les procureurs et exigé des
explications : « Depuis mes débuts dans le journalisme je n'avais pas de bons rapports avec elle.
Elle me méprisait, me prenait pour un jeune journaliste approximatif et me l'avait fait savoir à
plusieurs reprises. Quand est sorti son livre, je
l'ai trouvé inélégant, médiocre, vulgaire. Je l'ai
écrit. Elle m'a téléphoné pour me fixer rendez-
vous. Elle était extrêmement violente. Le ton est
monté. Je me suis défendu avec insolence. Elle
m'a alors dit : "Je ne vous ai jamais aimé. Vous
êtes, pour moi, le symbole de l'homme inachevé".
Je lui ai répondu que c'était un compliment. Elle
a cru que je me moquais d'elle. Nos relations ont
continué ainsi sur la même tonalité. Je n'aimais
pas sa méchanceté, son mépris des êtres, son
absence de tendresse. »

CHAPITRE XXXVIII

Le professeur de bonheur

La vie de Françoise Giroud est faite de rencontres. Les hommes l'ont toujours plus intéressée que les femmes, même si, à partir de cette période, elle va être entourée de l'affection et de l'amitié de plusieurs femmes plus jeunes qu'elle. Certaines personnes – dont un membre de sa famille – pensent qu'elle a eu des relations homosexuelles...

La rencontre, tardive, avec Alex Grall, lui a apporté sensuellement ce que Lacan lui a permis de comprendre : le droit de vivre. Mieux, Alex lui a donné le goût de vivre, la grâce de la légèreté, un certain sens de l'insouciance, le plaisir des petits riens qui font la couleur des jours, l'amour et le respect qui vous permettent de traverser les nuits de cauchemar.

Françoise a sept ans : une cousine dont elle a peur lui demande de sortir de la maison pour aller jouer. Elle revient battue et humiliée. Elle va pleurer dans les jupes de sa mère qui la soigne et lui dit : « C'est toi qui l'as voulu. On ne se plaint jamais dans la vie. »

Françoise Giroud ne se plaint donc jamais. Elle commence une nouvelle vie, celle d'auteur, qui va désormais constituer son mode d'existence. « Ecrire est une occupation bizarre qui vous mange les sangs. Je n'ai jamais rien écrit, pas le moindre article, sans avoir le sentiment de m'arracher la poitrine », note-t-elle dans *Arthur ou le bonheur de vivre*. *La Comédie du pouvoir*, vendue à deux cent cinquante mille exemplaires, pourrait la rassurer. Mais le succès public n'a jamais été pour elle la garantie, encore moins la preuve, de la qualité. Françoise Giroud est une personne qui doute – et doutera jusqu'aux derniers moments – de ses qualités en tant qu'écrivain.

Elle demeure l'une des personnalités les plus aimées des Français et assure à *Paris-Match* qu'elle en est touchée : « D'ailleurs si quelqu'un vous dit que ça l'ennuie, c'est un menteur. C'est agréable dans la mesure où ce n'est pas truqué. »

Le 10 février 1978, elle publie une tribune dans *Le Monde* pour expliquer la pertinence et l'importance de ses cent une mesures. La Panthère sort ses griffes et défend son bilan face au MLF, qui lui reproche de n'avoir pas été assez radicale tout en respectant son action. Françoise Giroud n'est pas féministe ; elle défend la cause des femmes, mais n'a jamais soutenu l'existence ni les actions du Mouvement de libération des femmes.

En mars 1978, *Les Nouvelles littéraires* lui consacrent un portrait qui lui offre l'occasion de stigmatiser la misère budgétaire du ministère de la Culture. Elle égratigne Giscard – la culture est le cadet de ses soucis –, à l'instar, d'ailleurs, des autres membres du gouvernement : « Ils se figurent aisément que ça intéresse seulement quelques farfelus. Des farfelus qu'ils désignent sous le terme de "gauchistes" ou de "bourgeois dilettantes". La culture est à la fois pour eux un luxe et un danger. »

Elle continue à voir régulièrement Jean-Jacques Servan-Schreiber qui, lui, n'a pas perdu espoir de revenir en politique et a proposé à Giscard de raccommoder les différentes tendances de la droite. La condition émise par le Président était la discrétion. Naïf, Giscard ? Il sourit : « Au cours de la préparation des législatives, il m'a proposé la caution du parti radical pour soutenir l'UDF et il a joué le jeu. Mais j'avais un problème de structure et une stratégie d'alliances à consolider. Tous mes amis politiques m'ont incité à prendre, en quelque sorte, un chef d'orchestre que je ne pouvais être. Jean-Jacques a spontanément proposé sa candidature. Je lui ai dit : "Attention, par définition, tu es un homme de l'ombre. Il faudra que tu saches t'effacer". "Pas de problème", me répond-il. Dix jours plus tard il organise, sans en en avoir prévenu quiconque, une grande conférence de presse où il annonce qu'il prend la tête d'une grande coalition. C'en était fini. Il ne se dominait pas. C'était plus fort que lui. »

Jean-Jacques Servan-Schreiber a été fortement affecté de ce projet avorté et c'est auprès de Françoise Giroud, comme en atteste une correspondance, qu'il a pu retrouver sa sérénité. Leurs rapports sont désormais adoucis, empreints d'une amitié maternante.

Françoise Giroud est de plus en plus proche d'Alex Grall, qui a su l'entourer sans jamais empiéter pour autant sur sa vie de solitaire. Elle lui prépare du poulet aux morilles et sa fameuse mousse au chocolat. Il l'emmène chaque dimanche voir le grand hêtre roux du Pré Catelan, dans le bois de Boulogne, et lui fait rencontrer les artistes Louis Cane, Dado, César, Niki de Saint-Phalle, Louis le Brocquy, Anne Madden. L'été, ils se rendent dans la maison d'Antibes où, tôt le matin, Françoise écrit une biographie de Marie Curie, puis ils vont faire le marché, se baigner : c'est une bonne nageuse et elle a toujours adoré le soleil. Ils vont voir les expositions de la fondation Maeght à Saint-Paul-de-Vence et se lient d'amitié avec son directeur Jean-Louis Prat.

Michèle Cotta confirme : « Elle avait trouvé enfin avec Alex une vie heureuse, équilibrée, épanouie, et elle lui en était reconnaissante. Pour lui c'était son idole. Elle lui a su gré de ce qu'il lui donnait : une forme de sérénité. Il ne faut pas oublier qu'elle n'avait pas eu de chance avec les hommes. Elle a même été très esquintée. Jean-Jacques ne lui a jamais donné de bonheur. Il ne savait pas ce qu'était le bonheur. Avec Alex, à la fin de sa vie, elle a pu comprendre ce que cela signifiait de vivre en harmonie avec un homme. »

Bernard-Henri Lévy se souvient : « J'avais titré sur elle dans le journal que je dirigeais à l'époque, *L'Imprévu*, « Françoise Giroud ou la douceur de vivre avant la révolution ». C'était une véritable déclaration d'amour, une folie, mais j'avais conscience d'être sous le charme de cette femme que je trouvais belle, séduisante et intelligente. Je ne l'avais alors rencontrée qu'une seule fois, à un dîner où elle s'était montrée captivante et coquette. Elle ressemblait à ma mère, elle en était même le sosie : même coiffure, même allure, même âge. Même goût pour le sport, ce genre de femmes des années cinquante qui, très tôt, se sont libérées. Elle incarnait pour moi le goût, l'élégance, la compréhension profonde du monde de la culture. Oui, j'étais attiré par elle. J'avais lu ses articles dans *L'Express* depuis ma jeunesse, je savais qu'elle était l'inventrice de la nouvelle vague et j'éprouvais une admiration pour ses éditoriaux. Très vite, nous nous sommes liés d'amitié. Elle m'a invité à venir la voir à Antibes. »

Le 12 juin 1978, *Le Nouvel Observateur* fait appel à elle pour commenter le match France-Argentine, un moment d'anthologie où elle confie aux lecteurs son amour pour ce sport. Le journal, de nouveau, fait appel à elle lors de la disparition de Jacques Brel. Françoise n'a pas perdu la main et trousse, en quarante-huit heures, un très bel hommage à partir des textes de ses chansons. Mais la fièvre du journalisme, comme arme du politique, reviendra véritablement lors de l'exécution d'Amir Abbas Hoveyda, ancien Premier ministre du shah, en Iran, de 1965 à 1977. Elle l'avait rencontré au cours d'une visite officielle, lorsqu'elle était encore directrice de *L'Express,* dans une délégation menée par Gaston Defferre. Le rendez-vous avec le shah s'était très mal passé et ils n'avaient obtenu aucune réponse sur le sort des opposants politiques emprisonnés. Hoveyda avait alors tenté de dissiper la mauvaise impression de Françoise Giroud en la promenant dans tout le pays – c'est le cas de le dire –, sans pour autant accéder à sa demande de rencontrer des prisonniers. Elle avait gardé de lui le souvenir d'un homme affable, cultivé, loyal, aimant la France. Après avoir hébergé Khomeiny à Neauphle-le-Château, Giscard n'aura pas un mot pour condamner l'exécution d'Hoveyda : Françoise Giroud écrira son dégoût devant tant de lâcheté. Un article violent, emporté, justifié, qui lui vaudra l'ire du Président. Elle n'en aura cure. Ce qui lui vaudra d'être jugée « incontrôlable » par Giscard. Appréciation qu'elle prendra plutôt pour un compliment : « Incontrôlable, donc inadaptée à la vie politique où l'on ne joue jamais sa partie isolée, sauf à la perdre, où l'on doit chasser en meute, comme un sanglier. Je suis un chasseur solitaire. »

CHAPITRE XXXIX

L'amie du genre humain

Le 26 mars 1979 se tient ia première conférence de l'Action internationale contre la faim, présidée par le physicien Alfred Kastler. « A l'origine, raconte Jacques Attali, un parlementaire, Marco Panella, qui revenait d'Afrique bouleversé, car il venait de voir des enfants mourir de faim, prend rendez-vous avec moi. Il faut dénoncer, me dit-il. Non, lui dis-je, il faut agir. En quinze jours, un groupe d'amis, Marc Ullmann, Denis Metzger, président de 2006 à juin 2010, Guy Sorman, Bernard-Henri Lévy et Françoise Giroud décident de constituer une association. Marek Halter trouve le logo, BHL rédige la charte. Jean-Christophe Rufin rentrait d'Afghanistan et nous avons commencé tout de suite à travailler. »

Le 3 décembre, Françoise Giroud lance un appel dans *Le Nouvel Observateur* sous le titre « Ils ne doivent pas mourir ». « Un million de morts, trois cent mille enfants qui vont mourir avant Noël. Une poignée d'intellectuels, parmi lesquels Jacques Attali, Bernard-Henri Lévy, Gilles Hertzog ont décidé de venir en aide à des populations en détresse par le biais de projets élaborés et vérifiés par des spécialistes. Des comités se créent partout en France pour agir concrètement, soutenir et accompagner les actions sur le terrain, surveiller leur réalisation pour éviter tout détournement de fonds. » Gilles Hertzog témoigne : « Nous avions contacté Françoise en tant que personnalité pour nous donner son avis. Nous ignorions à quel point elle serait présente à toutes les réunions, qu'elle prendrait si à cœur cette cause, étudiant chaque dossier avec rigueur, planchant sur les budgets, étudiant la situation géopolitique de chaque intervention. Elle était d'une rigueur et d'une ponctualité impressionnantes et, à chaque fois qu'il fallait trouver de l'argent, elle décrochait son téléphone. Nous avions pensé qu'elle serait une caution brillante et nous avons découvert une militante passionnée.

« Quand les boat people sont arrivés en France, elle avait trouvé un médecin qui avait travaillé au Cambodge et qui connaissait la médecine traditionnelle. Celui-ci a pu, sans beaucoup de frais, soigner et prendre en charge de nombreuses personnes. Du coup nous la sollicitons sur tout. Elle répondait à tout. »

Françoise Giroud aimait parler de sa nouvelle passion pour l'humanitaire : « Au départ un tout petit groupe indigné par la mollesse des secours internationaux et puis le désir de venir en aide et de connaître le résultat de ce que nous entreprenions », me disait-elle. « C'est sans doute ce dont je suis le plus fière », ajoutait-elle. Elle minorera le clash qui l'opposera plus tard à Bernard-Henri Lévy, Gilles Hertzog et Rony Brauman (qui dirigeait à l'époque Médecins sans frontières) : Médecins sans frontières, qui travaillait avec

Action internationale contre la faim, avait établi un pont aérien avec un programme de renutrition accélérée dans les régions montagneuses. Les paysans descendaient la nuit chercher leur nourriture. MSF s'est vite rendu compte que le gouvernement éthiopien utilisait l'humanitaire pour piéger ces paysans, souvent dissidents, et en profitait pour les capturer lorsqu'ils s'approchaient des avions affrétés par les organisations humanitaires, pour les déporter dans le sud du pays où sévissait la malaria. BHL décide de se rendre sur place pour en avoir le cœur net : « J'en reviens avec la certitude qu'il ne faut pas créer de comité là-bas, car le président éthiopien, Mengistu, était un dictateur qui détournait l'humanitaire. Rony Brauman était de mon avis. Nous rendions possible la déportation de populations si nous acceptions. Je convoque un conseil d'administration extraordinaire. Un débat très houleux oppose certains des membres de notre association. Pendant tout ce temps Françoise écoute mais ne dit rien. A la fin, elle demande la parole et intervient très violemment contre moi et me donne tort. Je me fâche. Tout le monde se lève. On se quitte tous. » En sortant, Françoise a eu un accident de voiture et a renversé une femme enceinte. Elle ne prendra plus jamais le volant.

La brouille durera quatre ans.

Françoise Giroud emportera la décision finale et l'AICF restera en Ethiopie : pour elle, même dans les pires difficultés, il faut savoir être présent : « En portant secours aux victimes, il devient de plus en plus difficile de n'être l'instrument de personne,

mais c'est la voie étroite où il faut persévérer »,
écrit-elle dans *Arthur ou le bonheur de vivre.*

Françoise Giroud, à son tour, deviendra présidente d'Action contre la faim et continuera à
entretenir la flamme de ce qui est la quatrième
ONG de France avec plus d'une centaine de permanents en France, cinq mille employés locaux à
travers le monde et des millions de bénéficiaires sur
tous les continents. Comme le dit Jean-Christophe
Rufin, ancien président : « Grâce à elle, l'humanitaire est sorti du ghetto. Il a pris racine hors de
son milieu naturel. »

CHAPITRE XL

L'amoureuse des demi-vérités

Françoise Giroud a toujours eu des rapports compliqués avec la vérité. Elle savait ne pas se souvenir de ses erreurs, niait et s'obstinait, comme dans l'épisode des lettres anonymes, détestait qu'on la prenne en défaut, comme dans sa querelle avec Mendès France, et feignait de ne pas être blessée quand elle était attaquée par ses ennemis, ainsi que le montre son attitude lors de la contestation de son titre de médaillée de la Résistance. Depuis longtemps, elle a décidé qu'elle ne se regardait pas dans l'image que les autres se faisaient d'elle-même mais qu'elle obéissait à ses propres instincts.

Elle ne connaît rien à la science mais décide de passer quatre ans à comprendre l'univers de Marie Curie. Elle fait preuve d'une grande rigueur pour écrire sa biographie, fruit d'une énorme documentation, nourrie de conversations avec Francis Perrin et Bertrand Goldschmidt. Son livre se lit comme l'éloge d'une femme qui a su déjouer les convenances sociales, mais qui a aussi fait scandale. Françoise Giroud aime apprendre, se plonger dans un milieu, tenter d'en comprendre les enjeux. Ce qui l'intéresse chez Marie Curie, c'est le processus de la découverte. Que faisait-elle dans son laboratoire ? Elle s'interroge avec passion et vulgarise à merveille ses découvertes. Le livre sera un succès de librairie, traduit dans le monde entier.

Avec son livre suivant, *Histoires (presque) vraies,* elle sème le doute : certains personnages sont vrais, d'autres inventés. Elle avoue elle-même ne plus savoir discerner la frontière entre la vérité et la fiction. On éprouve une impression de malaise à la lecture de ces nouvelles qui invitent à décrypter des faits réels, et où évoluent des personnages de femmes hystériques, narcissiques, voleuses d'âmes. Le succès sera, encore une fois, au rendez-vous. Françoise Giroud a conquis son public, qui lui reste fidèle même si le registre de la fiction n'est pas celui où elle excelle...

En 1980, Valéry Giscard d'Estaing l'invite à un voyage officiel en Chine. Elle hésite car Alex est atteint d'un cancer de la gorge. Depuis l'annonce de la maladie ont suivi plusieurs traitements qui l'ont affaibli et Françoise s'occupe de lui de manière admirable. Tous ses amis témoignent de son esprit d'abnégation et de sa nouvelle vie de garde-malade. Mais c'est lui qui la supplie de débrayer et d'aller prendre des forces loin de ces lieux où elle tente de lui donner envie de se nourrir et surveille ses prises de médicaments.

Un voyage officiel n'est peut-être pas le meilleur moyen d'aller à la rencontre d'un pays... Françoise Giroud verra la Grande Muraille et les six mille guerriers en terre cuite. Elle assistera à une répétition en chinois du *Bourgeois gentil-homme* et ira danser, à Shanghai, dans une boîte de nuit.

Françoise a soixante-quatre ans, et elle aime toujours séduire et être séduite. Pour des raisons étranges, elle se retrouve seule dans un immense aéroport, contrainte d'attendre dix heures avant d'embarquer, et elle se fait aborder par un homme qui lui propose de prendre sa valise : « Il avait bonne allure. L'air d'un loup. » Elle allume sa cigarette : « Vous fumez trop dès le matin. » Elle s'aperçoit qu'elle a oublié ses livres à Shanghai, l'avoue à cet inconnu qui lui déclare : « Vous n'avez pas d'autre issue que de parler avec moi. » L'expérience n'est pas pour lui déplaire. La Panthère n'a pas abdiqué et laisse courir son imagination : « Et si, d'une telle rencontre, pouvait naître un coup de foudre ? Des confidences croisées, une certaine façon de se reconnaître, de se prendre la main, un émoi, une douceur... Dix heures de voyage, c'est énorme dans une vie. Assez pour se bousculer, pour que des liens se tissent, qu'une flamme jaillisse. » Mais à Roissy, chacun attend sa chacune et la vie continue... « Ils se saluent poliment en laissant un peu trop longtemps leurs mains enlacées. Ils ont failli s'aimer. Ils ne se reverront jamais », écrit-elle dans *Histoires presque vraies*.

CHAPITRE XLI

La voleuse d'âmes

Françoise Giroud n'a plus de tribune pour commenter l'élection de François Mitterrand, le 10 mai 1981. Dommage. Je ne doute pas qu'elle ait voté pour lui dès le premier tour sans arrière-pensées. Le soir de l'élection, elle dîne chez Georges Kiejman en présence de Pierre Mendès France, radieux, et qui n'arrête pas de répéter : « Ça va tanguer. » « Je me souviens que tout le monde était heureux ce soir-là, commente Georges Kiejman. Alex Grall était plus à gauche que Françoise et ne cachait pas son émotion. Elle, elle avait gardé le cœur à gauche, mais elle n'était pas du genre romantique. Elle était réaliste. »

C'est parce que Alex s'affaiblit de plus en plus qu'elle décide, telle Schéhérazade, de lui raconter chaque soir une histoire. Ainsi naît le projet du *Bon Plaisir*, qu'on prendra à tort pour un livre à scandale sur le dévoilement de la vie privée du nouveau Président avec l'annonce de sa fille cachée.

Françoise Giroud part de son expérience de journaliste qui a longtemps fréquenté les allées du pouvoir. Elle prend plusieurs modèles de présidents pour n'en composer qu'un. Au début de l'écriture, elle apprend qu'un ministre important du gouvernement de l'époque a un fils caché (le secret, aujourd'hui, n'a toujours pas été dévoilé) : voilà pour le cœur de l'intrigue. Un président cynique, encore dans la fleur de l'âge, protégé par l'amitié indéfectible d'un vieux copain qu'il a engagé comme ministre, dirige avec morgue un gouvernement qu'il méprise. Françoise Giroud sait décrire l'*avant* : l'énergie, quasi érotique, déployée pour conquérir le pouvoir, les luttes intestines, les capacités physiques dont il faut faire preuve pour mener une campagne. Elle excelle, aussi, à décrire l'*après* : que faire de ce pouvoir dont on a tant rêvé et qui semble si évanescent. Nous sommes au centre d'une des problématiques qui la hantent depuis longtemps : celle du pouvoir. Est-il, par essence, politique ou d'influence ? Françoise Giroud, avant tout le monde, sait décrire l'usure, la sclérose, les contradictions d'une Ve République fatiguée, qui continue à fonctionner comme une monarchie. Elle brosse aussi le portrait d'une femme libre qui a su accompagner l'homme qu'elle aimait pendant toute son ascension, l'a quitté pour être indépendante et faire le métier qu'elle aime et a caché leur fils outre-Atlantique, quand elle a appris que son père accédait au pouvoir suprême.

Ce n'est pas par le style que ce livre restera dans nos mémoires : relâché, quelquefois à la limite de la vulgarité, notamment dans la description des rapports amoureux – les femmes sont baisables ou pas, les hommes puissants possèdent plus de testostérone que les autres –, mais par l'intrigue : un voyou des beaux quartiers arrache, un soir, son sac à notre héroïne et y trouve un portefeuille contenant la photographie de son enfant. Il s'aperçoit qu'il est le fils caché de l'actuel Président. Ce secret met en péril la crédibilité du chef de l'Etat ainsi que sa moralité. Affolé, il supplie son ancienne amoureuse d'accepter qu'il puisse tardivement reconnaître son fils pour éteindre toute tentative de scandale. Celle-ci lui tient tête et refuse sa proposition. Son fils porte le nom de sa mère et il le gardera.

Françoise Giroud l'a avoué : elle a beaucoup hésité à publier ce texte, qui n'avait en fait pour objectif que de tenter de distraire Alex de son calvaire. Mais finalement, c'est lui qui, avec son regard d'éditeur, l'a vivement encouragée à le faire paraître.

Cette publication provoqua l'ire du vrai Président, persuadé que, sous couvert de fiction, Françoise Giroud avait voulu révéler l'existence de Mazarine. Le livre fut donc accueilli comme un objet de scandale. Il faut dire que le quiproquo fut entretenu par le nom de la toute jeune maison d'édition, où Françoise publiait pour la première fois, et qui s'appelait Mazarine...

A relire le roman aujourd'hui, on serait bien en peine de repérer l'ombre d'une référence à la vie de François Mitterrand. On retrouve en revanche la cartographie des principaux thèmes obsessionnels de son auteur : le questionnement sur le pouvoir, les rapports vénéneux entre sexe et pouvoir, la bâtardise, l'émancipation d'une femme. De mauvais conseillers ont cependant excité la curiosité de François Mitterrand, qui a jugé la méthode peu élégante et a finalement refusé de lire le livre. Il n'a jamais cru en la bonne foi de son auteur. *Le Bon Plaisir* se présente comme la suite de *La Comédie du pouvoir* et connaîtra le même succès public.

Françoise Giroud écrit par ailleurs de plus en plus pour *Le Nouvel Observateur*. Jean Daniel lui propose de couvrir le retour d'Yves Montand à l'Olympia, à l'occasion de ses soixante ans, après treize ans d'absence. Sur quatre pages, elle raconte sa carrière, ses rencontres, ses amours, ses contradictions politiques. Elle n'a perdu ni son style ni son côté piquant. Son vocabulaire s'oralise, elle joue de l'interjection et s'encanaille : « Montand, en 1945, bel animal marron et noir de sexe mâle éclatant de vitalité, a su faire monter le pape au cocotier. Le pape c'est Maurice Chevalier, celui qui tâtait à tâtons les petits tétons de Valentine. »

Quand paraît la biographie de Pierre Mendès France par Jean Lacouture, *Le Nouvel Observateur* fait de nouveau appel à elle. Et Françoise Giroud rend un vibrant hommage à ce travail exceptionnel. C'est l'amie de Mendès, la spectatrice engagée, la journaliste politique, la biographe qui s'exprime dans cet article : « L'auteur est tombé sous le charme – et pourquoi donc aurait-il été le seul à y résister ? Il est libre de cette fidélité récriminatrice, de cet amour rageur, de cette passion désolée que Mendès a eu le don particulier de susciter. » Elle qualifie ce si court temps où il a occupé le pouvoir de « traînée de feu qui a brûlé une génération du désir d'agir au service de la collectivité, lui laissant au cœur la tenace nostalgie de ce qu'il n'eut pas le temps de réaliser : la réforme ». L'intensité et la rigueur de ces deux articles s'imposent aussitôt avec évidence. Il n'est pas douteux qu'ils puissent être lus, aujourd'hui encore, comme une belle leçon de journalisme.

Est-ce la manière si particulière qu'a Françoise Giroud de mêler le sentimental au politique, de percer les êtres à l'aide de peu de mots, de faire des phrases de plus en plus courtes, percutantes, au risque de bousculer, parfois, la syntaxe ? Toujours est-il que *Le Nouvel Observateur* lui propose de prendre la succession de Maurice Clavel à la chronique télévision. « C'est moi qui ai eu cette idée, précise Jean Daniel. L'ensemble de la rédaction était contre, et Claude Perdriel m'a simplement dit : "Tu prends des risques, mais c'est à toi de décider". Mes rapports avec Françoise n'avaient pas toujours été tendres et je l'avais souvent prise en défaut de délit de méchanceté ou d'absence de reconnaissance vis-à-vis de certaines personnes de *L'Express* mais, avec le temps, notre relation s'était adoucie et nous nous parlions régulièrement. Surtout, Françoise était alors en pleine traversée du désert. J'ai parié sur elle parce qu'elle représentait la quintessence du talent. Paris est la capitale du dénigrement. Françoise Giroud a failli en être la victime définitive. Quand je lui ai proposé la chronique, elle s'est montrée d'une grande humilité. Elle m'a dit : "Prenez-moi à l'essai. Au bout de trois semaines, vous verrez si je fais l'affaire". »

Cette modestie n'est pas feinte. Françoise Giroud ne sait pas si elle sera à la hauteur de la tâche qui

lui est confiée. Elle commence à sentir son corps
la trahir et éprouve une méchante douleur à la
main gauche. Sa vue faiblit, elle se sent moins
alerte et utilise toute son énergie et tout son
temps à soigner Alex, à dorloter Alex, à distraire
Alex. Les nombreuses personnes que j'ai pu rencontrer s'accordent à souligner son comportement
admirable, le dévouement total dont elle a fait
preuve. Valérie, la fille d'Alex Grall, le confirme :
« Vous ne pouvez pas imaginer sa délicatesse, sa
tendresse, son affection pour mon père. Elle ne le
quittait pas et s'employait à faire que le temps de
cette maladie, dont l'issue était hélas connue, soit
le plus aérien, le plus gai possible. »

La chronique du *Nouvel Obs* apparaît donc
comme un appel d'air, un moyen de se concentrer,
un but pour fixer son attention, une manière, aussi,
de passer le temps utilement. Il n'y aura pas
d'essai, même si Jean Daniel juge qu'elle n'a pas
trouvé le ton immédiatement : « Elle nous disait
du temps de *L'Express* : "Faites du Voltaire.
Accrochez le lecteur par le veston". Elle y réussira quand elle débordera le cadre *stricto sensu*
de cette chronique et qu'elle parlera politique. Ses
papiers sur les refuzniks en URSS, sa manière
d'évoquer l'injustice de la Justice telle qu'elle se
pratique au tribunal des flagrants délits, ses coups
de griffe aux hommes politiques sont des exer-
cices de style. » On peut le dire également de sa
manière de considérer ce qu'est en train de devenir, dans ces années, la télévision : « Trente millions de Français sont devant le poste jusqu'à
vingt-deux heures. Progrès de l'abrutissement collectif par l'ingestion de drogue douce... Si l'on ne

veut pas mourir idiot, il faut user de la boîte magique avec modération... ».

Pourquoi accepte-t-elle de participer à une nouvelle émission à la télévision ? Croit-elle qu'elle va réussir à se métamorphoser en animatrice, elle qui sait si bien écrire, mais n'excelle pas dans l'art oratoire, qui n'est d'ailleurs pas sa tasse de thé ? Elle devient, en tout cas, productrice et animatrice d'une émission mensuelle de TF1, qu'elle intitule *Les Vaches sacrées*. L'idée est de choisir un monument de la littérature – le premier sera Hugo, suivront Proust et Diderot – et de s'entourer de spécialistes et de comédiens qui lisent des extraits de l'œuvre. L'émission, programmée à 21 h 40, ne rencontre pas son public et est bien vite retirée de l'antenne. Françoise Giroud se tourne alors vers la presse écrite et accepte une nouvelle collaboration au *Corriere della Sera*.

Elle salue dans *Le Nouvel Observateur* la création de la Haute Autorité de la communication audiovisuelle, premier organisme français de régulation de l'audiovisuel, et estime que la nomination comme présidente de son ancienne collaboratrice, Michèle Cotta, est le meilleur choix, mais elle ne peut s'empêcher de penser que les nominations des dirigeants de l'audiovisuel se feront à l'Elysée : « Tous ceux qui ont eu des responsabilités entre 1974 et 1981 en seront exclus », écrit-elle le 28 août 1982. « On peut être socialiste et nul », ajoute-t-elle. Et le 18 décembre 1982, elle comparera François Mitterrand à Staline... Faut-il y voir une manifestation de ressentiment ? Celle qui a traversé tant d'épreuves avec le nouveau Président aurait-elle du mal à accepter l'évidence qu'il ne fait pas appel à ses compétences ? Certes il la reçoit pour des petits déjeuners, de temps en temps, où ils parlent de littérature – Croyant lui faire plaisir, il l'invitera plus tard à l'accompagner en voyage officiel en Turquie, terre de ses ancêtres. Il la harcèlera de questions sur ses origines et lui demandera si elle est émue de venir se recueillir sur le lieu où vécurent ses parents : « Mon père avait dû fuir ce pays avant ma naissance. Je n'y avais ni racines ni souvenirs. Mais j'étais contente de voir ce que les yeux de mes parents avaient vu. Cela, oui, c'était émouvant. »

Progressivement, Françoise Giroud se réconcilie avec son histoire familiale et, lors de ces décennies des années quatre-vingt, accorde une place toujours plus grande à l'amitié : ses amis sont des peintres, comme Pierre Soulages, des poètes, comme Joyce Mansour. Les plus proches sont Eliane Victor, Micheline et Alain Decaux, Florence Malraux, Arielle Dombasle et Bernard-Henri Lévy, Alain Minc, qu'elle voit régulièrement en tête à tête, et Yves Sabouret, son directeur de cabinet au secrétariat d'Etat à la Condition féminine, avec qui elle n'a jamais rompu. Elle passe une bonne partie de ses vacances invitée par sa fille Caroline et c'est, pour elle, l'occasion de nouer une relation forte avec Marin Karmitz, son compagnon, qu'elle apprécie pour son humour, sa culture et son esprit d'entreprise. Elle est très fière de ses petits-enfants, à qui elle rend hommage dans chacun de ses livres.

Elle voit aussi les enfants de Jean-Jacques Servan-Schreiber et ceux d'Alex Grall. Tous se souviennent qu'elle travaillait tout le temps et pensait sans cesse à sa chronique du *Nouvel observateur* qui était devenue, au fil du temps, une tribune d'indignation et de révolte contre les injustices dans le monde. Elle défend les militants pour la paix en Palestine, les guérilleros du Nicaragua, les résistants en Afghanistan...

Une semaine après la disparition de Raymond Aron, elle écrit : « Il y eut, sur les chaînes, les formalités d'usage. Fut confirmée la forte parole de François Mauriac : "De tous les genres, l'oraison funèbre est le plus faux". » Françoise Giroud n'oublie jamais.

L'adaptation, par Francis Girod, de son livre, *Le Bon Plaisir,* produite par Marin Karmitz, lui prend beaucoup de temps. Pour donner le plus de vraisemblance possible au film, le cinéaste souhaite tourner dans des ministères. Jacques Delors donne son autorisation pour tourner à l'intérieur du ministère de l'Economie et des Finances et filmer les façades de la rue de Rivoli, mais l'Elysée refuse et la production se retrouve face à des difficultés. « J'ai eu les plus grandes difficultés à monter le film, témoigne Marin Karmitz. Aucune chaîne de télévision de service public ne voulait le coproduire. Pour les repérages, je sentais la même résistance : le préfet Maurice Grimaud, alors directeur de cabinet du ministre de l'Intérieur, avait donné son accord, mais le ministre lui-même m'a invité un soir pour me dire qu'il le retirait sous prétexte qu'il y avait insulte à l'honneur de la police. Françoise appelle elle-même Gaston Defferre, qui maintient sa position. Elle sent une opacité qu'elle ne comprend pas. C'est bien plus tard qu'elle fera le lien. »

Françoise Giroud s'implique dans l'écriture du scénario et veille à ce que l'esprit du livre ne soit pas trahi. En juin 1983, elle précise ses conditions à Marin Karmitz : « Le scénario me paraît donc au point dans sa structure comme dans son dialogue. Chacun est libre d'en juger autrement, mais je dois attirer votre attention sur le fait que si je reste ouverte à toute suggestion, le texte ne saurait plus subir aucune modification. *Le Bon Plaisir* est un sujet qui peut être facilement détourné ». Cette lettre, selon Marin Karmitz, s'explique par « les difficultés que faisait Hachette, qui voulait entrer dans le film et donner son avis éditorial. Finalement, j'ai produit seul le film et Hachette l'a distribué. Françoise est restée très présente tout au long du tournage et s'est très bien entendue avec Francis Girod. » Le film sera à l'affiche à l'occasion du dixième anniversaire des cinémas MK2, la société de Marin Karmitz.

Le Bon Plaisir sort le 18 janvier 1984 et reçoit un accueil élogieux de la presse. *Télérama* en fait son thème dossier, avec un portrait de Catherine Deneuve, interprète de Claire, et une critique signée de Jean-Luc Douin : « Francis Girod et Françoise Giroud sont efficaces avec panache, malice, légèreté », écrit-il. Françoise Giroud assure qu'elle reconnaît son livre et qu'elle aime le film ; elle affirme, malgré l'admiration qu'elle lui porte, que le président, interprété par Jean-Louis Trintignant, est un peu jeune et confie à cette occasion à quel point elle regrette de ne pas être devenue réalisatrice. Le journaliste lui rétorque qu'il n'est pas trop tard. Elle lui répond en souriant : « Ah ! mais aujourd'hui, je suis vieille. Vous ne vous rendez pas compte de ce que j'ai fait dans ma vie ? Je suis fatiguée. » C'est bien la première fois qu'elle fait publiquement un tel aveu, mais pas la dernière qu'elle va évoquer le sujet de la vieillesse.

Françoise Giroud a soixante-huit ans. Elle est restée magnifique. Des photos de l'époque en attestent : teint hâlé, corps svelte, visage sculpté, peu de maquillage, robes décolletées, jambes nues en cet été 1984 où elle accepte de poser pour la promotion du film : elle est éblouissante.

Pour les autres. Car intérieurement, elle vit en empathie avec Alex et encaisse avec lui les métamorphoses de la maladie, les espoirs de rémission qui s'envolent, l'opération qui n'a pas marché, la fin de la vie programmée, les tumeurs qui s'enflamment et lui ôtent, progressivement, la capacité de respirer. Lui qui ne se plaint jamais réussit à faire l'enjoué et s'excuserait presque de lui causer autant d'ennuis avec ce foutu cancer de la gorge qui progresse depuis maintenant quatre ans.

« Dès le premier jour, il s'est tenu droit, pugnace envers la maladie, déterminé à la vaincre. Elle l'a détruit en quatre ans. A la fin les supplices d'usage l'avaient exténué. » Ainsi commence *Leçons particulières*. Françoise Giroud raconte les soins, la douleur dans l'épaule, l'impossibilité de trouver la posture pour avoir un peu moins mal, l'humiliation de ne pas pouvoir bouger et de dépendre entièrement d'elle, l'absence d'appétit, la voix qui se détimbre. Un soir, avant l'éprouvante cérémonie du dîner, il la prend par la main et lui dit : « Ecoute-moi, je crois qu'il est temps d'en finir. »

Et il répète : « Il est temps. Aide-moi. Je ne veux pas mourir étouffé. »

Valérie, la fille d'Alex, raconte dans son livre la dernière visite dans l'appartement avant la dernière hospitalisation : « Mon père est assis appuyé contre une montagne d'oreillers. [...] Le souffle court, il me décoche une œillade. [...] J'appelle Françoise qui, aussitôt, descend de son appartement voisin nous rejoindre. Le médecin, arrivé en urgence, nous brosse le tableau des souffrances de l'asphyxie à venir. Pour le conduire dans l'hôpital le plus proche opérer une trachéotomie, nous arrachons de son lit mon père contrarié. Il veut en rester là, s'éteindre avec dans chacune de ses mains les mains bien-aimées. Après le répit apporté par l'opération, les espoirs de guérison annihilés, nous demandons aux médecins de l'aider à s'éteindre sans souffrances inutiles. »

Françoise et Valérie l'accompagnent dans l'ambulance. Alex, avant de mourir, aura la force de dévoiler à un de ses fils, Hervé, qu'il n'est pas son père et lui donnera les rares indices en sa possession pour qu'il puisse retrouver son père biologique. Hervé le retrouvera et, entre eux, ce sera un coup de foudre. Trop bref. Hervé mourra, quelques mois plus tard, du sida. Il est troublant de constater que Françoise Giroud et Alex Grall, outre le nombre de points communs, intellectuels et artistiques, qui les rapprochent, ont eu chacun un fils à la filiation brouillée.

A l'hôpital, Alex, grâce à une ardoise, continuera à dialoguer avec ses enfants et avec Françoise. Jusqu'à son dernier souffle, il lui écrira des citations de Shakespeare. « Dix jours après, sa volonté était faite. Et j'entamais une dépression. »

Michèle Cotta témoigne : « Dès que j'ai appris la mort d'Alex j'ai téléphoné à Françoise. Je lui ai demandé si je pouvais venir la voir. Elle m'a dit oui sans hésiter. Je l'ai trouvée chez elle totalement défaite, effondrée. Elle est restée longtemps inconsolable. »

Alex repose au cimetière de Nîmes.

CHAPITRE XLII

Loup solitaire

Aider un être qui vous le demande, parce qu'il vous aime et qu'il se sait perdu, à mettre fin à ses jours, n'est pas une tâche facile. Françoise Giroud en subira les dégâts psychologiques pendant longtemps mais, pour autant, elle ne changera pas d'avis sur ce sujet : si elle a eu le tort – et elle le reconnaît – de ne pas se préparer à cette épreuve, elle pensera que mettre fin soi-même à son existence est préférable à survivre dans la déchéance Elle adhérera à l'Association pour le droit de mourir dans la dignité et n'hésitera pas à soutenir ses membres et à donner publiquement son nom, lors d'une intervention de ladite association pour faire avancer cette cause au Parlement.

Elle est consciente de son état dépressif, mais ne refera pas « une tranche d'analyse ». L'expérience qu'elle a vécue avec Lacan, malgré le temps qui passe, l'aidera à assumer sa solitude et à se regarder sans complaisance : elle se sentait encore jeune dans le regard d'Alex qui la voyait ainsi et continuait à la désirer. Tout d'un coup, comme elle le dit elle-même, elle ne se trouve,

« plus opérationnelle dans l'ordre de la séduction ». Et ça ne lui déplaît pas.

Les éditeurs se la disputent : elle signe un texte sur Christian Dior pour un livre illustré aux éditions du Regard – encore constamment réédité – et est heureuse de se replonger, à cette occasion, dans les archives de la haute couture. Plus laborieux sera le livre d'entretiens avec Günter Grass, à l'initiative de Maren Sell : contrainte de se rendre à Hambourg, elle s'aperçoit que son interlocuteur et elle ne parlent aucune langue commune. Les entretiens lui apparaissent laborieux et le travail de réécriture fastidieux. Le livre paraîtra en septembre 1988, sous le titre *Ecoutez-moi. Paris-Berlin, aller, retour*. Il se révèle en fait passionnant, tant la confrontation entre ces deux Européens convaincus est stimulante.

Petit à petit, Françoise Giroud retrouve le goût de vivre et reprend ses habitudes : être toujours chic, aller chez Carita chaque semaine, voir ses amis, retourner dans les vernissages d'expositions et, surtout, elle renoue avec une ancienne passion : la musique. Quiconque a eu la chance de fréquenter Françoise Giroud dès le milieu des années quatre-vingt a été impressionné par cet amour, cet engouement, cette nécessité vitale qu'elle éprouvait d'aller au concert ou à l'Opéra chaque fois qu'elle le pouvait. Eliane Victor fut l'éveilleuse de ce désir, et c'est ensemble qu'elles sortaient plusieurs soirs par semaine : « Je connaissais Françoise depuis très longtemps : je serais même incapable de dire le jour et l'heure où je l'ai rencontrée, mais elle habitait avec sa mère, et c'était avant la guerre. Elle était déjà brillante,

époustouflante. A l'époque, elle m'impressionnait. Beaucoup plus tard, elle est venue sur un de
mes plateaux de tournage et m'a encouragée. Je
me souviens que toute l'équipe technique masculine n'avait d'yeux que pour elle, tant elle était
sexy. » Ces deux femmes de tête ne vont ensuite
plus se quitter, mais elles vont encore se rapprocher considérablement à l'aube de leur vieillesse.
Quel plaisir de les écouter à l'entracte commenter
les qualités d'un chef ou éreinter une chanteuse...
Deux gamines en surprise-partie... Mélomane
avertie, Eliane Victor vit par et pour la musique
et ne manquerait pour rien au monde les programmations des concerts parisiens qu'elle épluche consciencieusement, quand ce ne sont pas
celles des festivals d'Aix-en-Provence et de Bayreuth. Eliane conseille, Françoise suit. On peut
percevoir cet amour de plus en plus vif dans les
chroniques télévision du *Nouvel Observateur*, où
Françoise Giroud évoque systématiquement les
retransmissions d'opéras et les documentaires
consacrés aux musiciens. Eliane Victor confirme :
« Après la mort d'Alex, Françoise est devenue
prostrée, quasi muette. Elle vivait recroquevillée
sur son canapé. Alors je l'ai sortie, je l'ai emmenée à Aix, à Bayreuth, à Salzbourg... Nous
échangions peu. J'avais l'impression qu'elle ne me
considérait pas comme son égale, mais comme
une sorte d'assistante soignante qui devait venir
la chercher et la raccompagner. J'acceptais tout
d'elle, car je l'admirais et j'aimais l'accompagner
l'été à la fondation Maeght ou à la Colombe
d'Or. Nous partagions les mêmes goûts pour les
vêtements, la peinture, et je suis très fière d'avoir
réveillé en elle l'amour de la musique. » Françoise
reconnaîtra publiquement sa dette dans son *Alma*

Mahler, livre dont l'écriture la replonge avec délices dans l'œuvre de Sigmund Freud, d'Arthur Schnitzler, d'Otto Weininger. Elle aime se faire un cocon de toutes ses lectures pour, ensuite, aller sur place, là où vécut l'héroïne, et s'efforcer d'en saisir l'atmosphère. Elle ira, en compagnie d'Eliane Victor, se recueillir sur la tombe d'Alma.

Le livre est dédié à Caroline Eliacheff et porte en exergue cette phrase célèbre de Lacan : « La femme n'existe pas. » Françoise Giroud y insiste beaucoup sur les origines juives de Gustav Mahler et le mariage impur fait par Alma. On retrouve, dans certains dialogues qu'elle prête à ses personnages, de curieuses similitudes avec des fragments des lettres anonymes qu'elle envoya jadis à la future épouse de Jean-Jacques Servan-Schreiber. Alma qui mourut en refusant de se faire soigner pour une maladie diagnostiquée comme un diabète, parce qu'elle ne pouvait affecter, dans son délire, que les juifs...

Françoise, de temps à autre, tombe dans des accès de mélancolie. La chronique du *Nouvel Obs* lui sert de repère, de point d'appui. Elle distribue bons et mauvais points : elle se montre vacharde à chaque fois qu'elle le peut envers Simone Veil, mais elle encense Anne Sinclair, idolâtre Bernard Pivot, Claude Santelli et Michel Polac. Elle a ses têtes et ses chouchous. Parmi les messieurs, BHL et Alain Minc arrivent nettement en tête. A chaque fois qu'ils publient un livre, elle les couvre d'éloges et, lorsqu'ils sont attaqués, elle les défend bec et ongles en vantant leur audace intellectuelle et leur courage. Bernard-Henri Lévy le reconnaît : « Françoise, c'était une forteresse. Quand elle vous aimait, elle vous défendait par tous les moyens. » Et pour Alain Minc : « C'était une femme qui pratiquait le culte de l'amitié et qui ne dédaignait pas de faire scandale. Elle était loin de toute idée du bien-penser et aimait défendre celles et ceux qui étaient attaqués. Elle avait inventé la noblesse de ce métier qu'est le journalisme et le pratiquait comme elle l'entendait, impatiente, toujours, de comprendre des domaines qu'elle ne connaissait pas. Je venais la voir en tête à tête. Jamais elle ne m'a dit qu'elle allait écrire sur moi. Je sentais à l'intérieur d'elle un sentiment d'incomplétude, une fragilité. Elle se protégeait moins qu'elle ne nous protégeait. »

Elle se porte au secours de Christine Ockrent dès qu'elle est menacée, et quand celle-ci doit quitter la présentation du journal télévisé, elle écrit : « Elle était belle et bonne, rigoureuse et réservée. Aucune femme ne la remplacera aisément tant la combinaison qu'elle offrait était subtile entre la sécheresse et le charme. »

Sur le plan politique, elle défend systématiquement la gauche et fait l'éloge de Michel Rocard, Jacques Delors, Laurent Fabius, François Mitterrand à chacune de leurs apparitions. Le seul qu'elle égratigne est Jack Lang, qu'elle trouve un tantinet trop lyrique...

Françoise est hyperactive, envers sans doute d'une angoisse existentielle. Pour s'en défendre elle accepte les propositions qui lui sont faites : elle devient ainsi, de 1989 à 1991, présidente de la commission d'avance sur recettes au Centre national de la cinématographie, et me racontera : « J'ai pris mon rôle très au sérieux. J'ignorais quelle charge de travail cela représentait. Mais cela impliquait une immense responsabilité et j'ai eu à cœur de défendre des cinématographies du monde entier et des cinéastes d'art et d'essai. Quand je n'arrivais pas à imposer ma décision, je demandais aux candidats auxquels je croyais de faire un nouveau dossier. »

La dépression reste là, tapie, et Françoise Giroud ne confie guère ses états d'âme à ses amis. Elle préfère les écrire. Ainsi va s'imposer, malgré elle, ce livre-bilan intitulé *Leçons particulières*, publié en octobre 1990. Tout part d'une unique question : qui, dans la vie, lui a donné des leçons ? Le premier est son père qui voulait un garçon. A soixante-quatorze ans, les cicatrices ne sont toujours pas refermées et on sent, à travers ses lignes, la culpabilité de ne pas avoir été désirée et d'être toujours tenue de prouver sa légitimité d'être encore au monde... Elle a cru devoir prendre sa place et a endossé très jeune le rôle du chef de famille. Elle insiste sur la nécessité d'avoir eu à gagner sa vie si tôt et sur ce sentiment de déclassement social qu'elle a vécu durement lors de son adolescence. Née pour rien. Faite pour rien. Laborieuse, consciencieuse, essayant de s'imposer. Ouvrière, pas artiste. Son autoportrait n'est pas flatteur et sonne vrai. C'est une sorte de post-scriptum à l'analyse où elle ne veut pas s'épargner. Elle ne souhaite pas revenir sur la polémique de la médaille de la Résistance et, laconique, se contente de préciser, comme une sorte de demi-aveu : « Je ne faisais pas partie des huiles, il est vrai. J'étais un petit pion quelconque utilisé comme agent de liaison dans un jeu de l'oie meurtrier. »

Elle revient longuement, en revanche, sur un article assassin paru dans *Les Temps modernes* lors de la publication de son premier livre. On la sent encore blessée par l'ironie mordante de ce papier, signé Jacques-Laurent Bost et qui, effectivement, ne l'épargne guère. Intitulé « Du hareng saur au caviar », c'est une attaque en règle : « Elle travaille avec rien : des ragots de concierge, une brosse à reluire et un petit tube de fiel très concentré dont elle use avec une savante discrétion. » Bost lui reproche de ne s'intéresser qu'à des gens connus et qui ont réussi et voit dans sa manière de pratiquer le journalisme une forme de revanche sociale. Un article qu'avait alors publié Françoise Giroud lui avait profondément déplu, ce qui explique sans doute sa violence. Françoise Giroud est donc à ses yeux « plus incapable de comprendre un intellectuel qu'une taxi-girl new-yorkaise de lire Mallarmé. » Qu'avait donc Bost contre les taxi-girls qui aiment lire ?

A travers le rappel de cette blessure narcissique si ancienne mais toujours aussi présente, nous sentons bien, nous lecteurs qui sommes pris à partie par elle, qu'elle doute encore d'elle-même et fait montre d'une excessive humilité. Croit-elle donc ce qu'elle écrit quand elle affirme que JJSS l'a « inventée » ?

Oui, car elle l'affirme dans *Elle* le 8 avril 1991, à la sortie du nouveau livre de JJSS, *Passions*. Interrogée par Alix de Saint-André – rencontre décisive pour elles deux –, elle lui dit sa dette professionnelle tout en le critiquant durement sur son égoïsme, son narcissisme, explicables, selon elle, par son absence de maturité : « Il n'en a jamais eu. Il n'en aura jamais. C'est sa mère qui l'a fabriqué comme ça. » Elle dit n'avoir jamais vu une telle relation mère-fils, « une véritable

histoire d'amour, il y a juste l'inceste qui manquait. » Qualifiée peu élégamment de « femme de
jungle » dans l'ouvrage, elle n'en semble guère
étonnée et rétorque avec sa vacherie bien connue :
« Jean-Jacques écrit avec deux cents mots. Cela
exclut les nuances. Là, dans ce qu'il écrit, je suis
un compromis entre un maître-nageur pour le
physique, une secrétaire de rédaction pour la qualification professionnelle, une bête fauve pour le
caractère. » Elle avoue cependant à l'issue de
l'entretien qu'entre eux le lien demeure très fort
et qu'elle peut l'appeler à n'importe quelle heure
du jour et de la nuit...

A la fin de *Leçons particulières,* elle parle pour
la première fois longuement de cette vieillesse qui
commence, de sa mémoire qui lui joue quelquefois
des tours. Comme elle le dit joliment, elle a attrapé
le chiffre 7. Elle pense que plus un homme ne
pourra, ne voudra s'approcher d'elle. Ça ne la cha-
grine pas plus que cela, puisqu'elle se sent, dit-elle,
« terminée », et qu'elle conserve, intacte, sa soif
d'apprendre : « J'ai atteint ce moment de la vie où,
intellectuellement, les cartilages de conjugaison
sont soudés. » Elle semble, enfin, réconciliée avec
elle-même, mais peu désireuse, malgré son âge, de
se faire oublier.

CHAPITRE XLIII

Vieillesse café

Le Canard enchaîné, qui n'a jamais ménagé Françoise Giroud, l'avait surnommée, quand elle était au gouvernement, « Ménopause-Café ». Quand *Le Journal du dimanche* lui propose de faire un édito hebdomadaire, elle accepte aussitôt, alors qu'elle a déjà en chantier son livre sur Jenny Marx, sa collaboration au *Nouvel Observateur*, et qu'elle se plaint à tout bout de champ de ne pas avoir le temps... de ne rien faire. Mais que sait-elle faire d'autre que travailler ? Question de tempérament, d'angoisse aussi. Remplir le vide en restant ouverte aux rumeurs du monde. Retenir de l'envers des jours ce qui frappe l'imaginaire : elle sait le faire et aime cet exercice. Car, sous prétexte de parler d'un livre qui paraît, Françoise Giroud va, encore une fois, s'emparer de la politique à sa manière, faire œuvre d'historienne, dénoncer les mauvaises rumeurs, défendre ses amis et découvrir de nouveaux talents.

Mais là où elle excelle, c'est dans la relecture des grandes œuvres de la littérature : on n'a pas oublié ses admirables papiers sur Nabokov, Duras ou Beckett, par exemple. Elle-même se fait une haute idée de l'écriture. « Il ne faut pas croire que l'on écrit ce que l'on veut, rappelle-t-elle. On écrit ce qu'une force en soi commande. »

Ce sont quelques lignes lues par hasard dans un journal qui vont la conduire à tenter de cerner la personnalité de Jenny Marx, qui épousa Karl Marx en 1843. Ce faisant, elle se heurte au problème fondamental de l'histoire des femmes : pas de traces, pas d'archives, peu d'écrits. Ce sont souvent par les hommes que nous savons des fragments de la vie des femmes. Jenny n'est pas une révolutionnaire ni une philosophe, encore moins un écrivain. Comme matériau, Françoise Giroud ne dispose que de quelques lettres, écrites quand le couple fut contraint de se séparer. C'est donc par les textes d'Engels – que Jenny détestait – et par la correspondance de Marx qu'elle parvient à sortir de l'obscurité de l'histoire la figure d'une femme courageuse, ayant enduré de nombreuses grossesses, perdu trois enfants, et qui va faire semblant d'accepter les amours ancillaires de son mari volage, décrit, avec force détails, comme un homme égoïste, libertin, narcissique, affecté de furoncles au pénis et d'hémorroïdes... C'est donc autant, si ce n'est plus, un livre sur Marx, ou plutôt contre Marx, que Françoise Giroud nous offre. Du reste, elle l'a intitulé *Jenny Marx ou la femme du Diable*... Marx ou le destin d'un jeune homme épris de philosophie et devenu une sorte de clochard européen, vivant dans la misère, profitant de l'amitié d'Engels pour survivre, paresseux, cynique, ne croyant guère lui-même en ses *Ecrits*.

Françoise Giroud met en exergue à son livre cette citation de Stendhal : « La révolution viendra, mais il n'y a pas lieu de se refuser les joies de l'existence. » Dans le cours du texte, le *Capital* est à peine mentionné, *Les Luttes de classe en France, Misère de la philosophie* tout juste cités, seul le *Manifeste du parti communiste* est brièvement analysé. S'agit-il, pour l'auteur, de régler ses comptes avec le marxisme ? Sa conclusion semble l'indiquer : « On vend encore des posters de Marx en Chine. Mais l'illusion est morte, le mythe s'est désintégré, le socialisme scientifique restera toujours la plus tragique imposture du siècle. »

Sur proposition de Madeleine Chapsal, Françoise entre au jury Femina et siège dès l'automne 1992. Benoîte Groult se souvient de l'arrivée d'une femme qu'elle avait connue quelques années auparavant : « Elle ne cherchait pas à se faire aimer des autres membres et ne désirait pas le contact. Elle semblait détester tout ce qui pouvait ressembler à de la familiarité. Mais nous étions fières d'elle car elle était célèbre et mettait en lumière notre prix. Elle dégageait une autorité naturelle qui provoquait une certaine distance. Il n'était pas facile de se rapprocher d'elle. Nous avions une présidente tournante chaque année mais dès son arrivée elle s'est imposée comme unique présidente. Son jugement était sûr et elle était sérieuse mais chaleureuse, non, plutôt glaçante. » Claire Gallois, au contraire, a pu nouer grâce au jury des liens personnels avec elle : « J'étais éblouie. Elle était la plus jeune d'entre nous. Quand elle parlait tous les bavardages cessaient. Elle lisait tout et avait à cœur de défendre les jeunes auteurs, ceux que certaines trouvaient "difficiles" et elle

tenait bon. Je n'ai pas compris pourquoi elle
avait accepté d'entrer au Femina. Après plusieurs
déjeuners chez elle j'ai réalisé qu'elle vivait dans
une grande solitude et qu'elle voulait qu'on
l'aime. Elle allait toujours droit au but et détestait les pressions. Elle disait en souriant "je déteste
qu'on me conseille". Plusieurs fois elle a imposé
son choix. Quand elle a commencé à avoir ses
problèmes d'audition elle ne les a pas cachés et
a demandé l'installation d'un micro pendant
nos délibérations. Cela témoignait d'un certain
cran. J'ai continué à la voir jusqu'à la fin de sa
vie. »

Cette même année 1992, Françoise Giroud est
invitée à siéger au comité cinéma de la chaîne de
télévision Arte (alors appelée la 7), en cours de
création. Et dans le *Journal du dimanche*, comme
dans le *Nouvel Observateur*, elle a à cœur de
défendre le statut et la légitimité de cette nouvelle
chaîne « qui vise, dit-elle, deux centimètres plus
haut que les autres ». « Elle nous a toujours sou-
tenus aux moments les plus difficiles, atteste
Jérôme Clément, le premier patron d'Arte. C'était
une téléspectatrice assidue et exigeante qui savait
me faire de judicieuses remarques. Quand elle a
intégré le comité cinéma, je ne me doutais pas
qu'elle s'investirait autant. Lire des scénarios
n'est pas un exercice facile ni plaisant. Elle arrivait avec ses notes. Elle les avait tous lus et même
annotés. Ses choix allaient souvent vers des projets relevant de l'art et essai et vers des cinématographies étrangères. Elle était convaincante et
mettait toutes ses forces pour sauver l'existence
de films qui n'ont même pas dû trouver de dis-
tributeurs. Je l'admirais et j'avais plaisir à la

raccompagner chez elle pour continuer les discussions. »

De plus en plus, dans ses chroniques écrites, elle n'hésite pas à parler de son expérience. Bouleversée par le livre de William Styron, *Face aux ténèbres*, sous-titré *Chronique d'une folie,* paru en 1990, où il évoque la dépression qui l'a mené au bord du suicide, Françoise Giroud écrit : « Dépression. Rien du coup de cafard. C'est la fracture de l'âme. La maladie. La grande... Cette douleur, en vérité, est indicible, inexprimable. Toutes les métaphores, celles de Styron et les autres – fosse aux serpents, tempête de ténèbres, rafales dévastatrices – sont impuissantes à décrire la prison de souffrance où enferme la dépression. Dites : "Je suis en dépression" et l'on s'écartera de vous parce que vous sentirez la mort. » William Styron, comme Françoise Giroud, s'en est sorti après avoir voulu mettre fin à ses jours : « Les grilles de l'enfer se sont repliées dans leur cage. »

Françoise Giroud sait, comme William Styron, que derrière les barreaux, les fauves veillent toujours.

CHAPITRE XLIV

Une femme, un homme

C'est Gilles Hertzog, à l'époque éditeur chez Plon, qui a eu l'idée de proposer des entretiens entre Françoise Giroud et Bernard-Henri Lévy. Profitant de vacances d'été, le livre, *Les Hommes et les Femmes,* fruit d'échanges de fax – sur des thèmes comme l'amour, la jalousie, la fidélité, la laideur, l'érotisme... –, a été achevé en quelques mois. Françoise Giroud accepte en 1993 cet exercice d'improvisation avec gourmandise et va droit au but : oui, elle a aimé des hommes, mais elle n'a su aimer que des hommes beaux, même si elle a « pu faire amitié » avec des hommes laids. Fourmillant de références – Stendhal, Baudelaire, Flaubert, mais aussi Butor et Baudrillard sont sollicités – la conversation dévoile un pan de la personnalité d'une femme qui se dit « hors désir », mais qui avoue aimer encore le provoquer. Bernard-Henri Lévy, à un moment, lui pose la question : « Vous vous aimez ? ». Elle répond tout à trac – et c'est l'un des charmes de ce livre que de capter l'instant et de ne pas avoir la prétention d'être autre chose qu'un face-à-face loyal sur des questions intimes – « Non, je déteste, comme il est normal, me voir vieillir. Mais j'ai été très bien analysée il y a quelques années et j'en ai retiré l'art de vivre en bonne intelligence avec moi-même... Autant qu'il est possible. » Elle avoue avoir « fait » son visage, non au sens où elle se serait fait lifter, mais en construisant, au fil du temps, sa représentation d'elle-même et en maîtrisant intellectuellement son apparence. Au fur et à mesure des rendez-vous, elle se livre de plus en plus : elle met en avant la nécessité de l'érotisme dans une relation amoureuse, avoue avoir été d'une jalousie morbide, dit aimer les hommes comme amants mais pas comme maris, détester la vie en couple. Pour elle, un homme c'est la fête. Sans le préciser, et peut-être sans même s'en rendre compte, elle revient, de manière lancinante, sur la fin de son histoire d'amour avec JJSS : « Je me suis tuée moi-même. C'est moi que j'ai pressée de ne plus être aimée. »

Elle croyait connaître son BHL. Elle en démasqua un autre, « un "macho" romantique, mais rigide » ; lui découvrit « une féministe tranquille mais irréductible. Ce fut quelquefois orageux. Les choses nous amusèrent et nous rapprochèrent davantage. »

Le livre est un événement. Bonnes feuilles dans le *Figaro Madame*, article dans le *Journal du dimanche*, bonnes critiques partout, invitation à *Bouillon de culture*, l'émission de Bernard Pivot : *Les Hommes et les Femmes* sera vendu à 160 000 exemplaires et traduit en huit langues.

Au même moment, en 1993, sort le dernier livre de Jean-Jacques Servan-Schreiber, *Les Fossoyeurs*. A cette occasion, Françoise Giroud fait son portrait, rappelle son itinéraire politique – trop de fougue, pas assez d'appréciation des rapports de force, agitateur visionnaire plus qu'animal politique. Elle garde de l'admiration pour celui qui, après l'expérience du Centre mondial d'informatique, que lui a confié François Mitterrand, et qui lui aussi va échouer, a choisi de vivre aux Etats-Unis, où il préside un comité international. Jean-Jacques Servan-Schreiber a soixante-neuf ans, Françoise Giroud soixante-dix-sept. Elle vit dans une solitude créatrice éclairée par la passion et l'amour de ses proches qui lui tiennent la tête hors de l'eau quand son horizon s'assombrit : Françoise Giroud est entourée de femmes qui l'enveloppent de leur affection, des filles de substitution, des nouvelles, des femmes jeunes comme Alix de Saint-André – dont elle parle avec chaleur, sûre de son talent d'écrivain –, et ses amies de cœur de longue date qui viennent lui rendre visite régulièrement comme Albina du Boisrouvray, Micheline Decaux, Martine de Rabaudy, Eliane Victor. Elles font la cuisine avec elle, l'emmènent à l'Opéra, refont le monde, l'entourent et la protègent.

Françoise Giroud éprouve, de nouveau, une véritable rage d'écrire : le *Journal du dimanche* et le *Nouvel Observateur* ne lui suffisent plus. Elle tient aussi désormais des chroniques au *Figaro*, se montre très présente dans les médias, qui la sollicitent souvent sur de nombreux sujets : le déclin de la presse écrite, le féminisme, le droit d'auteur, la définition de la culture. Elle répond toujours favorablement. Son encyclopédisme, son goût de lire, sa manière de retenir, d'un coup de griffe, l'écume du quotidien donnent l'idée à Michel

Winock de lui confier un journal, sorte de continuation, en somme, de ses éditoriaux. Et c'est un délice, encore aujourd'hui, que de se plonger dans ce *Journal d'une Parisienne,* où coexistent le journal intime, la réflexion sur la vieillesse, les indignations politiques, telles qu'elles sont vécues au jour le jour. Elle qui n'a jamais tenu de journal intime de sa vie s'astreint à écrire trois heures par jour, sans rien relire ni modifier, en prenant le risque de se tromper comme elle le fait, par exemple, sur Bill Clinton : « Je jurerais qu'il n'a pas la colonne vertébrale d'un chef d'Etat », écrit-elle, ou sur Edouard Balladur qu'elle continue à aimer. Mais ce qui est le plus prégnant, et qui revient comme un leitmotiv de ce *Journal* publié en 1994, c'est le conflit bosniaque et, face à lui, sa révolte impuissante, qui assigne ses limites à l'exercice en chambre.

Elle n'hésite pas à pratiquer l'introspection et à évoquer la colère qu'elle éprouve confrontée à la vieillesse. Le 21 septembre, jour de son anniversaire, elle note : « Qu'ai-je fait de cette année écoulée ? Quelle écoute ai-je apportée aux autres ? Pour quelles valeurs ai-je combattu ? Le bilan n'est pas nul : il est mince. Peut mieux faire. »

CHAPITRE XLV

Dame de cœur

Françoise Giroud excelle à prendre le pouls du monde. Elle aime écouter les autres, quels qu'ils soient. Elle protège farouchement son indépendance. Et pourtant, sa vue faiblit encore, ses mains commencent à trembler, elle a à présent du mal à se déplacer.

Implacable, elle observe les dérives de l'âge et note la distance qui sépare ce qu'elle voudrait faire de ce qui maintenant lui est possible.

Elle va, lentement, s'immobiliser. Comme son chat, elle se lovera dans son appartement, sortant moins souvent, réservant son énergie, refusant les dîners en ville et faisant venir chez elle ses amis presque chaque jour.

En octobre 1994 sort *Mon très cher amour*. Ce court récit est inspiré, on l'a vu, de son histoire d'amour avec Georges Kiejman. Elle y introduit aussi des fragments autobiographiques. Elle évoque, par exemple, la jalousie qu'elle a subie comme une maladie après avoir été abandonnée par Jean-Jacques Servan-Schreiber. Elle note qu'elle ne sait plus ni quand ni comment ce livre s'est imposé a elle. Elle voulait revenir au roman pour

« desserrer » l'écriture journalistique et faire vaga-
bonder son imaginaire tout en sachant qu'elle n'y
était pas à son meilleur. Elle n'a pas prévenu le
principal intéressé, qui estime, avec le recul, que
« ce livre ne restera pas dans l'histoire de la littérature ». « Elle croyait inventer, ajoute-t-il,
mais son écriture reste corsetée et ce qu'elle fait
de moi n'est pas particulièrement agréable. Après
l'avoir lu, je lui ai dit : "Ecoutez, Françoise, quand
nous avons eu notre liaison, je n'étais pas aussi
misérable que vous le dites. Vous ne m'avez
tout de même pas acheté un pardessus. » Elle a
souri, mais ne m'a pas répondu. Elle ne se faisait
pas une haute idée d'elle-même comme roman-
cière. Nous sommes restés bons amis. » « Tout
de même, souligne-t-il pour conclure, c'est un des
rares livres de Françoise qui ne soit pas paru en
poche. »

Aujourd'hui les livres de Françoise Giroud sont
rarement dans les rayons des librairies. Il faut les
commander. Du moins pour ceux qui ne sont pas
épuisés et non réédités. Ses livres sont accessibles
dans les bonnes bibliothèques municipales, plus
rarement dans les bibliothèques universitaires.
Ses romans ne font pas date. Elle-même le savait
et s'en moquait. L'écriture était une façon de dialoguer avec elle-même, une réassurance que la
tête et la mémoire fonctionnaient correctement.
Elle publiera un autre journal l'année suivante, en
1995. Elle l'intitulera *Chienne d'année*.

Elle y évoque François Mitterrand, qui a quitté
le pouvoir en 1993 et mourra en janvier 1996,
persuadé d'avoir été doublement trahi par Françoise Giroud . en acceptant la sollicitation de Gis-

card d'entrer dans le gouvernement de Chirac et en dévoilant indirectement l'existence de Mazarine. Les écrits de Françoise lui donnent tort : elle ne cesse de faire l'éloge de sa droiture, de sa conception de la fidélité et de la loyauté. Jamais elle n'a hurlé avec les loups lorsque a éclaté l'affaire René Bousquet : Mitterrand avait entretenu des relations avec cet ancien haut fonctionnaire de Vichy, y compris après son élection à la présidence de la République. C'est précisément pour protéger la vie privée de François Mitterrand que Françoise Giroud s'est fait licencier du *Journal du dimanche.* Entrée le 7 octobre 1990, elle en a été chassée le 23 mai 1994, sans en avoir été prévenue, parce qu'elle avait osé qualifier de « mœurs de goujats » la décision du directeur de *Match* de publier la photo de Mazarine. Elle entend défendre le droit à la vie privée pour les personnalités publiques, rappelle la déontologie du journalisme et ajoute : « Je ne vois pas quel intérêt représente ce secret pour le public. » Son contrat sera dénoncé le lendemain et Jorge Semprun lui succédera. Elle intentera un procès au groupe Filipacchi, propriétaire du magazine, en expliquant : « Si je fais ce procès, moi qui ne suis pas procédurière, c'est pour l'honneur de tous les journalistes, pour qu'il soit dit que les groupes de presse ne peuvent pas les traiter comme des valets. » Elle gagnera son procès en mars 1995.

Dans *Chienne d'année,* en revanche, elle étrille d'autres premiers rôles de la vie politique française. Jacques Chirac : « Cela fait trente ans qu'il dit n'importe quoi et cela use » ; Edouard Balladur : « plat, lisse, gris, ronronnant » ; Bernard Tapie : « obscène » ; Frédéric Mitterrand : « Pauvre

Frédéric. Devenu, sous les sarcasmes, un aficionado de Jacques Chirac – c'est son droit –, il déclare aujourd'hui pour sa défense : "J'ai toujours aimé Jacques Chirac, mais mon oncle m'a forcé à voter socialiste en 81... J'ai souffert pendant quatorze ans". »

La victoire de Jacques Chirac à la présidentielle, le 17 mai 1995, ne la ravit pas, et c'est un euphémisme. Démocrate, elle s'incline cependant, en espérant de tout cœur pouvoir saluer les succès du nouveau Président. Mais ça commence mal ; la lenteur de la formation du gouvernement l'exaspère : « Avec toutes les promesses faites par Jacques Chirac aux siens, il lui faudrait distribuer quatre-vingts portefeuilles. »

Elle avait accepté, côté vie publique, d'intégrer le comité d'éthique du CNRS et, côté vie secrète, elle venait de s'acheter un petit piano blanc, qu'elle avait fait venir d'Allemagne, avec la ferme intention de s'y remettre. Le 9 juin 1995, à la sortie d'un dîner, elle chute dans l'escalier du restaurant et sa tête heurte le sol. Du sang gicle. Ses amis la supplient d'aller à l'hôpital. Elle refuse. Les pompiers arrivent. On lui bande la tête. Ils insistent. Elle refuse encore. Ils la raccompagnent donc chez elle. Dans son journal, elle note, de manière prémonitoire : « Souvenirs de fin de soirée mouvementée à cause de ma maladresse, de cette mauvaise façon que j'ai de poser le pied, de cette fraction de seconde où j'ai pensé, en tombant, "comme on a vite fait de se tuer". » Elle a soixante-dix-neuf ans.

Fin juillet, à l'invitation de José Bidegain, elle part pour la Bosnie. A Janitza, elle voit l'épouvante sur le visage des femmes et écoute leurs récits Elles se bousculent pour témoigner. Mais c'est déjà le moment de repartir. « Nous les avons quittées avec un sentiment atroce d'impuissance et de honte pour l'espèce humaine. » Au retour, au nom de l'AICF, Françoise Giroud donnera des tribunes au *Figaro* et au *Nouvel Observateur*. Après ce voyage, elle rêve toutes les nuits de têtes qui explosent, de femmes qui hurlent à la mort.

CHAPITRE XLVI

Celle qui ne s'aimait pas

On le savait malade. Plusieurs journaux demandent à Françoise d'écrire une nécro, comme on dit dans le métier. Elle est outrée et refuse les sollicitations de ceux qui l'appellent. Puis elle apprend la nouvelle par téléphone. « Mon cœur se serre. Je me laisse tomber en pleurs. Les sollicitations de portraits affluent. Parlez-nous de Mitterrand, vous qui l'avez bien connu. Ah, laissez-moi tranquille, vous voyez bien que j'ai de la peine. »

Elle écrit son éloge dans *Le Nouvel Obs.* « Je l'ai bien connu, en effet, quand il était encore un oiseau de feu, beau, timide, ardent... Ce qu'il voulait ? Le pouvoir... Plus tard, je l'ai vu traverser de terribles épreuves, l'affaire des fuites, l'affaire de l'Observatoire, sans qu'il ait perdu, un instant, son sang-froid. Si : une fois, j'ai vu des larmes dans ses yeux quand il s'est cru perdu. Quand je lui ai dit, il a nié. Lui, des larmes ? Jamais.

« Je l'ai vu, dans le métro, se coltiner des livres qu'il venait d'acheter comme des pierres précieuses.

« En cinquante ans, nous avons fait un long chemin côte à côte, où je l'ai vu, fidèle en amitié comme personne, infidèle en amour comme tout le monde, délicat envers ceux qui lui étaient chers, économe de ses sentiments, et, très généralement, impénétrable. Secret. Coriace. Toujours souverain de lui-même. Jusque dans la douleur de ses derniers moments.

« Le Mitterrand de la légende, rose ou noire, m'est étranger même si j'ai des reproches à lui adresser. Mon Mitterrand à moi était digne de tendresse. Je l'ai bien aimé. »

Françoise publie son livre consacré à Clemenceau, *Cœur de tigre,* avec un sentiment d'angoisse. Pourquoi avoir tant travaillé sur un personnage qui n'intéresse plus guère les Français ? Sans doute en souvenir de sa mère, qui éprouvait une folle admiration pour lui, et sans doute aussi pour dire certaines choses qui lui importaient sur la République, le courage, l'ardeur, l'amour... Elle sait que son sujet est austère. Peu importe : « Il ne faut jamais viser le public. Si on le rencontre, tant mieux. » Elle a choisi le portrait dense, concis. Son éditeur, Claude Durand, la rassure. En vain. Comme presque tous ses livres, *Cœur de tigre* sera pourtant un succès.

A peine son *Clemenceau* est-il terminé qu'elle enchaîne avec un autre portrait, celui de Cosima Wagner. Au fond, Françoise Giroud s'apparente à une feuilletoniste. Claude Durand l'encourage vivement à publier régulièrement, sans forcément lui signaler la disparité de ses textes. Il est intéressant de noter que si Françoise Giroud signe ses contrats et touche ses à-valoir, elle ne perçoit pas ses droits d'auteur et a confié à sa fille qu'elle ne voulait pas en connaître le montant, les considérant comme une sorte de trésorerie au cas où... Caroline fut fort surprise quand, après sa mort, elle découvrit à la comptabilité de Fayard les sommes qu'elle aurait dû percevoir.

Pour Françoise écrire est une sorte de prolongement du journalisme, une enquête approfondie, une manière de voyager dans le temps et dans l'espace et non un métier. Elle décide alors de restituer une période à travers le destin d'une héroïne – Clemenceau sera une exception – et livre des récits sans prétention, de vulgarisation intelligente.

Cosima la sublime, dont l'idée lui est venue un soir en écoutant Pierre Boulez diriger Prokofiev, est dédié à Eliane Victor, qui lui a fait découvrir Bayreuth. Ce qui intéresse Françoise, c'est la manière dont Cosima va capturer son homme. Histoire romanesque de la fille naturelle de Franz Liszt, qui va d'abord épouser le meilleur ami de Wagner avant d'embraser sa vie. Françoise écrit vite, malmène la syntaxe, utilise une langue relâchée. Peu lui importe : c'est un drame qu'elle nous livre, où l'intrigue prime le style, et où est dévoilé le caractère de cette femme – inspiratrice de Nietzsche et de Louis II de Bavière – tout entière dévouée à son génie de mari, sans jamais abdiquer son esprit de liberté. Cosima est morte à quatre-vingt-treize ans, quarante-sept ans après Richard Wagner, lucide et aimant la vie, apaisée et joyeuse. N'est-ce pas le secret de sa longévité que Françoise Giroud, à travers sa biographie, tente de percer ?

Samedi 11 septembre 1996. Françoise Giroud fête ses quatre-vingts ans et Caroline Eliacheff et Marin Karmitz ont invité quatre-vingts amis à qui a été demandé un texte. Jean-Jacques Servan-Schreiber, qui l'appelle « Ma diva », la remercie « pour ce chemin que nous avons tracé ensemble au cœur de notre génération » ; Claude Lanzman avoue qu'il est temps de lui dire sa sourde passion ; Michèle Cotta lui exprime sa reconnaissance : « J'ai peur d'écrire pour vous, moi qui si longtemps ai écrit par vous. » Les quatre petits-fils, les arrière-petits-enfants, fils et filles de Nicolas, sont là. Françoise est aux anges. En smoking noir, très élégante, maquillée avec soin, elle remercie l'assistance, émue : « J'ai eu de la chance. J'ai vieilli très tard. » Plus tard, dans la pièce du haut, à côté du piano, tout le monde chante en chœur ses chansons préférées.

Vieille, peut-être, mais toujours aux avant-postes. En juin, elle s'était rendue au Mexique sur le tournage du film de Bernard-Henri Lévy, *Le Jour et la nuit,* et à la surprise de l'équipe avait passé la nuit à assister au tournage, dont elle ferait le récit la semaine suivante dans le *Nouvel Observateur.*

A l'occasion de son anniversaire la presse se bouscule pour faire son portrait. A *Libération,* elle confie : « Je suis devenue beaucoup plus gentille en vieillissant... Jusque-là, j'étais terrible... ».

Gentille, Françoise Giroud ? Ce n'est peut-être pas le qualificatif qui s'impose à quiconque s'aventure à esquisser son portrait.

Comme le dit Jacques Julliard : « Cette voix si reconnaissable possède une tonalité si rassurante qu'on se laisserait bercer, mais bien à tort : le coup de pistolet n'est jamais loin. »

Et en effet, elle continue à fustiger Simone de Beauvoir, dont elle liquide allégrement l'héritage sous prétexte qu'elle a un rapport pathologique à la maternité. Elle ne peut s'empêcher de continuer à donner des coups de griffe à Simone Veil, et à Jacques Chirac dès qu'il fait une apparition. Plus elle vieillit, plus elle se sent libre. A la mort de Jean-Edern Hallier, elle note dans son journal : « Cela fait une crapule en moins sur la terre, je n'aurai pas l'hypocrisie de le pleurer. »

Le 5 février 1997, elle fait une nouvelle chute, cette fois dans l'escalier de son immeuble. Nez cassé, sang qui gicle, points de suture qui ne tiendront pas. En commission cinéma, chez Arte, elle sent le sang couler sur son visage et se résout à quitter la réunion pour aller se faire recoudre de nouveau. Le soir même, le visage tuméfié, elle se rend à le remise du prix Mumm.

Le 4 avril, elle souffre de douleurs abdominales féroces. Examens sous anesthésie. Rien de suspect n'est détecté. Elle note : « J'ai horreur de me soigner, horreur que ma carcasse me trahisse. J'ai envie de la faire avancer à coups de pied. »

Elle ira jusqu'en Toscane, à l'invitation de sa fille, puis, la peur au ventre de ne plus savoir porter seule une valise, elle rejoindra Eliane Victor à Salzbourg.

A son retour, elle publie son troisième livre autobiographique, après *Si je mens* et *Leçons particulières* : *Arthur ou le bonheur de vivre*, et le grand jeu médiatique recommence. Françoise Giroud sculpte sa vie, lisse certains épisodes et se définit modestement comme quelqu'un qui a eu de la chance et a fait carrière sans avoir de destin.

Elle veut elle-même raconter son histoire, pour décourager les biographes, mais les derniers chapitres, consacrés à la vieillesse, lui restituent son sens de l'humanité et l'on sent bien qu'elle ne triche pas. Ils sont poignants : « Qu'on le veuille ou non, elle rôde la garce. » Elle ne les craint pas particulièrement ces vieux jours, espère qu'elle sera transformée, dans l'au-delà, en chat ou en étoile, avoue qu'elle est au bout du rouleau et aimerait pouvoir encore écrire deux livres : « Aujourd'hui encore, j'ai la folie de croire que je peux apprendre. Je lis, j'essaie... Las, ma mémoire me nargue ; je lis, mais j'oublie. Alors j'enrage, signe que quelque chose bouge encore dans cette vieille mécanique.

« Tant qu'il y a de la vie, il y a de la révolte. »

CHAPITRE XLVII

Les étoiles sont les âmes des morts

En 1997, Françoise Giroud signe le scénario d'une émission sur Anna de Noailles, réalisée par Antoine Gallien pour la série de FR 3 *Un siècle d'écrivains*. L'année suivante, elle va accepter de se filmer elle-même, à la demande de Canal Plus, qui lui confie la caméra en vue d'un documentaire sur la vieillesse.

Le succès d'*Arthur* ne l'enchante pas : « Je ne suis pas contente de moi, de cette impudicité. » Elle se critique d'accepter des entretiens où elle s'entend se répéter en boucle. L'idée de devenir gâteuse la hante. Elle a des difficultés à écrire. Les mots ne s'organisent plus dans sa tête. Elle se sent lasse, a envie de se mettre un oreiller sur le visage et de se coucher. Elle continue cependant à fournir les articles, se force à se rendre à l'Opéra. Elle termine son livre *Deux et deux font trois*, récit romancé de ses années d'Occupation, et description décalée de son rôle de scripte dans les studios d'avant-guerre Tout est vrai, tout est faux, dit-elle. Son héros, Igor, semble avoir beaucoup de ressemblances avec son premier mari, Anatole, et son héroïne, Marine, est une sorte de mélange de Djénane et d'elle-même Elle tombe amoureuse d'un journaliste du *Sunday Times* dont le physique fait penser à celui de JJSS. Au petit jeu du qui est qui, Françoise s'ingénie à brouiller les pistes, mais, au bout du compte, le lecteur est gêné par ce jeu avec la vérité, le vraisemblable, le fictionnel. Marine meurt dans un attentat à l'âge où Françoise avait décidé de mourir. On sent bien qu'elle aimerait franchir le cap du roman, mais qu'elle n'y parvient pas : ce livre est nourri par son expérience personnelle. Elle truffe ses textes de dialogues plus scénaristiques que littéraires, et crée, sans grande conviction, des personnages de fiction auxquels elle fait vivre des fragments de sa propre vie.

Deux et deux font trois paraît en 1998, en même temps qu'est diffusé le document qu'elle a donné à Canal Plus. La chaîne saisit l'occasion pour lui consacrer une soirée entière : entretien sur le livre, suivi du film. Elle s'y dévoile sans maquillage, vieille, laide, massacrée par les ravages de l'âge et sa chute dans l'escalier. Pourquoi accepte-t-elle ? Cette femme a passé sa vie à se montrer sous son meilleur jour, à contrôler son image, à toujours donner d'elle l'image d'une femme séduisante... Par vœu d'insolence, probablement, par volonté de prendre le contre-pied de l'esbroufe médiatique, de faire preuve de la liberté que donne le grand âge. Oui, Françoise devient une vieille dame indigne et assume ce nouveau rôle.

Et c'est avec émotion, en effet, qu'on la découvre sans fard ne plus craindre le regard des autres, enfoncer son chapeau sur sa tête quand elle n'a plus le courage d'aller chez le coiffeur, sans pour autant renoncer à ses activités de tou-jours : se déplacer à Berlin, par exemple, pour un colloque sur la culture européenne, ou écrire des textes pour l'Association internationale contre la Faim.

D'un côté la tête qui fonctionne bien, l'esprit d'une lucidité cruelle ; de l'autre, la frêle et vieille carcasse qui ne suit pas, l'oreille droite qui n'entend plus, des douleurs qui sont constantes.

Aller prendre le soleil sous les tropiques la requinquera. Là voilà de nouveau joyeuse et déterminée, car elle a trouvé son nouveau sujet : une enquête sur les Françaises. Elle replonge dans sa documentation comme une étudiante.

Elle reçoit à déjeuner JJSS, mais il est déjà ailleurs. L'immédiat ne l'intéresse plus. Seul le passé lui importe. Il lui dit avoir lu *Mon très cher amour*. Il en a retenu une phrase qu'il a notée sur son calepin : « Ils étaient heureux, si tant est qu'un amour peut être heureux. » Et lui demande : « Que faites-vous du nôtre ? ». Françoise ne répond pas. Elle ne sait s'il reconstruit son passé ou s'il exprime ce qu'il pense depuis toujours. Elle pres-sent qu'il perd anormalement la mémoire. Ce n'est plus le même.

Elle se retrouve immobilisée chez elle par une méchante sciatique qui ne cède pas et les médecins qu'elle consulte ne voient pas d'autre solution que l'opération. « Je ne veux pas d'opération… J'ai fait mon temps. Abréger mes jours s'ils ne doivent être que souffrance et humiliation de mon corps, c'est tout ce que je demande. »

CHAPITRE XLVIII

Bonne à jeter aux chiens

C'est ce qu'elle dit d'elle les jours de cafard. Tout sauf la décrépitude. Mais à qui demander de lui administrer la mort ?

Le 13 janvier 1999 Françoise Giroud signe un appel avec cent trente autres personnalités déclarant qu'elles ont pratiqué l'euthanasie, et réclamant qu'une loi à ce sujet soit votée au Parlement.

Dans ses chroniques du *Nouvel Observateur,* qu'elle écrit maintenant plus difficilement, tant la lassitude la gagne, elle suit avec passion l'actualité au Kosovo. Elle s'engage aussi dans le combat sur la parité, un mal nécessaire, tant la représentativité des femmes dans les différentes sphères stagne, voire régresse.

Son livre sur les Françaises, *Les Françaises, de la Gauloise à la pilule,* synthèse un peu rapide de l'histoire des femmes qui sent la commande, se vend à plus de cinquante mille exemplaires en moins de quinze jours ; mais ce succès ne la rend pas heureuse et elle refuse les nombreuses sollicitations de la presse. Elle note dans son journal, à la date du 26 mai : « Complètement déglinguée. Je n'arrive pas à travailler sur le recueil de nouvelles que j'ai en train, je ne sais pas me reposer sans sombrer dans la mélancolie. Que faire de cette carcasse qui me trahit ? ».

Françoise s'étonnera de franchir le cap de l'an 2000. « Ce siècle tournera sur ses gonds sans ma participation », avait-elle écrit.

Elle publiera *Histoires (presque) vraies* cette année-là, une suite de nouvelles dont elle a puisé l'inspiration dans sa mémoire ou dans son imagination et où l'on rencontre des chats qui parlent, des chiens qui philosophent et des femmes hystériques qui se pâment de jalousie sans emporter l'adhésion. Pourquoi publier ce recueil ? Claude Durand, son éditeur chez Fayard, répond : « Elle avait besoin de publier pour se rassurer. Elle avait son public. C'était important pour elle. Elle publiait tellement qu'il est normal qu'il y ait eu de plus ou moins grands crus. »

Claude Durand n'a pas tort : le suivant sera meilleur. Elle enchaîne tout de suite dans un genre où elle excelle : sa propre mise en accusation. *On ne peut pas être heureux tout le temps* commence par une méditation sur la vieillesse. Françoise Giroud ne cache rien : l'horreur de voir son visage détruit, son corps qui fout le camp et qu'elle répare vaille que vaille, les cycles de dépression qui s'installent : « Un jour on se découvre petite chose molle, fragile et fripée, l'oreille dure, le pas incertain, le souffle court, la mémoire à trous, dialoguant avec son chat un dimanche de solitude. Cela s'appelle vieillir, et ce m'est pur scandale. »

Le livre s'est construit à partir de quelques photographies tombées d'un tiroir de son bureau. Au lieu de les jeter, elle en a choisi quelques-unes pour, de nouveau, sans ordre chronologique, raconter sa vie. Et ça marche. La sarabande médiatique se met en marche. Elle renâcle mais s'exécute. Je me souviens d'un entretien à France Culture où elle est arrivée fatiguée, éteinte, et est repartie joyeuse, avec de nouvelles forces. Etonnée, comme toujours, qu'on puisse l'aimer.

Le 16 juin 2000, jour de l'anniversaire de la naissance de *L'Express*, Martine de Rabaudy lui propose un livre d'entretiens – qui se révélera passionnant – sur son métier de journaliste. Elle hésite car elle a l'impression d'avoir déjà tout dit. Elle se trompe : le livre peut être lu comme un traité de savoir-vivre et de savoir-faire, et un précis de déontologie. A la question : qu'est-ce que le journalisme ? elle répond : « Là où bat le cœur du monde. »

En juin encore, je lui demande d'écrire un feuilleton pour France Culture, une satire du monde politique qui serait interprétée par de grands comédiens. L'idée l'amuse. Elle s'y met et tiendra les délais, pourtant fort serrés.

A cette époque, depuis trois ans, j'entretiens avec elle un rapport que je ne saurais qualifier d'amitié, mais, en tout cas, de proximité, et qui m'est très précieux. Sans le savoir, elle me donne du courage et de la détermination, rien que par sa présence, à un moment où je traverse des épreuves professionnelles violentes que j'ai préféré taire.

Comme bon nombre de journalistes, j'avais eu, depuis trente ans, l'occasion de l'interviewer et elle avait répondu avec beaucoup de générosité à une enquête que je faisais sur les femmes politiques. Mais un jour, un pas a été franchi, qu'il est difficile de qualifier, et encore moins d'expliquer. Tout est venu d'une invitation à déjeuner et, à partir de là, notre relation s'en est trouvée bouleversée. Françoise invitait en tête à tête. Au premier déjeuner, j'étais fort impressionnée et dans mes petits souliers. Puis, très vite, elle m'avait mise à l'aise en me posant des questions personnelles. Les déjeuners étaient devenus réguliers. Des moments d'intensité où, petit à petit, elle livrait, sans afféterie, ses angoisses, ses doutes, ses fragilités, ses inquiétudes aussi sur l'avenir d'un de ses petits-fils qui venait souvent lui rendre visite. Elle parlait beaucoup de ces deux passions qu'étaient pour elle la littérature et la musique. Elle était belle – quoi qu'elle en dît – habillée de noir et blanc, avec ses bracelets qui tintinnabulaient et son visage éclairé par la douceur de son regard. La douceur... Voilà. C'était ce qui m'enveloppait et je sortais de ces moments de partage régénérée, aérienne, gaie, avec un moral d'enfer. A l'époque, j'étais loin d'imaginer que je passerais sept ans à essayer de la comprendre. Mais de ce don qu'elle m'a fait, je voudrais à mon tour témoigner. Françoise Giroud ou celle qui donnait des ailes aux femmes...

CHAPITRE XLIX

Vivante jusqu'à la mort

« La tentation la plus grande, c'est la tristesse. La complaisance à la tristesse, c'est le mal moral. Je suis gai quoique triste, triste quoique gai, et vivant jusqu'à la mort. » Françoise Giroud entend Paul Ricœur sur France Culture et note cette phrase, qu'elle s'appliquera à elle-même.

C'est en effet maintenant, sa philosophie : la mort, elle l'a tellement désirée quand elle était jeune que désormais elle l'attend avec sérénité. Depuis la mort d'Alex Grall elle l'a même apprivoisée. Elle ne croit pas à l'au-delà. Cela fait quatre ans qu'elle a tout prévu : « Je veux que, de ma dépouille réduite en cendres, on fasse de l'engrais pour les fleurs. De la poussière de femme pour nourrir les roses, voilà une bonne façon de tirer sa révérence et de s'incorporer à la terre vivante, au lieu de ces boîtes où l'on enferme les morts comme s'ils étaient contagieux. »

Le jeudi 12 juillet 2001, son kinésithérapeute la trouve totalement désorientée. Caroline la fait transporter à l'Hôpital américain. Batterie d'examens. Elle a probablement depuis longtemps de petits accidents vasculaires cérébraux. Elle sait ce qu'elle a, en a parlé avec sa fille et le dit aux médecins qui ne l'écoutent pas. Au quatrième jour, elle dit au médecin de garde : « Si vous ne me libérez pas, je me jette par la fenêtre. » Il la croit. Elle rentre chez elle toute pâteuse. Celle qui lui a fait découvrir les anges, Alix de Saint-André, et qui se révèle être son ange gardien, l'emmène à La Baule. Elle relit Chateaubriand.

Le 29 septembre, Caroline organise un thé pour ses quatre-vingt-cinq ans. On chante. Elle apostrophe l'assistance : « Quatre-vingt-cinq ans. Et alors ? ».

Le bel âge encore pour aller écouter à Berlin le *Requiem* de Verdi dirigé par Claudio Abbado, qu'elle admire, pour tomber en arrêt devant une sculpture de Giacometti à la FIAC et se dire qu'elle aimerait vivre avec cette sculpture de cet homme à genoux, pour conseiller Lionel Jospin sur sa manière de s'exprimer à la télévision, aider l'Association contre la faim à trouver des solutions pour les demandeurs d'asile, écouter des prostituées sur les grands boulevards et tenter de les sortir de leur condition.

Pessimisme de l'intelligence, optimisme de la volonté : telle est, désormais, sa devise.

La mort ne vient toujours pas. Françoise Giroud est l'une des rares femmes à avoir autant et si frontalement parlé du cheminement vers la mort. Tout se passe comme si elle s'excusait d'être encore en vie. Elle note le 31 décembre 2001 : « A quatre-vingt-cinq ans, je souhaite seulement faire une sortie honorable. Cela m'aurait parfaitement convenu de disparaître, vite fait, bien fait. Vous allez voir que je vais vous faire encore le coup d'être là en 2003, toute ratatinée derrière mon ordinateur. »

ÉPILOGUE

Je suis une saltimbanque

« Je ne suis pas celle que vous croyez. Je suis une saltimbanque. » C'est ainsi que commençait le discours de Françoise Giroud lors de la remise, par Alain Decaux, de la cravate de commandeur de la Légion d'honneur, en mars 1998.

Elle a beau partir en morceaux, côtes cassées par fractures spontanées, dents qui se brisent comme du verre, elle assure. *Le Nouvel Observateur*, en plus de sa chronique habituelle, lui demande cinq feuillets sur Chirac : pas de problème. Elle vient d'achever son livre sur Lou Andreas-Salomé. Elle remonte sur son cheval. Comme elle dit : « Il faut que je me secoue. » Ce livre de 118 pages, *Lou, histoire d'une femme libre*, s'intéresse à l'envers du personnage en proposant une thèse audacieuse : si Lou n'a connu l'amour que tardivement, c'est parce qu'elle a eu, dans l'enfance, un drame sexuel. Lou est, pour Françoise Giroud, l'incarnation de l'intelligence et de l'indépendance, « une pionnière de l'art d'être soi ». A lire comme un hommage à l'une des grandes penseuses de la psychanalyse. *Lou, histoire d'une femme libre* rencontrera, comme ses livres précédents, un succès immédiat.

En juillet, devant la maison de Cézanne à Aix-en-Provence, Françoise Giroud tombe : fracture du fémur. Eliane Victor appelle à la rescousse Caroline Eliacheff qui met en place la logistique. Quarante-cinq jours d'immobilisation. Puis rééducation. Françoise ne se plaint pas. A la sortie de l'hôpital, elle demande à son kiné s'il peut tout de suite l'asseoir à son ordinateur : elle a pris du retard pour un texte qu'elle a promis à Marin Karmitz. Quarante-huit heures plus tard, celui-ci reçoit ce texte sur Chaplin. Le lendemain, elle reprend sa chronique dans *Le Nouvel Observateur*.

Le jour de ses quatre-vingt-six ans, Micheline Decaux, Albina du Boisrouvray et Caroline organisent une petite soirée qu'elle baptise : résurrection. Elle fait bonne figure malgré la douleur. Elle note dans son journal : « Age obscène... Je n'ai pas peur de mourir. En revanche j'ai une peur panique de toutes les formes de sénilité. » En cela, elle réagit comme François Mitterrand qui avait demandé qu'on l'avertisse au moindre signe pour qu'il en tire lui-même les conséquences.

Mitterrand a décidé de mourir. Françoise ne s'est pas vue mourir.

Le 28 octobre, elle achève son livre *Les Taches du léopard*. Je crois que c'est ce jour-là qu'elle s'est autorisée à s'éteindre. Car, avec la construction de ce personnage de Sarah Berger, elle s'est enfin réconciliée avec la part obscure d'elle-même : sa propre judéité. Elle a accompli un acte philosophique de transmission, éloigné les fantômes du passé, fait taire l'interdit de sa mère, donnant ainsi à son premier petit-fils la reconnaissance du choix de sa propre vie : l'étude de la Bible.

Elle est sortie de la zone d'opacité dans laquelle elle était enfermée depuis si longtemps, et le devoir de vérité qui s'est imposé à elle provoque cette violente hémorragie d'énergie qu'elle note dans son journal sans s'en plaindre mais en s'en étonnant.

Le 22 décembre 2002, elle envoie son article consacré à l'émission spéciale de Bernard Pivot dont l'unique invité était Claude Lévi-Strauss.

Ce sera son dernier papier.

Le 10 janvier, elle glisse sur une plaque de verglas, heurte une voiture, des personnes lui viennent en aide et veulent l'emmener à l'hôpital. Elle refuse... Le lendemain, elle hésite à se rendre avec ce visage encore tuméfié à l'anniversaire de Serge July. Elle y va cependant, cachée derrière de grandes lunettes noires. Elle note dans son journal :

« Ce n'est pas très poli de promener cette tête-là. A trente ans je ne l'aurais pas fait. Mais aujourd'hui personne ne se préoccupera de ma tête. »

Ce seront ses dernières phrases écrites.

Le 16 janvier 2003, elle se rend à la première du spectacle de son amie Arielle Dombasle à l'Opéra-Comique. Florence Malraux vient la chercher et, devant sa fatigue et son visage encore marqué de bleus, l'incite à rester chez elle. Elle

refuse et met ses lunettes noires. A la fin du spectacle, elle demande à Florence d'aller chercher
son manteau sans attendre. Elle veut rentrer vite.
Elle se sent fatiguée. Alain Minc, qui se trouvait
avec son épouse à côté d'elle, se souviendra toute
sa vie du bruit qu'a fait la tête de Françoise
lorsqu'elle est tombée sur les marches de l'Opéra-
Comique. Vite remise sur ses pieds, elle refuse les
soins. Florence Malraux la raccompagne chez elle
et propose de rester dormir sur le canapé. Elle la
remercie mais prétend qu'elle se sent très bien. Le
lendemain, elle attend pour déjeuner Albina du
Boisrouvray. Elles travaillent ensemble tout l'après-
midi sur un projet de livre d'entretiens.

La nuit suivante elle tombe dans le coma et est
hospitalisée immédiatement. Elle ne reprendra
pas connaissance.
Je n'ai pas envie de l'enterrer, ici, à la fin de
ce récit. Je veux seulement mentionner ce dont
le hasard m'a rendue témoin : lors de la cérémonie, je me suis retrouvée à côté de Jean-Jacques
Servan-Schreiber qui demandait à son épouse
Sabine : « Qui enterre-t-on ? Est-ce mon plus grand
amour ? ». Il répétait ces mots de plus en plus
fort. Discrètement, ses fils et Sabine l'ont éloigné.
Ce fut sa dernière apparition publique. La boucle
était bouclée.

Je me souviens de cette phrase de Françoise :
« Si la mort me saisit cette nuit, je dirai : "Merci la
vie". »

BIBLIOGRAPHIE

Sylviane Agacinski, *Politique des sexes*, Seuil.
Michel Albert, Jean-Jacques Servan-Schreiber, *Ciel et terre*, Denoël.
Simone de Beauvoir, *Le deuxième sexe.*
Madeleine Chapsal, *L'homme de ma vie*, Livre de poche.
— *La maîtresse de mon mari*, Fayard.
Jean-Louis Crémieux-Brilhac, Georges Boris, *Trente ans d'influence*, Gallimard.
Jean Daniel, *Les miens*, Grasset.
— *Le temps qui reste*, Stock.
— *L'ère des ruptures*, Grasset.
— *La Blessure*, Grasset.
Jean Daniel et Jean Lacouture, *Le citoyen Mendès France*, Seuil.
Georgette Elgey, *La République des illusions ?*, Fayard.
Caroline Eliacheff, *Mère-filles : une relation à trois*, Albin Michel.
Jacques Fauvet, *La IVe République*, Fayard.
Valéry Giscard d'Estaing, *Le pouvoir et la vie*, Poche.
Valérie Grall, *Latour-Maubourg*, Grasset.
Françoise Héritier, *Masculin féminin*, Odile Jacob.
Michel Jamet, *Les défis de L'Express*, Le Cerf.
Marin Karmitz, *Bande à part*, Grasset.
Jean Lacouture, *Mendès France*, Seuil, Points.

— De Gaulle, Seuil, Points.

— *Mauriac. Le sondeur d'abîmes ; Un citoyen du siècle*, Seuil, Points, deux tomes.

— *Les impatients de l'histoire.*

François Mauriac, *Bloc-notes,* Points, deux tomes.

— *D'un bloc-notes à l'autre,* Bartillat.

Hervé Mille, *Cinquante ans de presse parisienne,* La Table ronde.

Alain Minc, *Le fracas du monde,* Seuil.

Christine Ockrent, Françoise Giroud, *Une ambition française,* Livre de poche.

Alain Rustenholz, Sandrine Treiner, *La saga Servan-Schreiber,* Seuil, deux tomes.

Jean-Jacques Servan-Schreiber, *Lieutenant en Algérie,* Julliard.

— *Le défi américain,* Denoël.

— *Passions.*

— *Le pouvoir d'informer,* Robert Laffont.

Serge Siritzky, Françoise Roth, *Le roman de L'Express,* Atelier Marcel Jullian, 1979.

Robert Soulé, *Lazareff et ses hommes,* Grasset.

Pierre Viansson-Ponté, *Histoire de la République,* Fayard, deux tomes.

Eliane Victor, *Profession femme,* Grasset.

Michel Winock, *Mendès France,* Bayard.

— *La IIIe République,* Calmann-Lévy.

— *Le siècle des intellectuels,* Seuil.

— *Clemenceau,* Perrin.

BIBLIOGRAPHIE DE FRANÇOISE GIROUD

Le Tout-Paris, Gallimard, 1952.

Nouveaux Portraits, Gallimard, 1954.

La Nouvelle Vague, Gallimard, 1958.

Si je mens..., Stock, 1972 ; Le Livre de Poche, 1973.

Une poignée d'eau, Robert Laffont, 1973.

La Comédie du pouvoir, Fayard ; Le Livre de Poche, 1979.

Ce que je crois, Grasset, 1978 ; Le Livre de Poche, 1979.

Une femme honorable, Marie Curie, Fayard, 1981 ; Le Livre de Poche, 1982.

Le Bon Plaisir, Mazarine, 1983 ; Le Livre de Poche, 1984.

Christian Dior, Editions du Regard, 1987.

Alma Mahler ou l'Art d'être aimée, Robert Laffont, 1988 ; Presses-Pocket, 1989.

Ecoutez-moi (avec Günter Grass), Maren Sell, 1988 ; Presses-Pocket, 1990.

Leçons particulières, Fayard, 1990 ; Le Livre de Poche, 1992.

Jenny Marx ou la Femme du Diable, Robert Laffont, 1992 ; Feryane, 1992 ; Presses-Pocket, 1993.

Les Hommes et les Femmes (avec Bernard-Henri Lévy), Orban, 1993 ; Le Livre de Poche, 1994.

Le Journal d'une Parisienne, Seuil, 1994 ; coll. « Points », 1995.

Mon très cher amour..., Grasset, 1994 ; Le Livre de Poche, 1996.

Cosima la sublime, Fayard/Plon, 1996.

Chienne d'année : 1995, Journal d'une Parisienne (vol. 2), Seuil, 1996.

Cœur de tigre, Fayard/Plon, 1995 ; Pocket, 1997.

Gais-z-et-contents : 1996, Journal d'une Parisienne (vol. 3), Seuil, 1997.

Arthur ou le bonheur de vivre, Fayard, 1997 ; Le Livre de Poche, 2003.

Deux et deux font trois, Grasset, 1998.

Les Françaises, Fayard, 1999 ; Le Livre de Poche, 2000.

La Rumeur du monde, Journal 1997 et 1998, Fayard, 1999.

Histoires (presque) vraies, Fayard, 2000 ; Le Livre de Poche, 2002.

C'est arrivé hier, Fayard, 2000 ; Le Livre de Poche, 2002.

On ne peut pas être heureux tout le temps, Fayard, 2001 ; Le Livre de Poche, 2002.

Profession journaliste : conversations avec Martine de Rabaudy, Hachette Littératures, 2001 ; Le Livre de Poche, 2003.

Lou, histoire d'une femme libre, Fayard, 2002 ; Le Livre de Poche, 2004.

Les Taches du léopard, Fayard, 2003 , Le Livre de Poche.

REMERCIEMENTS

Je voudrais tout d'abord remercier Caroline Elia-cheff qui m'a ouvert les archives personnelles de Françoise Giroud ainsi que sa correspondance et ses papiers personnels, Jean-Louis Servan-Schreiber, Sabine Servan-Schreiber qui m'a autorisée à consulter la correspondance privée de JJSS, Madeleine Chapsal qui m'a soutenue tout au long de ces années et n'a pas ménagé son temps, Florence Malraux qui m'a guidée, Jean Daniel qui m'a reçue à maintes reprises, Robert Badinter, Georges Kiejman, qui tous deux m'ont éclairée sur la complexité du personnage, Eliane Victor, présente dès les premiers jours de cette recherche, Alix de Saint-André, Sylvie Pierre-Brossolette, Marin Karmitz qui m'a donné des pistes de compréhension, Albina du Boisrouvray qui parle de F.G. comme si elle était encore vivante tout comme Micheline Decaux, Arielle Dombasle, Bernard-Henri Lévy et Nicolas Elia-cheff, qui a supporté mes questions pendant tant d'années et qui m'a mise en rapport avec Alexandra Grinkrug, Jean Lacouture.

Cette recherche m'a permis de nombreuses rencontres. Evoquer le souvenir de Françoise avec celles et ceux qui ont travaillé avec elle fut un enchantement : merci donc aux « girls » de Françoise. Michèle Cotta, Catherine Nay, Alice Morgaine, Michèle Manceaux,

Martine de Rabaudy, Anne Sinclair, Danièle Heymann. Aux hommes aussi avec qui elle a collaboré et plus particulièrement Claude Imbert, Yves Sabouret, Angelo Rinaldi, Jacques Duquesne.

A Simone Veil, Valéry Giscard d'Estaing, Claude Lanzmann, Alain Minc, Leonello Brandolini, Christiane Collange, Jacques Duquesne, Benoîte Groult, Gilles Hertzog, Claire Gallois, Serge July, Ivan Levaï, Maurice Nadeau, Elisabeth Roudinesco, Valérie Grall, Colette Ellingen, Edmonde Charles-Roux, Pierre Assouline.

Je voudrais aussi remercier l'archiviste du journal *Elle*, les documentalistes de Radio-France qui m'ont permis de lire tous les numéros de *L'Express*, l'IMEC, Olivier Corpet, Albert Dichy et Jeannette Patrzierkovsky, Béatrice James, Isabelle Juignot, Marie-Dominique Dumont.

TABLE

Crédits photographiques